TODD BORG

TAHOE
L'Enlèvement

UNE ENQUÊTE DU DÉTECTIVE McKENNA

Ce livre est dédié à Kit.

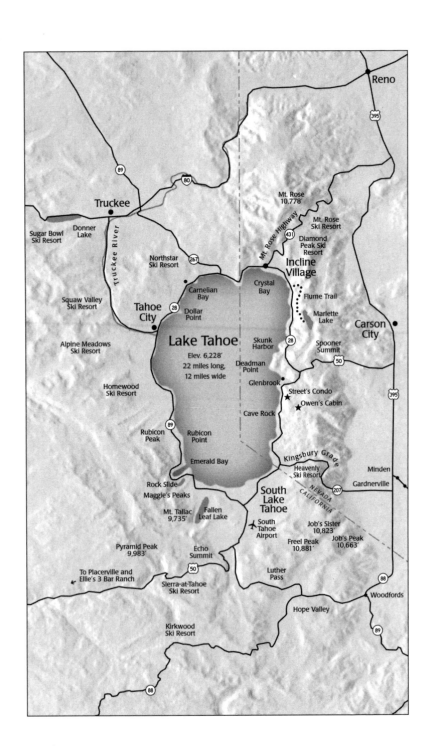

PROLOGUE

Quand le yacht contourna Rubicon Point, l'homme leva sa flasque de whisky irlandais, prit une dernière gorgée de feu celtique, et exhala fortement. Courage liquide, mon cul, pensa-t-il. Une anesthésie, rien de plus. Les Celtes qui avaient mis Rome à sac ne s'imbibaient pas avant la charge pour une autre raison que la prophylaxie émotionnelle. Les tâches monumentales nécessitent un sérieux remontant. Engourdir le système nerveux, et en avant toute.

Il était temps de commencer.

L'homme jeta la flasque par-dessus bord, puis plongea les bras dans les bretelles de son sac à dos. Il tendit la main vers le fourreau de cuir qui dépassait d'une poche latérale de son jean et en tira son couteau demi-soie sur mesure à la pointe de tanto polie, muni de dents, et au manche gravé de la croix celtique. Il glissa le couteau dans sa paume, adressa un unique hochement de tête à son partenaire, un homme plus petit placé à la proue du Tahoe Dreamscape, puis se dirigea vers les passagers les plus proches, deux personnes qui se tenaient sur le côté bâbord du pont avant.

Le navire longeait la rive ouest du lac Tahoe, suivant un cap qui l'amènerait au pied des falaises de Rubicon. Le Tahoe Dreamscape était l'un des plus gros bateaux de Tahoe, utilisé comme transport privé pour des groupes nombreux. Un organisateur de Reno avait loué le Dreamscape pour sa croisière apéritive de l'après-midi vers Emerald Bay. Un groupe de consultants avait gravi la montagne pour goûter aux vues du lac et au temps frais des montagnes en automne, pendant que Reno cuisait toujours sous la chaleur du désert. L'homme et son partenaire étaient montés à bord avec le reste des passagers. Ils avaient préparé une histoire professionnelle au cas où quelqu'un leur poserait des questions : ils louaient aux entreprises des maisons tranquilles à la campagne, proposant des stages de management et du coaching pour cadres, et participaient à la croisière à la demande de l'un des consultants. Mais personne ne leur posa de question. Ils n'eurent même pas à montrer leurs billets.

Certains des passagers étaient alignés de l'autre côté du bateau, pressés contre le bastingage tribord, attendant d'apercevoir l'entrée d'Emerald Bay, ouverture étroite de peu de fond sur une profonde étendue d'eau évoquant un fjord, nichée parmi les montagnes qui bordaient la rive ouest. Tandis que le Dreamscape croisait vers le sud, les passagers avaient sorti leurs appareils photo, avides de voir la célèbre baie avec son île et le Vikingsholm, le château de style norvégien situé à l'extrémité de la baie.

Mais l'homme n'avait pas l'intention de laisser le bateau passer les rochers de Rubicon.

Le rivage de Rubicon constituait l'extrémité supérieure d'une grande falaise sous-marine, trois cent soixante-dix mètres de roche verticale, qui plongeait jusqu'aux trois quarts de la distance séparant la surface du fond du grand lac. À cause de l'importante profondeur de l'eau, la lumière du soleil qui y pénétrait continuait en profondeur jusqu'à s'épuiser. Sans fond assez proche pour renvoyer la lumière, l'eau au large de Rubicon Point était d'un indigo sombre. C'était la profondeur de cette partie du lac qui en faisait l'endroit parfait pour son objectif.

Le groupe n'avait rien à voir avec les foules du mois d'août, mais c'était un groupe de bonne taille pour un jour de semaine en septembre : quarante-sept consultants servis par un équipage de quatre personnes et les trois employés du traiteur.

Plus tôt, pendant le trajet venteux du Dreamscape à travers le lac Tahoe, nombre des voyageurs étaient restés dans le salon ou sortis sur le pont arrière, protégé du vent. Pendant une grande partie du voyage, les deux hommes avaient eu le pont avant pour eux seuls. Personne n'avait remarqué quoi que ce soit pendant qu'ils mettaient leurs affaires en place. Leurs mouvements étaient assez naturels pour que même l'équipage, sur la passerelle au-dessus d'eux, n'ait eu conscience de rien d'autre que de deux hommes qui circulaient, curieux d'examiner le bateau.

L'homme s'approcha des deux passagers. Il saisit le coude du premier, une personne vêtue d'un sweat-shirt à capuche dont la capuche était remontée contre le vent. Il lui montra son couteau.

— Venez avec moi. (L'homme parlait d'une voix inégale, comme pour la déguiser.) Pas un mot, ou vous êtes mort.

Le passager eut un hoquet, mais ne dit rien. L'autre personne ouvrit la bouche et se mit à crier.

— Silence ! murmura sèchement l'homme, ou je l'égorge !

Il eut un petit geste de la main, comme un tireur de comédie ferait tourner son six-coups, et le couteau étincelant tournoya dans l'air. L'homme le rattrapa et fit mine d'enfoncer sa lame.

— Si vous émettez un autre son, si vous dites quoi que ce soit, parlez à qui que ce soit, le sang coulera.

L'homme fit traverser le pont à son otage en direction de la proue du bateau. Il tenait son couteau baissé, à l'abri des regards. Même si le capitaine, sur la passerelle, le voyait, il aurait l'impression qu'il escortait quelqu'un vers un endroit où l'on avait une meilleure vue.

Quand ils atteignirent la proue, il s'adressa à son otage.

— Appuyez-vous sur le bastingage. Maintenant, passez la jambe par-dessus, de l'autre côté. Faites-le ! Et maintenant, l'autre jambe.

L'otage fit ce qu'il demandait, ses pieds reposant tout au bord de la proue. Il agrippa le bastingage pour éviter de tomber dans le lac. L'homme se positionna entre son otage et l'équipage du Dreamscape présent sur la passerelle, de façon à leur dissimuler le fait que l'otage se tenait à l'extérieur du bastingage.

L'homme tira de sa poche trois petits cordons. Il en utilisa un pour attacher les poignets de l'otage tandis que ce dernier s'agrippait toujours au bastingage. Près de ses pieds reposaient deux longueurs d'une lourde chaîne d'ancre rouillée, que le partenaire de l'homme avait sortie de son sac à dos et déposée sur le rebord de la proue. La chaîne était posée juste devant un coffre à outils, hors de vue de l'équipage. Les chaînes n'étaient attachées à rien et servaient simplement de poids de dix kilos, sous la forme de lourds maillons de métal.

L'homme se pencha et utilisa le deuxième cordon pour attacher une des chaînes à la cheville de l'otage. Il se redressa et, menaçant de couper les doigts de l'otage avec son couteau, lui détacha les mains du bastingage.

— Tournez-vous dos au bateau, dit-il. Je vous retiendrai par la ceinture pour vous éviter de tomber à l'eau. Faites-le !

Il força l'otage, qui se débattait, à se tourner dos au bastingage et face à l'eau. Du fait que le garde-fou dépassait de quinze centimètres le bord du pont, cela obligeait l'otage à se pencher vers l'extérieur tandis que l'homme le maintenait par la ceinture. Il la serra contre le bastingage et l'y attacha avec le troisième cordon.

L'homme sortit de sa poche un quatrième cordon, plus long. À l'aide de quelques nœuds simples dont il avait visiblement l'habitude, il élabora une attache de façon à pouvoir jeter l'otage dans le lac d'une seule traction sur le cordon.

— Vous êtes maintenu contre le bastingage par le cordon, dit l'homme. Si vous restez tranquille, vous ne risquez rien. Mais le nœud est un nœud coulant, et je peux tirer ma corde pour le défaire. Si vous essayez de vous retourner pour attraper le garde-fou, je vous enverrai dans l'eau avec la chaîne d'ancre. Cette chaîne vous entraînera au fond comme un ascenseur descendant à grande vitesse.

Tourné face au lac, avec la capuche de son sweat-shirt remontée, le visage terrorisé de l'otage n'était visible de personne.

L'homme sortit un téléphone portable qu'il avait pris dans le salon, dans le sac d'une femme qui avait brièvement détourné les yeux lors de l'agitation provoquée par le départ de la croisière. Il leva les yeux vers la passerelle au-dessus de lui, et composa le numéro du capitaine du Tahoe Dreamscape.

— Ken Richards, Tahoe Dreamscape, répondit le capitaine.

— Baissez les yeux vers votre pont avant. J'ai un otage qui se tient à l'extérieur du bastingage de la proue, et un cordon l'empêche de tomber à l'eau. Mon otage est attaché à une lourde chaîne. Je tiens une corde qui peut dénouer le cordon. Si je tire sur la corde, l'otage et la chaîne tomberont à l'eau. (Il marqua une pause pour laisser ses déclarations faire leur effet.) Arrêtez les moteurs, ou j'enverrai l'otage au fond du lac.

Il n'y eut pas de réponse immédiate du capitaine. Le navire ne ralentit pas. Le capitaine était probablement en état de choc. Il fallait développer.

— L'otage n'a aucune chance et sera mort à une profondeur de vingt-cinq ou trente étages, environ la profondeur où les derniers rayons de soleil cèdent la place à l'obscurité ! Vous comprenez ? C'EST UN DÉTOURNEMENT ! COUPEZ IMMÉDIATEMENT LES MOTEURS, OU JE TIRE SUR LA CORDE !

Le bateau ralentit immédiatement tandis que les moteurs s'éteignaient. En quelques secondes, le navire se mit à avancer paresseusement, comme s'il allait s'immobiliser. Sans moteur, il se mit à tourner en dérivant, sa proue s'orientant dans le sens des aiguilles d'une montre vers les falaises du rivage.

Le capitaine Ken Richards couvrit le téléphone, et cria à son second :

— Appelez police secours ! Nous sommes détournés !

Il porta de nouveau le téléphone à sa bouche.

— Restez calme, dit Richards au preneur d'otage. Nous ferons tout ce que vous demanderez.

Richards observa d'en haut l'auteur du détournement. Il était massif, à moins que cette impression ne soit due à son imposante veste. Il avait les cheveux épais, une barbe et une moustache en broussaille, et ses yeux étaient masqués par de grandes lunettes de soleil. Il portait sur son dos un grand sac à dos bleu. L'homme paraissait frénétique, et regardait tour à tour les touristes rassemblés à tribord, la passerelle et les falaises littorales à cinquante mètres de là.

Comme sur tous les navires touristiques, Richards et son équipage avaient été briefés par le FBI, une précaution de routine. Il se rappelait les bases de l'exercice concernant une éventuelle prise d'otage à bord. Rester calme. Gagner du temps. Faire croire au preneur d'otage qu'ils essayaient de faire ce qu'il voulait.

Richards était sur le point de parler dans son téléphone quand il vit un touriste pointer le doigt vers le preneur d'otage. Le touriste cria quelque chose. D'autres voyageurs se retournèrent pour regarder. L'un d'eux poussa un cri, d'une voix tendue. Davantage de regards se concentrèrent sur la scène. Une cacophonie de voix fortes lui parvint à travers les fenêtres de la passerelle. Quatre mots se détachaient du vacarme.

— IL A UNE BOMBE !

Des gens se mirent à hurler et à courir vers la poupe du Tahoe Dreamscape. Deux personnes tombèrent. D'autres trébuchèrent sur leurs corps.

Le second obtint une réponse à son appel. Il se mit à expliquer sérieusement la situation à la police.

Richards revint à son téléphone.

— Qu'est-ce que vous voulez ? demanda-t-il d'une voix forcée et tendue.

Il se rendit compte qu'il avait déjà enfreint la première règle : rester calme. Richards contempla l'homme au-dessous de lui et vit pour la première fois ce qui ressemblait à un mince câble noir sortant de la poche de l'individu et rejoignant le sac à dos. Bon sang, ce type était vraiment porteur d'une bombe. Le sac pouvait aisément contenir assez d'explosifs pour couler le Dreamscape.

— Vous me décevez beaucoup, capitaine Richards ! cria le preneur d'otage au téléphone. Je vous ai demandé d'arrêter le moteur, mais vous avez hésité ! Vous n'avez pas l'air de réaliser que c'est moi qui suis maintenant aux commandes de ce bateau. C'est compris ?

— Oui, bien sûr, répondit Richards.

Le preneur d'otage était outré.

— Je ne crois pas, déclara-t-il dans son téléphone volé. Il empocha l'appareil, fit trois pas vers son partenaire. Le cordon retenant l'otage était maintenant tendu à fond. L'homme s'adressa à son partenaire.

— Le capitaine du bateau a dit qu'il y avait quelque chose dans l'eau, lâcha-t-il à son partenaire. (Il lui montra l'eau du lac juste à l'avant de la proue.) Tu vois quelque chose ?

Le partenaire se retourna, se pencha et contempla fixement l'eau du lac.

— Je ne vois ri...

Il ne termina pas sa phrase : l'homme au sac à dos attrapa son partenaire par les cheveux et le poussa brutalement en avant, lui écrasant la gorge contre le garde-fou.

Le plus petit des deux hommes tendit la main vers son cou. Sa bouche s'ouvrit en grand, mais aucun air n'y pénétrait. Le preneur d'otage ramassa la deuxième chaîne enroulée au sol. Il en entoura le cou de son partenaire qui suffoquait, fit un nœud grossier avec la chaîne, puis, le poussant contre le bastingage, lui souleva les pieds et le fit tomber avec la chaîne par-dessus le garde-fou, dans le lac.

L'homme et la chaîne firent un « plouf » à peine audible.

L'otage vit la scène et émit un gémissement aigu, guttural et étouffé.

Le preneur d'otage sortit le téléphone de sa poche.

— MAINTENANT, VOUS ME CROYEZ QUAND JE DIS QUE C'EST MOI QUI COMMANDE ? hurla-t-il dans le récepteur.

— Oui, répondit le capitaine d'une voix faible, presque geignarde.

— Nous aurions pu faire simple, capitaine Richards, dit l'homme. Mais vous avez compliqué les choses en essayant de les retarder. Êtes-vous prêt à faire ce que je demande ?

— Oui. (La voix du capitaine au téléphone semblait fragile, désespérée.) S'il vous plaît... je vous en prie, ne faites de mal à personne d'autre. Nous ferons tout ce que vous voudrez.

— Je veux rencontrer un homme. Votre équipage est probablement en train de parler aux forces de l'ordre en ce moment même. Dites à la police de le trouver et de le faire monter sur ce bateau le plus vite possible. Si vous traînez encore, je jette l'otage au lac où il rejoindra l'autre type par quatre cents mètres de fond !

— Oui, monsieur, répondit le capitaine. Qui est l'homme que vous voulez rencontrer ?

— Il était inspecteur à la criminelle de San Francisco. Aujourd'hui, il est enquêteur privé à Tahoe. Il s'appelle Owen McKenna.

Chapitre 1

Une sonnerie stridente. Une sensation humide et froide sur ma joue. Dans mon œil. Aïe. Une autre sonnerie. Façon désagréable de s'éveiller d'une sieste dans le rocking-chair.

La truffe de Spot. Insistante. La truffe d'un danois dans l'œil, c'est comme un morceau de beurre froid. Je le repoussai, m'essuyai l'œil d'un revers de manche. Une autre sonnerie. Je louchai. Quelque chose étincelait dans le brouillard de ma vision. La plaque d'identification à l'oreille de Spot, qui reflétait la lumière entrant par la fenêtre. Je regardai l'horloge : 14h47. Autre sonnerie. Je me levai en clignant de l'œil. Mes paupières étaient engluées par le fluide provenant de la truffe du chien. Cinquième sonnerie. Je passai dans mon coin cuisine et décrochai le téléphone. Celui qui appelait avait raccroché. Je n'entendis que la tonalité.

— Tu ne peux pas me laisser dormir quand j'y arrive enfin ? demandai-je, sachant que c'était le téléphone qui avait incité Spot à me taper dans l'œil.

Spot remua la queue.

Je n'avais pas l'habitude de faire des siestes, mais j'étais resté éveillé une bonne partie des trois nuits précédentes, essayant de démêler les allégations de quelqu'un qui m'avait appelé en prétendant savoir qui avait tué Grace Sun. Il s'agissait d'un meurtre resté non élucidé pendant le dernier mois de ma carrière d'inspecteur à la brigade criminelle de la police de San Francisco. J'avais reçu un appel à minuit chacune des trois nuits précédentes.

L'écran de mon téléphone indiquait un numéro d'appel privé. À minuit, il ne s'agissait probablement pas d'un démarchage commercial ; j'avais donc répondu.

— Je sais qui a tué Grace Sun, avait dit mon correspondant.

— Qui est à l'appareil ? avais-je demandé.

La personne avait ignoré ma question.

— J'ai lu que vous aviez des traces d'ADN, mais aucun suspect correspondant. Renseignez-vous sur Thomas Watson. Il vient d'acheter un appartement sur la rive ouest. Dans la résidence Blue Sky, Blue Water.

Le type avait raccroché.

Le soir suivant, il avait rappelé, encore plus agité. Étais-je allé arrêter Watson ? Pourquoi pas ? Cet homme était un tueur ! Est-ce que je voulais que les meurtriers restent en liberté ?

Je lui avais répondu qu'un tuyau fourni par un appel anonyme ne constituait pas un motif d'arrestation. Et l'avais informé que j'étais maintenant détective privé, que je n'avais aucune autorité pour faire le travail de la police. Il avait raccroché avec un juron.

Le lendemain, j'avais transmis l'information à des flics de ma connaissance dans plusieurs des diverses juridictions policières aux alentours du lac Tahoe.

Le troisième soir, l'homme avait de nouveau appelé. J'avais répondu que j'avais transmis ses informations aux autorités compétentes, qu'il n'y avait rien d'autre que je puisse faire. Il avait répliqué par un chapelet d'insultes, me disant que je le regretterais, et m'avait encore raccroché au nez.

Ce matin, j'avais appelé Street Casey. Elle avait gravi la montagne pour prendre le petit-déjeuner avec moi. Nous avions discuté de ces appels téléphoniques pendant que je concoctais en vitesse des œufs brouillés. Ils étaient un peu caoutchouteux, mais on fait avec le peu de compétences dont on dispose. Nous les avions mangés sur ma terrasse, modeste étendue de cèdre usé par les intempéries jouissant d'une vue indécente sur le lac Tahoe, trois cents mètres plus bas. De l'autre côté du lac, la crête de la Sierra comportait encore de petites taches de neige, même si les dernières chutes sérieuses remontaient à quatre mois plus tôt, en mai.

— À t'entendre, le meurtre de Grace Sun était une affaire frustrante, déclara Street.

— Ouais. Quand on travaille sur des affaires criminelles, on s'attend à ce que la majorité d'entre elles restent irrésolues. Mais quand les victimes sont des enfants, des personnes âgées ou des femmes dans la fleur de l'âge, elles continuent à vous hanter.

— Tu ne connaissais pas Grace Sun, dit Street.

— Non. Mais pendant l'enquête j'ai rencontré sa cousine, Melody Sun, qui partageait l'appartement avec elle. C'est Melody qui a découvert le corps. J'ai constaté que Melody et Grace étaient proches. Parler avec Melody m'a permis de connaître un peu Grace. Le fait qu'on ne soit arrivés à rien dans cette affaire m'a contrarié.

— Pourquoi a-t-on tué Grace ? demanda Street.

— On ne l'a jamais su. Melody et Grace occupaient un appartement à North Beach, au pied de la Coit Tower. Il a été retourné de fond en comble, mais nous n'avons jamais trouvé d'indication claire de la raison pour laquelle on l'avait tuée.

— Tu crois que Grace a pu interrompre un cambrioleur, et qu'elle s'est fait tuer à cause de ça ?

— Possible, dis-je. Mais il y avait une théière et deux tasses sur la table. Le thé avait été servi et bu. Plus tôt dans la matinée. Melody et Grace avaient quitté l'appartement ensemble. Ni l'une ni l'autre n'avait préparé de thé ce matin-là. Et Grace avait passé toute la journée à son travail avant de rentrer chez elle. Nous avons donc pu situer l'heure du thé quelque temps après le retour de Grace chez elle et avant que Melody ne rentre. Nous avons déterminé que Grace était morte depuis environ une heure à l'arrivée de Melody.

— Donc Grace est rentrée, enchaîna Street. Puis quelqu'un qu'elle connaissait est passé, et ils ont pris le thé. Ensuite, cette personne est partie et quelqu'un d'autre est entré et a tué Grace ?

— Peut-être. Mais une des tasses portait les empreintes de Grace, et l'autre était propre. Ce qui suggérait que l'autre buveur de thé l'avait tuée, puis avait effacé ses empreintes sur sa tasse. Avant de mourir, Grace avait lutté avec le tueur, lui avait égratigné la peau avec ses ongles, et s'était fait frapper à la tête avec une poêle à frire en fonte, qui lui a défoncé le crâne et l'a tuée. Ensuite, le tueur a mis l'appartement à sac. Vidé les tiroirs, sorti les vêtements des armoires, arraché les coussins des canapés et des fauteuils. Les classeurs à papiers étaient ouverts et leur contenu répandu au sol. Les livres balayés des étagères.

Street hocha lentement la tête et ferma les yeux un instant.

— La surprise s'est produite une fois qu'on a rapporté le corps. Le médecin légiste a trouvé un journal sous le chemisier de Grace. Elle portait un pull par-dessus le chemisier, et la masse du pull avait dissimulé la forme du journal qui se trouvait dessous.

— Tu crois que le tueur cherchait le journal ?

— On n'a pas pu le déterminer. Le fait qu'elle l'avait caché là le suggérait. Peut-être avait-elle le journal avec elle en rentrant. Elle pourrait être entrée, avoir entendu le cambrioleur, et l'avoir glissé vite fait sous son chemisier avant qu'il ne la voie. Ou peut-être, quand le visiteur a frappé (la personne avec laquelle elle a bu du thé), Grace s'est-elle rendu compte qu'il s'agissait de quelqu'un qui s'intéressait au journal. De sorte qu'elle l'a caché sous son chemisier.

— Il devait être très précieux, remarqua Street.

— Tout juste. Sauf que nous n'avons rien pu y trouver de précieux.

— Que contenait le journal ?

— Il était écrit en chinois. Malheureusement, à un moment donné, le journal avait trempé dans l'eau, dans de l'eau sale. La majeure partie de l'écriture était brouillée. Nous l'avons fait examiner par un expert, mais il n'a vraiment pas pu en tirer grand-chose en dehors de quelques détails concernant les broutilles de la vie quotidienne pendant la ruée vers l'or. C'était assez ennuyeux pour que rien de particulier ne saute aux yeux.

Street réfléchit à la question.

— Vous avez obtenu l'ADN du cambrioleur grâce à la peau sous les ongles de Grace ?

— Oui. Elle lui avait arraché une quantité surprenante de peau sanguinolente. Le labo n'a eu aucun mal à en extraire l'ADN.

— Elle s'est visiblement débattue de toutes ses forces, mais ça ne lui a servi à rien, déclara Street. Elle est quand même morte, et vous n'avez jamais trouvé le coupable.

J'acquiesçai.

— Ça a dû être incroyablement difficile pour Melody de rentrer chez elle et de découvrir le corps.

— Oui. Elle a appelé les urgences. Dans l'enregistrement de cet appel, elle était plutôt calme. Mais quand nous sommes arrivés sur les lieux, elle avait craqué. Elle était assise dans l'entrée de l'appartement, les genoux ramenés sur sa poitrine, et se tapait la tête dessus, hystérique.

Street avala la dernière bouchée de ses œufs caoutchouteux, et termina son café.

— On dirait que le cambrioleur cherchait quelque chose de spécifique plutôt que du liquide dans un coffre, ou des colliers et des boucles d'oreilles dans un coffret à bijoux. Quelque chose qui pouvait se trouver à l'intérieur des livres ou caché dans le mobilier. Quelque chose comme le journal que Grace dissimulait sur elle. Melody a-t-elle remarqué la disparition de quoi que ce soit ?

— Non. C'était un autre détail étrange concernant le cambriolage. Deux jours plus tard – qu'elle avait essentiellement passés sous calmants, chez une amie – je suis retourné à l'appartement avec elle. L'équipe de nettoyage avait très bien fait son travail, et Melody parvenait à maintenir ses émotions sous un contrôle relatif. Elle a passé en revue toutes les pièces et n'a rien vu qui puisse manquer. Même quinze jours après, elle n'avait remarqué aucun objet disparu.

— Et maintenant un informateur anonyme déclare que le tueur est un type qui vit ici au bord du lac, reprit Street.

J'acquiesçai.

— Tu as déjà entendu parler de ce Thomas Watson ?

Je secouai la tête.

— Qu'est-ce que tu vas faire à son sujet ? demanda Street.

— J'ai appelé Bains au bureau du shérif d'El Dorado, Santiago à Placer County, et Mallory au commissariat de South Lake Tahoe.

— Et Diamond ?

— Bien sûr, dis-je.

— Il a une idée ? demanda Street.

— Non. En fait, il m'a répondu : « Pourquoi venir me le dire ? ». Et j'ai rétorqué : « Un intellectuel mexicain qui se trouve être flic à Douglas County pourrait avoir une idée qui échapperait au reste d'entre nous. »

— Il s'est probablement fichu de toi quand tu lui as dit ça, déclara Street.

— Oui, c'est exactement ce qu'il a fait.

Spot était sur la terrasse avec nous, roupillant au soleil, quand le lointain sifflement d'un oiseau lui fit lever la tête et contempler le ciel. Street et moi suivîmes son regard et vîmes un grand rapace qui décrivait des cercles. Il avait d'immenses ailes, les rémiges écartées en éventail à leurs extrémités. Ses ailes étaient déployées comme une planche étroite de deux mètres de long. C'était donc un aigle d'Amérique. Il tourna sur place, décrivant un grand cercle et s'élançant vers le ciel, et le soleil se refléta sur sa tête blanche et les pennes de sa queue.

C'était un changement de sujet bienvenu, et nous nous concentrâmes tous trois sur l'aigle un moment. Finalement, Street dut partir pour retrouver un collègue entomologiste.

Après son départ, j'emmenai Spot faire une longue marche en montagne pour m'éclaircir les idées, puis rentrai et déjeunai. Spot me regarda faire.

— Tu me fixes comme si un sandwich au beurre de cacahuète et un verre de lait étaient la réponse divine aux prières d'un chien, déclarai-je.

Spot se lécha les babines. Sa truffe se plissa. Son regard allait du sandwich à moi, puis revenait au sandwich. Son expression était si intense qu'elle aurait pu griller le pain si je l'avais maintenu immobile.

Je me levai, arrachai un morceau de sandwich au beurre de cacahuète et le mélangeai soigneusement au fond de sa gamelle, espérant que cela l'encouragerait à manger un peu des morceaux de sciure séchée qui sont censés constituer la nourriture pour chiens.

Spot fourra la truffe dans la gamelle, fouilla dedans en décrivant des cercles, et en tira le morceau de sandwich sans toucher aux croquettes. Puis il s'allongea sur son nouveau matelas en écorce de cèdre, un machin sur mesure, long d'un mètre cinquante pour qu'il puisse s'y étendre de tout son long. Malgré cela, ses pattes et sa queue dépassaient du bord et s'affalèrent sur le plancher.

Après le déjeuner, mon déficit en sommeil me rattrapa. Le rocking-chair me tendait les bras.

*
**

J'étais maintenant réveillé et avais répondu au téléphone pour n'entendre qu'une tonalité. Je raccrochai ; il se remit à sonner.

— Allô ? essayai-je une seconde fois.

— J'ai cru que vous dormiez ou je ne sais quoi, déclara Diamond Martinez.

— Sergent, répondis-je.

— J'ai pensé que vous voudriez savoir que nous avons une prise d'otage sur le lac. Un type à bord du Tahoe Dreamscape a balancé un autre type par-dessus bord après l'avoir lesté d'une chaîne.

J'étais encore groggy.

— Intentionnel ? ou accidentel ?

— Intentionnel. Il a actuellement un otage attaché à l'avant du bateau. Et il menace de le jeter aussi par-dessus bord.

— Et vous m'avez appelé parce que…

— Je suis avec mon unité de patrouille. J'étais en train de faire un tour sur Lower Kingsbury avec Ramos et un autre agent du FBI quand il a reçu un appel du central. Il s'avère que le preneur d'otage veut vous parler. Ramos est actuellement au téléphone avec le capitaine du bateau, Ken Richards. Attendez, Ramos vient de replier son portable. Il me dit quelque chose.

Une pause. Des voix étouffées.

Diamond annonça :

— Je vais lui donner mon téléphone par la portière.

Il y eut un bruit de vent, puis une voix.

— Owen McKenna, ici l'agent spécial Ramos. Diamond vous a décrit la situation.

Une affirmation, pas une question.

— Vous avez un preneur d'otage sur le Dreamscape, répondis-je.

— Ouais. Il vous veut sur le bateau.

— Une idée de pourquoi moi ? demandai-je.

— Non. Le capitaine Richards dit que l'individu a placé une lourde chaîne sur l'otage. Et il affirme qu'il va le jeter au lac si vous ne montez pas à bord pour lui parler. Apparemment, le gars est très agité. Nous n'en savons pas plus.

Je penchai la tête à gauche puis à droite, vers l'avant puis vers l'arrière, essayant de me débarrasser d'une raideur dans la nuque qui s'ankylosait rapidement. Je levai la main et me frottai les muscles du cou.

— Vous pouvez m'y emmener ? demandai-je.

— Oui. Nous avons un bateau à notre disposition.

— Une idée de l'identité de ce preneur d'otage ?

— Non. L'agent Bukowski est avec moi. Il est formé dans la négociation d'otage. Il pourra vous donner une idée de la façon de procéder. Nous serons chez vous d'ici cinq à dix minutes.

Nous raccrochâmes.

Je mis sur la terrasse de l'eau fraîche et la gamelle à laquelle Spot n'avait pas touché, et attachai ce dernier avec la longue chaîne en métal léger que l'on ne pouvait pas utiliser pour faire couler des gens au fond de cinquante-sept mètres d'eau glaciale. J'attrapai mon coupe-vent et j'attendais dehors quand une Chevrolet Suburban noire se rangea contre le trottoir. Je montai à l'arrière, côté chauffeur.

— McKenna, je vous présente Bukowski, lança Ramos depuis le siège conducteur.

Il m'adressa un bref regard dans le rétroviseur, passa en marche arrière, sortit de mon petit emplacement de parking et descendit la longue voie privée que je partage avec mes voisins fortunés.

— Bukowski est venu du bureau de Sacramento. Il nous aide sur une autre affaire.

Bukowski se retourna sur le siège avant. Il tendit le bras par-dessus le dossier pour me serrer la main. Il avait environ trente-cinq ans, plus jeune que Ramos et moi. Contrairement à Ramos, qui s'habillait toujours à peine moins bien qu'en queue-de-pie et dont les cheveux noirs luisants et la minuscule moustache noire avaient l'air de sortir de chez le barbier tous les matins, Bukowski portait une chemise blanche impeccable, mais pas de veste. Ses cheveux étaient gominés et brossés en touffes désordonnées penchées vers l'arrière. Malgré l'habillement décontracté, son visage avait l'air sérieux, concentré et inquiet.

— Vous avez une expérience des prises d'otages ? me demanda-t-il.

— Pas assez pour que ça compte, dis-je. Expliquez-moi tout depuis le début.

— Vous établissez le dialogue en vous guidant sur plusieurs principes, déclara Bukowski. Ralentir les choses, calmer la situation, réduire la tension. Faire en sorte que le preneur d'otage croie que vous faites votre possible pour travailler avec lui.

— Et pour ses exigences ?

— Vous lui dites : « Je vais voir ce que je peux faire. Ça va prendre du temps. Mais je vais passer des appels. Je pense que vous et moi pouvons y arriver. Je veux que cette situation se résolve pacifiquement. Et je continuerai à y travailler tant qu'il n'arrivera rien à l'otage. » Comme ça, ajouta-t-il. Vous passez vos appels. Vous le recontactez. Vous restez dans son champ de vision pour qu'il vous voie travailler à satisfaire ses exigences. Votre présence et votre conversation avec lui deviennent son moyen de s'assurer que quelqu'un s'en préoccupe. Tout est une question d'empathie. La plupart des preneurs d'otages, s'ils pensent que quelqu'un les écoute, se calment un peu. C'est quand ils pensent que quelqu'un les lâche, ou prépare un assaut des troupes d'intervention, qu'ils font sauter leurs bombes.

— Ce type a une bombe ? demandai-je.

— On dirait. Un grand sac à dos avec un câble qui en sort.

Ramos parvint au bas de la sinueuse allée privée de mes voisins et vira brusquement à gauche pour emprunter la nationale, accélérant assez brutalement pour faire crisser les pneus.

— Et s'il exige quelque chose que je ne peux pas raisonnablement tenter de lui obtenir ? demandai-je. Dix millions en liquide et un hélicoptère.

Bukowski acquiesça.

— Tout juste. Du genre « donnez-moi quarante vierges et une île tropicale ». Parfois, c'est ce qu'ils font. Dans ce cas, vous déclarez : « Je ne crois pas que je pourrai vous obtenir ça. Mais ce que je peux faire, c'est de dire aux autorités que nous avons besoin de temps pour résoudre la situation. Je peux garantir votre sécurité tant qu'il n'arrive rien à l'otage. » Quand il demande quelque chose que vous pouvez lui donner, disons des cigarettes, vous lui demandez de vous donner quelque chose en échange.

— Comme de placer l'otage dans une position moins dangereuse, répondis-je.

— Exactement. S'il est d'accord, vous ne lui donnez qu'une seule cigarette.

— Compris.

— Si le preneur d'otage veut de la nourriture, vous ne lui donnez qu'un seul article, un petit, et en tirez une autre concession en échange.

Je hochai la tête.

— Vous avez une idée de ce que veut le gars ?

Bukowski regarda Ramos.

— Aucune, répondit Ramos par-dessus son épaule. Le capitaine Richards a seulement dit qu'il était d'une violence qui frise la frénésie et qu'il exigeait de vous parler.

— Armé ?

— En dehors de la bombe, aucune arme que le capitaine puisse voir, répondit Ramos en me regardant dans le rétro. (Il se servit de ses dents de devant pour arracher un minuscule morceau de peau morte de sa lèvre inférieure, appuya sur le bouton pour baisser sa vitre et le recracha dehors.) Est-ce que ça tombe du ciel ? me demanda-t-il dans le rétroviseur. Ou est-ce qu'il se passe quelque chose dont vous êtes au courant ?

— Je ne sais pas s'il y a un rapport, mais j'ai reçu un appel chacune des trois dernières nuits, déclarai-je. Un type prétendait savoir qui avait tué une femme dans une affaire à laquelle j'ai participé avant de quitter la police de San Francisco. Une femme nommée Grace Sun.

Nous entrâmes dans le tunnel de Cave Rock, Ramos accélérant dans l'obscurité. Je me tendis involontairement lorsque nous émergeâmes subitement du côté sud, où un jeune homme avait fait une chute mortelle quelques semaines plus tôt.

— Votre correspondant s'est identifié ? demanda Ramos. Ou votre téléphone l'a identifié pour vous ?

— Non aux deux. L'écran affichait « numéro privé ».

— A-t-il dit qui, selon lui, avait tué la femme ? demanda Ramos.

— Oui. Quelqu'un du nom de Thomas Watson.

Ramos fit un léger écart en me regardant dans le rétroviseur.

— Vous connaissez Watson ? demandai-je.

Ramos se tourna vers Bukowski.

— Le nom légal de Tommy Watts, pas vrai ?

Bukowski acquiesça.

— Bon sang, dit Ramos. (Il m'adressa un bref regard dans le rétro, puis se concentra sur la route en prenant un virage en direction de Skyland. Il accéléra.) C'est pour ça que Bukowski est monté au lac. Nous travaillons avec l'ATF[1] sur une affaire impliquant une entreprise qui, à notre avis, fait du trafic d'armes. Un des agents qu'ils avaient mis dessus a disparu il y a quelques mois. Il y a une corporation d'importateurs appelée TransPacificTronics qui achète du matériel chinois en passant par un intermédiaire malais. Nous ne savons pas encore comment le trafic fonctionne. Il semble que les bons de commande malais concernent des appareils électroniques, mais ils représentent en réalité des armes automatiques. D'une façon ou d'une autre, ces armes traversent le Pacifique, puis sont transférées sur des bateaux de pêche et débarquées dans des villages de pêcheurs mexicains. Les armes sont dans de petits conteneurs cachés dans les cales avec le poisson. Ces types-là sont audacieux et ne visent pas seulement le Mexique. Nous avons aussi intercepté

---

1 Bureau des alcools, du tabac, des armes à feu et des explosifs, service fédéral chargé de la lutte contre le trafic. (*N.d.T.*)

deux cargaisons arrivant dans des bourgs côtiers de Californie, Morro Bay et Mendocino. Nous croyons qu'ils ont aussi utilisé Tomales Bay et Crescent City. Les pêcheurs plaident l'ignorance.

— Comme s'ils n'avaient aucune idée de la façon dont les armes se sont retrouvées dans les cales de leurs bateaux, dis-je.

— Tout juste. Nous ne connaissons pas le volume des armes, et nous ne savons pas où elles vont. Elles se retrouvent probablement dans les cartels des drogues ou sur des foires aux armes. Mais nous savons qu'un paquet d'entre elles sont parvenues à un groupe de miliciens qui se font appeler les Red Blood Patriots. Nous en avons confisqué quelques-unes lors d'un raid dans un motel et associé les numéros de série à l'usine chinoise qui avait fabriqué le matériel (une entreprise avec laquelle Tommy Watts a travaillé), mais nous n'avons pas pu déterminer précisément la chaîne d'approvisionnement sur notre continent. Malgré tout, nous sommes sûrs que Tommy Watts a quelque chose à voir avec les fusils qui finissent entre les mains des groupes de miliciens.

— Différentes milices ? demandai-je.

— Nous pensons qu'il y en a plusieurs. Watson est un homme d'affaires. Il a mis au point une entreprise lucrative. Je n'imagine pas qu'il s'arrête à un seul client.

J'étais surpris. Jamais, auparavant, Ramos n'avait été franc avec moi. Nous avions travaillé ensemble dans le passé, mais il y avait toujours eu un fossé à combler entre nous.

— Vous pensez que cette entreprise d'importation appartient à Thomas Watson ? demandai-je.

— Non, non. C'est un grand réseau. Watson est relativement insignifiant. Les propriétaires de TransPacificTronics sont un consortium de Singapour. Le consortium est associé dans un groupe à capitaux privés. Aucune de ces informations n'est publiquement disponible. Cette affaire est comme un oignon. Des entreprises possédant d'autres entreprises. L'aspect international le rend plus difficile à éplucher.

Il marqua une pause en abordant un virage.

— Tommy Watts a grandi comme cow-boy pauvre dans l'ouest du Texas, a suivi les cours de l'Académie de Marine américaine, a servi dix ans dans la Marine, dont l'essentiel en Extrême-orient. Puis il a démissionné et s'est subitement mis à mener une vie plus aisée. Il possède des appartements à San Diego et à Mexico en plus de son nouveau domicile ici, à Tahoe. Il s'est associé à des contrebandiers notoires et dîne avec des types qui travaillent pour TransPacificTronics. Il voyage beaucoup en Extrême-Orient, en particulier en Chine continentale. Il se fait passer pour un consultant en armement qui loue ses services aux entrepreneurs indépendants, fournissant sécurité et protection à des corporations internationales. Nous pensons que son activité de consultant est bidon et qu'il joue en réalité un rôle critique dans la chaîne d'approvisionnement de TransPacificTronics, leur procurant les armes là où elles sont fabriquées. Nous détenons des indices, par ouï-dire, qui le relient à un appel d'offres pour des AK-47 chinois, mais nous n'arrivons pas à trouver quoi que ce soit de compromettant sur lui.

— Vous l'avez convoqué pour l'interroger ?

— Nous avons frappé à sa porte plusieurs fois, aussi bien quand il était seul que quand il avait de la compagnie, mais il ne répond pas. Nous avons suivi sa voiture. Quand il en est sorti, nous lui avons demandé si nous pouvions lui parler. Il nous a ignorés. Nous sommes passés au Chips-n-Brew de Tahoe City alors qu'il se livrait à ses libations de l'après-midi. Lui et ses deux copains se sont calmement levés et sont partis, sans jamais prononcer un mot.

— Il connaît les règles, dis-je. Vous croyez que mon correspondant téléphonique pourrait avoir raison ? demandai-je. Vous pouvez imaginer Watson en assassin de Grace Sun ?

Ramos secoua la tête.

— D'après ce que nous avons appris en le surveillant ? Pas son style. Ses armes ont probablement été utilisées dans des tueries. Mais assassiner personnellement une femme ? J'en doute.

— Une idée de pourquoi Watson a acheté un appartement ici ? demandai-je.

— Il voulait probablement une maison de vacances à Tahoe, comme tout le monde. Mais il l'utilise aussi pour des dîners bien arrosés avec ses fournisseurs, dans un effort pour obtenir une offre moins élevée. La Chine est peut-être une société fermée en comparaison de la plupart des pays, mais ils sont comme les autres concernant les affaires. Vous obtenez les meilleurs marchés de ceux à qui vous graissez la patte et que vous nourrissez. Le mois dernier, Watson a loué un yacht à trois cabines dans l'une des marinas. Il a fait monter un traiteur à bord pour offrir un festin gastronomique à trois hommes d'affaires chinois. Au dessert, il y avait trois girls qui travaillent au noir pour une entreprise d'hôtesses de luxe.

— D'après mon correspondant, l'appartement de Watson se trouve dans un endroit appelé résidence Blue Sky, Blue Water, dis-je. Je ne sais pas où elle se trouve.

— C'est cette nouvelle résidence sur la rive ouest, à l'emplacement de l'ancienne résidence de Masterson.

— Je ne connais pas non plus Masterson.

— Masterson était un producteur de cinéma, un ami du joueur de baseball Ty Cobb. Il a vécu sur la rive est à côté de chez Cobb à Glenbrook, puis a fait construire une grande propriété sur la rive ouest. Il y a deux ou trois ans, un type riche de Los Angeles l'a démolie pour construire une résidence fermée. Quatre immeubles, d'une douzaine d'appartements chacun. Belle plage, piscine, courts de tennis, emplacement de bateau pour chaque appartement, garages souterrains, tout le toutim. Watson y a emménagé il y a deux mois.

Ramos tourna la tête pour jeter un œil aux eaux du lac tout en conduisant. Il poussa un soupir.

— Ce lac est un endroit bucolique. Des touristes heureux qui profitent de leurs vacances à la montagne. Des gamins qui jouent à la plage. La plupart des appels aux shérifs concernent des problèmes avec les ours. Et voilà que vous recevez des appels bizarres concernant un meurtre qui remonte à longtemps, et qu'un type détourne une navette touristique, le même mois où Thomas Watson emménage au bord du lac. Le preneur d'otage veut vous parler. Si c'est le même type qui vous a appelé, il doit être vraiment motivé pour vous convaincre que notre cow-boy de l'Académie de Marine est votre meurtrier de San Francisco. On se demande pourquoi. Mais il pourrait simplement s'agir d'un cinglé, qui était au courant du meurtre de cette femme en ville et veut obtenir son quart d'heure de gloire en prenant un otage et en faisant des déclarations délirantes.

— On ne va pas tarder à le savoir, dis-je.

Chapitre 2

Ramos tourna dans Elks Point Road à Round Hill, et continua en direction de Nevada Beach. Il passa le portail d'une propriété privée, puis s'engagea sur une allée. Il se rangea devant un garage pour trois voitures qui saillait d'une grande maison au bord du lac, et se gara. Nous descendîmes.

— Où sommes-nous ? demandai-je.

— Chez Mark et Mabel Cardman. Ils dirigent une affaire de services informatiques. Leurs clients sont de grosses entreprises de la région de la baie. Nous les avons sauvés lorsqu'ils ont eu un problème d'usurpation d'identité il y a quelques années, et depuis, ils essaient de nous rendre des services.

— Les Cardman ont un bateau, dis-je.

— Et nous pas, répondit Ramos. Il s'est avéré bien pratique plusieurs fois.

Nous nous empressâmes de faire le tour jusqu'à l'embarcadère, Ramos porteur d'un petit mégaphone à piles. Il connaissait la combinaison du cadenas électronique de l'abri à bateau. Quelques minutes plus tard, nous étions à bord d'une vedette de sport Four Winns.

Ramos pilota la petite embarcation de la même façon qu'il faisait tout le reste, prudemment et avec précision. Il quitta sans accroc la rive est à vitesse réduite. Quand nous fûmes à une bonne distance du rivage, il accéléra un peu mais continua à régime de croisière tandis que nous nous dirigions vers le sud-ouest, fendant la houle venue du sud. Le bateau abordait chaque vague en ballotant, puis s'inclinait spectaculairement au sommet et en redescendait. Ramos pilotait habilement, car l'hélice restait dans l'eau au sommet de chaque vague.

Il devint évident qu'il avait de l'expérience en tant que pilote lorsqu'il vira au sud vers les grands hôtels, entra dans les eaux calmes à l'abri du vent du sud et donna un coup de pouce à l'accélérateur.

— Dites-moi ce qu'a dit votre type au téléphone, cria Ramos pour couvrir le rugissement du moteur.

— Il a appelé à minuit. J'ai décroché. Une voix d'homme a déclaré : « Je sais qui a tué Grace Sun. » J'ai demandé qui était à l'appareil. L'homme m'a ignoré et a continué : « J'ai lu que vous aviez des traces d'ADN mais aucun suspect correspondant. Renseignez-vous sur Thomas Watson. Il a un appartement au bord du lac, Blue Sky, Blue Water sur la rive ouest. » Puis il a raccroché. Le deuxième et le troisième soir, il voulait savoir si j'avais arrêté Thomas Watson. Il a été très frustré quand je lui ai dit que j'étais un civil et que je pouvais seulement transmettre ses informations à la police locale.

— Vous les avez transmises ? demanda Ramos.

— Oui. Je ne savais pas où se trouvait Blue Sky, mais si c'est sur la rive ouest, ça doit se trouver dans le comté de Placer ou celui d'El Dorado. J'ai donc appelé Santiago à Placer et Bains à El Dorado. Je l'ai également mentionné à Diamond et à Mallory.

— Pour faire bonne mesure, dit Ramos.

— Pour faire bonne mesure, répondis-je.

— Mais vous ne nous avez pas appelés, ajouta-t-il.

Bukowski lança un drôle de regard à Ramos.

— Je me suis dit que vous aviez des affaires plus importantes sur les bras que des appels de cinglés, dis-je. J'ai aussi appelé Joe Breeze à la police de San Francisco. Il a travaillé avec moi sur le meurtre de Sun.

— Est-ce qu'un de vos amis flics avait entendu parler de Thomas Watson ? demanda Ramos.

— Non.

Près du golf d'Edgewood, Ramos orienta le bateau vers l'ouest, pour traverser la partie méridionale du lac, et poussa encore l'accélérateur. Quand nous parvînmes à la plage de Baldwin, il effectua un virage marqué à tribord, et nous remontâmes la rive ouest vers le nord, en direction d'Emerald Bay et de Rubicon Point. C'était un itinéraire plus long, mais qui nous avait évité une traversée fatigante et potentiellement dangereuse à travers les eaux ventées du grand lac. Malgré la vitesse prise par Ramos, il nous fallut quand même quarante-cinq minutes pour approcher Rubicon Point.

Ramos avait des jumelles de poche accrochées à un cordon pendu à son cou. Toutes les deux minutes, il les portait à ses yeux, puis procédait à un petit ajustement de la trajectoire. Bukowski ne pipait mot. Il regardait fixement en direction du Dreamscape, le front plissé par un intense froncement de sourcils.

Ramos parlait dans son téléphone tout en pilotant. Finalement, il replia son portable et se tourna vers moi.

— Le sergent Bains est arrivé à bord du Dreamscape. Il a mis en place un commandement des interventions. Je lui ai dit que nous vous amenions. Nous lui avons proposé notre soutien inconditionnel.

— C'est un brave gars. J'ai travaillé avec lui sur l'affaire de l'avalanche.

Quand nous fûmes à environ quatre cents mètres du Dreamscape, Ramos ralentit, et le bateau se posa et continua à plat, poupe basse et proue haute, laissant un vaste sillage. Je comprenais maintenant son plan, car nous étions parfaitement alignés sur la poupe du Dreamscape.

— Le Dreamscape est à la dérive, dit Ramos. Pas d'ancre, parce que le lac est trop profond, environ trois cent cinquante mètres. Il pointe actuellement vers le nord. Si l'homme reste à la proue, nous pouvons approcher la poupe sans être vus.

À cinquante mètres, Ramos coupa l'accélérateur, et nous approchâmes sans tracer de sillage ni faire ronronner le moteur, l'un ou l'autre pouvant alerter le preneur d'otage.

— Vous avez un plan pour sauver l'otage si le gars le jette par-dessus bord ? demandai-je à voix basse.

— Nous en avons discuté, dit Ramos. Le bureau du shérif d'El

Dorado dispose d'une équipe de plongeurs. Ils ont un bateau en route. L'idée est que pendant que vous distrairez le gars et gagnerez du temps, ils lâcheront deux plongeurs à la proue du Dreamscape, hors de sa vue. Si les plongeurs restent au-dessous du bateau, leurs bulles monteront le long de la coque, et ne seront pas visibles de lui. Si l'otage tombe à l'eau, nous espérons qu'ils pourront le rattraper avant qu'il rejoigne le fond. Une fois qu'ils tiendront le malheureux, les plongeurs gonfleront leurs GDS.

J'avais plongé des années plus tôt à Maui, mais il me fallut un instant pour me rappeler ce terme.

— Gilets de stabilisation, dis-je.

— Ouais. Deux GDS donnent pas mal de flottabilité.

Ramos approcha doucement le bateau de la plateforme d'abordage à la proue du Dreamscape, passant au point mort puis en marche arrière pour ralentir notre approche. Il vira à bâbord au dernier moment, amenant le côté tribord du hors-bord le long de la plateforme. Le Dreamscape paraissait long de près de trente mètres et avait environ six mètres ou plus de largeur, de sorte que nous étions efficacement dissimulés de l'auteur du détournement, placé à la proue. L'un des matelots du Dreamscape s'accroupit et attrapa le plat-bord de notre bateau.

Ramos se tourna vers moi.

— L'agent Bukowski va descendre ici. Bains veut que vous et moi approchions le Dreamscape à proximité de la proue, pour que je puisse annoncer au preneur d'otage que je vous amène comme il l'a demandé.

Bukowski sauta sur la plateforme du Dreamscape.

Ramos manœuvra le bateau comme s'il s'agissait d'une voiture dans une place de parking étroite. Je compris qu'au lieu des lignes blanches, ce qui restreignait ses mouvements était le champ de vision du preneur d'otage. Ramos voulait rester invisible à ses yeux.

Il nous fit faire demi-tour et accéléra, s'éloignant de la poupe du Dreamscape, restant aligné sur le gros bateau afin que nous restions cachés de sa proue. Au bout d'une minute, il prit de la vitesse. Huit cents mètres plus loin, il tourna, et nous décrivîmes une grande courbe pour approcher à nouveau du Dreamscape, cette fois depuis son côté tribord.

Quand nous fûmes proches, Ramos ralentit, puis approcha le mégaphone de sa bouche.

— J'ai Owen McKenna à bord, annonça sa voix amplifiée.

Tandis que nous nous rapprochions, il ralentit et répéta son annonce.

L'auteur du détournement se tourna face à nous et s'écarta d'un seul pas de son otage.

Même de loin, je vis que le preneur d'otage était un homme trapu dont la tête semblait emmaillotée dans une épaisse tignasse sphérique, qui se prolongeait des côtés de sa tête jusque sous le menton pour former une grosse barbe. Avec ses lunettes de soleil, pratiquement aucune partie de son visage n'était visible.

L'homme portait un jean muni de multiples poches, et un grand sac à dos bleu qui semblait s'affaisser sous un poids important. Sa veste bleu marine était ouverte et révélait une ceinture étrange faite de plusieurs rectangles noirs. Elle me rappela la photo que j'avais vue de l'auteur d'un attentat suicide portant une ceinture similaire. Juste au cas où la bombe du sac à dos ne serait pas assez puissante, l'explosif C-4 contenu dans la ceinture ajouterait une force de frappe supplémentaire.

L'otage, mince comme un adolescent, portait un jean et un sweat-shirt large dont la capuche remontée dissimulait son visage. Il était à l'extérieur du garde-fou de la proue, perché sur le bord, face à l'eau.

Malgré l'eau glaciale du lac Tahoe, je ne réfléchis pas au danger encouru par le pauvre homme jusqu'à ce que je voie la lourde chaîne enroulée à ses pieds.

Ramos se tourna vers moi et murmura, d'une voix à peine audible à cause du moteur du hors-bord :

— Rappelez-vous les principes…

J'acquiesçai et murmurai à mon tour :

— Le faire parler, maintenir le calme, essayer de gagner du temps, manifester empathie et respect, attendre une concession pour chacune des exigences que nous pourrons confortablement satisfaire.

Ramos m'adressa un regard surpris, comme s'il avait du mal à comprendre la compétence chez autrui. Il tira l'accélérateur au point mort, et le hors-bord s'approcha doucement, une fois encore, du gros bateau. Nous touchâmes la coque à environ six mètres en arrière de la courbe de la proue, sous une portière dans le bastingage qui se trouvait bien au-dessus de nous, au niveau d'une jetée.

Un matelot fit descendre une échelle à notre adresse. Ramos la maintint pendant que je grimpais.

— Owen McKenna ! cria le preneur d'otage dès que je fus sur le pont. Il tenait un cordon qui s'étendait jusqu'à son prisonnier. J'acquiesçai, fis un petit signe d'acceptation, et marchai vers lui. Tandis que je m'approchais, la situation de l'otage me sembla encore plus précaire, perché tout au bord de la proue, risquant une mort certaine si l'autre cinglé le faisait tomber par-dessus bord.

Le preneur d'otage était si tendu qu'il semblait sur le point d'exploser.

Quand je fus à portée de voix normale, j'ouvris la bouche.

— Je suis Owen, dis-je.

À quoi l'otage répondit par un cri étouffé et gémissant.

— Owen ! Aide-moi !

Une voix terrifiée que je reconnus. Un coup aux tripes qui me coupa le souffle et m'obscurcit la vue.

L'otage était ma petite amie.

Street Casey.

Chapitre 3

— Street ! m'écriai-je.

— J'ai enfin attiré votre attention, McKenna ?

L'homme agita le cordon qui pendait de sa main jusqu'au garde-fou puis s'étirait, tendu, jusqu'à Street.

— Reste calme, chérie, dis-je d'une voix mal assurée. On va te tirer de là.

Je n'arrivais pas à penser. Ma tête me faisait mal. Une migraine subite m'élançait. J'essayai de me rappeler les principes d'une négociation, mais j'étais dans une rage noire.

— Je vous ai dit ce que je voulais au téléphone, reprit le preneur d'otage. Mais vous m'avez ignoré.

— Non, je ne vous ai pas ignoré. (J'avais du mal à prononcer les mots. On aurait dit que quelqu'un serrait mon cerveau dans un étau.) Je vous ai dit la vérité. J'ai transmis vos informations aux bureaux du shérif du comté.

— NE ME DITES PAS CE QUE VOUS AVEZ FAIT ! JE PARLE DE CE QUE VOUS N'AVEZ PAS FAIT !

Il tendit la main vers une poche latérale de son pantalon, sa manche remontant et exposant un tatouage sur son poignet. Les marques bleues étaient indistinctes mais ressemblaient à deux symboles de l'infini. Il sortit un couteau, une arme fabriquée sur mesure avec un dessin complexe gravé sur le manche. L'homme lança la lame en l'air, la rattrapa d'un mouvement vif, puis la fit tourner sur les doigts d'une main et autour d'eux comme un magicien le ferait d'une pièce de monnaie. Le couteau, en tournant, luisait au soleil. D'un geste sec du poignet, il le fit disparaître dans le fourreau.

— Je suis désolé, dis-je. Je ferai tout ce que vous voudrez. Laissez-moi seulement ramener Street à l'intérieur du bastingage.

— Il ne lui arrivera rien si vous faites EXACTEMENT CE QUE JE VEUX !

J'étais en train de tout rater. L'agresseur contrôlait la situation. J'étais sa marionnette. Je n'étais pas en train de gagner du temps, ni de le calmer. Et pire que tout, Street était en grand danger depuis que j'avais mis le pied sur le bateau.

Je pris une profonde inspiration, essayant de me calmer.

— Comment puis-je vous aider ? demandai-je. Je veux aider.

— Bien sûr, McKenna. C'est pour ça que vous n'avez rien fait du tout quand j'ai appelé ! Trois appels. Je vous ai donné bien assez d'occasions ! Maintenant, vous allez faire ce que je vous demande !

— Oui, bien sûr. Tout ce que vous voudrez.

Ces mots m'écorchaient les oreilles. Mais la vie de Street ne tenait qu'à un fil, ses pieds attachés à une chaîne d'ancre. Que pouvais-je dire d'autre ? Comment pouvais-je le calmer ?

— Vous pouvez m'appeler Owen, dis-je. Comment vous appelez-vous ?

Cela paraissait ridicule. Ça ne marcherait jamais.

— Vous n'avez pas besoin de mon nom, McKenna ! Je connais toute la routine psychologique que vous autres employez avec les preneurs d'otages. Ça ne prendra pas avec moi. Ce que vous devez faire, c'est m'écouter ! Vous comprenez ?

Il fit deux pas. Le cordon qui contrôlait les liens de Street se tendit. Il tourna les talons, fit deux pas dans l'autre sens. L'une de ses chaussures de sport était délacée, les lacets traînant au sol. J'eus peur qu'il ne trébuche dessus et tire le cordon. Cela détacherait la ligne qui retenait Street.

— Je suis là pour ça, dis-je, tentant désespérément de m'exprimer d'une voix calme. J'écoute. Dites-moi ce que vous voulez.

— Je veux que vous la fermiez !

Il gardait la main gauche dans sa poche. Un câble noir en sortait, remontait à l'intérieur du sac à dos.

Je fis signe que je comprenais. J'attendis. Mon humeur était au bord de l'explosion. Ma pression sanguine frisait l'apoplexie.

L'homme faisait les cent pas, irradiant une pression et une colère aussi grandes que les miennes.

— Je vous ai donné le meurtrier de Grace Sun ! Je vous ai dit où il habite. Je vous sers la justice sur un plateau, mais vous autres flics restez assis sans rien faire !

— Thomas Watson, dis-je en hochant la tête. Je m'occuperai de lui moi-même. Écoutez, nous pouvons peut-être nous asseoir et discuter. Si vous détachez Street, nous pouvons entrer dans le bateau. Trouver un endroit tranquille. Je garantirai votre sécurité.

— Je vous ai dit de LA FERMER ! Si vous faites quoi que ce soit d'autre qu'écouter, je la détache ! Vous ouvrez la bouche encore une fois, et je vous jure ! (Il indiqua la grosse chaîne aux pieds de Street.) Cette ancre est lourde. Elle sera à trois cents mètres de fond en une ou deux minutes. Vous savez quelle pression il y a, au fond ? Elle ne sera même pas à mi-chemin avant que l'air dans ses poumons soit expulsé et réduit à néant. Vous savez ce que ça veut dire, McKenna ? Avant que ses côtes ne craquent sous cette pression écrasante, ses poumons se rempliront d'eau glacée. Elle ne pourrait pas l'empêcher, même si elle le voulait. Ce n'est pas une mort agréable, McKenna !

Je tendis les mains, paumes vers l'avant, doigts vers le haut. Je fis un pas en arrière, un geste d'obéissance.

L'homme reprit sa marche, deux pas dans un sens, deux pas dans l'autre, son gros sac à dos ballotant, le cordon se tendant à chaque tour, ses lacets défaits manquant de s'emmêler. Il haletait comme s'il était en train d'escalader une montagne en courant.

— Thomas Watson. Vous l'appréhendez et vous vérifiez son ADN. C'est compris ? N'allez pas me raconter des conneries comme quoi vous ne pouvez pas obtenir un mandat de perquisition. Vous autres flics savez inventer des trucs, dissimuler des objets de contrebande chez les gens. Vous me promettez que vous l'appréhenderez. Promettez-moi tout de suite, ou votre petite amie va dans le lac !

Il tira sur le cordon et le tendit. De l'autre côté du garde-fou, Street était secouée par de violents frissons.

Je hochai solennellement la tête. Il m'avait dit de ne pas prononcer un mot de plus, puis m'avait ordonné de promettre. Je m'exprimai donc d'une voix aussi douce que possible, tout en restant audible.

— Je le promets.

— Plus fort ! insista-t-il.

Bukowski avait dit que je ne devrais pas promettre ce que je ne pouvais pas tenir. Le preneur d'otage saurait que c'était une fausse promesse. Ça pouvait se retourner contre nous.

— Je vous promets de faire de mon mieux pour appréhender Thomas Watson.

— Non ! dit-il. Promettez-moi de l'appréhender ! Je ne vous ai pas dit de promettre que vous ferez votre possible. Vous êtes condescendant envers moi ! Vous êtes tous les mêmes, vous les flics ! (Il arpentait frénétiquement le pont. Un tigre en cage.) Je vous simplifie la tâche. Mais vous jouez à vos petits jeux, vous ne faites jamais ce que je veux. Vous insultez mon intelligence ! Trop tard, McKenna !

Il sortit la main gauche de sa poche, la leva pour que son détonateur, au bout du câble, soit bien visible.

Je me tendis, me demandant à quel moment je devrais foncer pour essayer de l'intercepter ou rattraper Street. Mais s'il pressait le détonateur, rien de ce que je ferais ne nous empêcherait d'être pulvérisés.

Je fis un autre geste avec les mains.

— Désolé. Je vous en prie, discutons.

Il ne parut pas m'entendre. Son regard s'embrasa. De l'autre main, il décrocha le cordon de sa ceinture, pivota sur lui-même, se préparait à tirer d'un coup sec sur les liens de Street. Il fit un pas en arrière, trébucha sur ses lacets défaits.

Il essaya de se rétablir, essaya de reculer encore en tirant sur la chaussure coincée.

Il tomba brutalement en arrière, lâchant le cordon qui retenait Street.

Je bondis vers elle.

Les fesses de l'homme cognèrent le garde-fou. Le lourd sac à dos le fit basculer en arrière par-dessus le bastingage, et il disparut de ma vue en tombant. Puis un « plouf » me parvint tandis que je saisissais Street par-derrière. La voix du preneur d'otage était soudain faible, me parvenant de derrière le rebord de la proue.

— Ne sais pas na... parvint-il à dire avant que ses mots ne soient noyés par l'eau du lac.

J'attirai Street à moi, et me penchai juste assez en avant pour voir par-dessus la proue.

Le preneur d'otage était dans l'eau, gesticulant, paniqué. Il haleta, aspira de l'eau, émit un horrible gargouillis étouffé tandis que sa tête plongeait sous l'eau. Puis ce fut le silence.

J'agrippai Street et me détournai tandis que Bukowski se précipitait devant moi et plongeait par-dessus le bastingage après le type.

Je maintins Street en l'entourant d'un bras, sortis mon canif de l'autre main, et coupai les cordons qui l'attachaient.

Elle tremblait quand je la soulevai au-dessus du garde-fou et la reposai, et nous nous serrâmes comme pour nous accrocher à la vie elle-même.

Chapitre 4

Le sergent Bains apparut à côté de moi. Je mis mon coupe-vent sur les épaules de Street et la fis entrer dans le salon du Dreamscape, accompagné de Bains. Nous trouvâmes une table dans un coin, avec une banquette en arc de cercle. Quand Bains vit que tout allait à peu près bien, il nous quitta et retourna sur le pont. Je gardai le bras autour des épaules de Street. Elle semblait terrorisée et en état de choc. Elle n'avait pas prononcé un mot depuis sa première exclamation, quand elle avait entendu ma voix. Je la serrai contre moi en silence, lui frottai le dos, pressai les lèvres contre sa tempe.

Quelques minutes plus tard, Bains revint dans le salon. Il était accompagné de l'agent Bukowski, dégoulinant et frissonnant. Un matelot arriva en courant avec deux serviettes, lui enveloppa les épaules avec l'une et lui tendit l'autre.

— Il a coulé comme une pierre, dit Bukowski. Son sac à dos devait être vraiment lourd. Je l'ai vu se débattre. Il tirait sur les lanières, essayait de se débarrasser du sac, mais il était coincé.

Bukowski se frotta la tête avec la serviette, puis s'en servit sur ses vêtements. Il tremblait, apparemment, pas seulement de froid, mais comme s'il avait été secoué par l'émotion de la situation.

— Au départ, reprit-il, juste après avoir plongé, j'ai cru que je pourrai l'attraper. Il coulait le dos vers le bas, son sac pesant le tirant vers le fond. J'ai essayé de lui tendre la main, et il a tendu la main vers moi. Ses lunettes de soleil étaient tombées et l'horreur qui se lisait sur son visage, c'est quelque chose que je n'oublierai jamais. Je suis bon nageur, et je fonçais vers lui de toutes mes forces, mais il coulait encore plus vite. Puis des tas de bulles ont jailli de sa bouche, et son expression est passée de l'horreur au relâchement. Sa bouche et ses yeux étaient grand ouverts dans la mort.

Bukowski eut un frisson involontaire. Il continua :

— Je devais être à trente pieds sous la surface, et il était probablement trente pieds plus bas que moi quand j'ai abandonné. Ensuite, il a disparu de mon champ de vision. Un sac bleu et des vêtements s'évanouissant dans les profondeurs bleu foncé. Vu la façon dont il a coulé, il est probablement déjà au fond, aussi mort qu'on peut l'être. (Il s'assit près de Street, se pencha vers elle et parla d'une voix grave et inquiète.) Je suis vraiment désolé de ce que vous avez subi. C'était terrible, là-dehors. Ça va ? Y a-t-il quoi que ce soit qu'on puisse vous apporter ?

Street secoua la tête.

— Non, merci, dit-elle d'une toute petite voix.

Bukowski se détourna de Street comme pour l'empêcher de le voir sortir son Glock 23 de son holster dissimulé, débloquer le magasin et actionner la glissière pour éjecter la cartouche qui s'y trouvait. Il sortit les balles du magasin et enveloppa toutes les pièces dans la serviette. Il se pencha, sortit un Smith & Wesson Airweight du holster fixé à sa cheville. Il en sortit les cinq balles, et les enveloppa également dans la serviette.

La porte du salon bascula vers l'intérieur et Ramos entra. Il m'adressa un bref regard, hocha la tête à l'adresse de Bains.

— J'ai vu ce qui s'est passé depuis le lac, dit Ramos, mais je n'ai pas pu entendre tout ce qui s'est dit. Vous avez découvert qui était ce preneur d'otage ?

— Non. Mais c'est lui qui m'a appelé à minuit, dis-je. Il a répété la même exigence qu'au téléphone. Il veut que Thomas Watson soit arrêté pour le meurtre de Grace Sun. Il s'est livré à ce détournement spectaculaire pour attirer mon attention.

— Quoi que ce soit de remarquable à son propos ?

— En dehors de ce que vous avez pu voir de loin, il avait un tatouage sur le poignet, qui ressemblait à deux symboles de l'infini.

Ramos secoua la tête.

— Il nous faudrait une personne qui fasse des recherches à plein temps sur les tatouages des milices et des gangs, juste pour rester au courant des modes actuelles.

Ramos attrapa une chaise et l'approcha de la table. Il ramassa un morceau de sac plastique sur la chaise et le balança sur la table. C'était un de ces petits sachets dans lesquels on emballe les lentilles de contact jetables.

— Un quelconque autre indice de son identité ? demanda Ramos.

— Non. Mon idée est la même que la vôtre. Quelqu'un qui s'est trouvé face à Thomas Watson dans le passé et s'est méchamment brûlé. Quelqu'un qui pourrait connaître la vérité concernant la mort de Grace Sun.

Ramos se tourna vers Bains, lui adressa un regard interrogateur.

— Aucune idée, dit Bains.

— Madame ? demanda Ramos, prenant enfin acte de la présence de Street.

Elle ne leva pas les yeux. Elle regardait fixement devant elle, le visage en grande partie caché par la large capuche. Elle secoua la tête.

— Et l'autre type qu'il a balancé par-dessus bord ? demanda Ramos. A-t-il dit quoi que ce soit qui permettrait d'avoir un indice de qui c'était ?

Je secouai la tête.

— Rien.

Ramos regarda dehors le soleil qui brillait sur l'eau, en plissant les yeux.

— Ce type avait une motivation pas croyable s'il a pris Street en otage juste pour vous obliger à vous occuper de Tommy Watts. Et comment s'attendait-il à ce que ça se termine ? Si vous lui donniez exactement la réponse qu'il voulait, est-ce qu'il allait relâcher Street ?

Je serrai Street plus fort, le menton sur le sommet de son crâne. Je n'avais pas de réponse à ça, et ne dis rien.

— Vous êtes le seul à avoir vraiment parlé à ce type, Owen, dit Ramos. Au téléphone et en personne. Qu'est-ce qu'il avait contre Watson, à votre avis ? Il vous a donné une idée de quoi il s'agissait ?

— Non. Il voulait juste que je poursuive Watson pour le meurtre de Grace Sun. Mais il n'a pas dit pourquoi il était convaincu que Watson l'avait tuée, ni pourquoi il s'en souciait. Quand j'ai essayé de lui parler, il a presque perdu la boule. Il m'a fait promettre que j'arrêterais Watson.

— Vous croyez qu'il connaissait Grace Sun ? Que peut-être il avait le béguin pour elle, et que c'est ce qui l'a motivé ?

— J'en doute. Quand il a parlé d'elle au téléphone, c'était impersonnel. Son émotion était dirigée contre Watson.

— Et vous ? Pourquoi ce type vous a-t-il choisi ?

— Là encore, pas d'indication spécifique. Juste une déduction évidente : il avait appris que j'avais travaillé sur le meurtre de Grace Sun, et s'était dit que j'y prendrais un intérêt particulier. Je pense qu'il croyait aussi qu'en tant qu'ex-flic, j'aurais une certaine autorité dont je pourrais user pour arrêter Watson.

Ramos soupira et déclara :

— Incroyable. Un plan très compliqué juste pour vous pousser à vous occuper de Watson. Et voilà qu'il trébuche et que tout son plan s'écroule.

— Même les projets les mieux élaborés... dis-je.

Bains s'approcha, tira sur les coutures de son pantalon et s'accroupit à côté de Street. À voix basse, il lui demanda :

— Si je prends votre déposition demain, ça ira ?

Elle acquiesça.

— Merci beaucoup, dit-il avec une politesse touchante.

Chapitre 5

Ramos et Bukowski nous ramenèrent, Street et moi, de l'autre côté du lac dans le hors-bord. Nous montâmes dans leur véhicule, et ils nous déposèrent à mon chalet. Ramos ne posa pas de question à Street. Il savait que Bains prendrait sa déposition le lendemain. Elle pourrait répondre à toute éventuelle question supplémentaire plus tard, quand elle serait plus à l'aise.

Street était toujours plus ou moins en état de choc. Parler ne paraissait pas approprié. Je l'emmenai donc plutôt sur la terrasse et l'installai dans la chaise longue placée face aux montagnes, de l'autre côté du lac, et au soleil qui descendait vers l'horizon à l'ouest. Spot m'ignora et s'approcha directement de Street, sentant, comme le font la plupart des chiens, la personne blessée dans n'importe quel groupe d'humains. Il était attentif à elle, bien que soumis, et après l'avoir reniflée en guise de salut, s'allongea sur les planches à côté d'elle, leva la tête et posa le menton sur ses cuisses. Elle le caressa distraitement.

Malgré la chaleur du soleil, Street frissonnait. J'apportai mon plaid navajo et lui en enveloppai les épaules, puis lui apportai un petit verre de foothill zin[2].

J'approchai l'autre chaise longue, et nous restâmes assis à regarder le coucher de soleil. Les paupières de Spot clignotèrent, puis se fermèrent.

Nous étions silencieux. Street but tout son verre de vin en un quart d'heure, peut-être un nouveau record. Elle semblait regarder

---

2 Vin rouge de Californie. (*N.d.T.*)

fixement en direction du sommet de Rubicon Peak, au-dessus de la rive ouest, l'une des hautes montagnes qui dominaient Rubicon Point où elle avait été attachée à une chaîne d'ancre il n'y avait pas si longtemps.

Finalement, elle déclara :

— Je ne crois pas qu'il était fou comme il en avait l'air.

— Non ?

— Il se comportait comme un dingue. Il tapait du pied et criait. Il était extrêmement agité. Mais je ne crois pas que c'était vraiment lui.

— Qu'est-ce qui te fait penser ça ?

— Quelque chose qu'il a murmuré.

— De quoi veux-tu parler ?

— Après m'avoir attachée au garde-fou. Après avoir appelé le capitaine du bateau. Probablement quand tu étais en route vers le bateau. Il s'est approché de moi, s'est penché vers l'extérieur et m'a regardée. Il a soulevé ses lunettes de soleil pour que je voie ses yeux. Il avait les yeux d'un bleu perçant, et ils rayonnaient d'intelligence. Il paraissait rationnel. Et puis il a murmuré : « Je ne veux pas vous tuer, je vais essayer de ne pas vous tuer, mais je le ferai si j'y suis obligé. Si on en vient là, je le regretterai. » Il a dit ça avec calme, posément. Pas frénétiquement comme quand il criait.

— Qu'est-ce que tu en déduis ? demandai-je.

Street réfléchit.

— À mon avis, ça suggère que se comporter comme une brute ne lui venait pas naturellement. Je ne crois pas qu'il était déséquilibré comme il le paraissait.

— J'ai pensé que ce type était bon pour l'asile, répondis-je. Mais tu penses que son comportement délirant était feint.

— Peut-être. Probablement.

— Ce qui sous-entend…

— Je crois qu'il voulait que tout le monde croie qu'il était dingue, qu'il avait eu une idée folle et était passé à l'acte. Mais en réalité, je pense qu'il avait un plan soigneusement préparé. Se comporter comme un dingue faisait partie du plan, parce que cela avait plus de chances d'être efficace.

— Tu veux dire, efficace pour me faire venir sur le bateau et me faire promettre que j'essaierais de faire poursuivre Thomas Watson par la police.

— Exactement.

— Est-ce que tu as eu l'impression que c'était uniquement pour ça qu'il t'a prise en otage ? Pour exiger que je poursuive Watson ? Ou est-ce qu'il allait exiger autre chose ?

— Bien sûr, je ne peux pas connaître la réponse, mais je dirais que ça concernait exclusivement Thomas Watson. Il savait que s'il me prenait en otage, tu ferais tout ce qu'il demanderait.

— Tu l'avais déjà vu quelque part ?

Street secoua la tête.

— Pas que je sache. Mais si on lui coupait les cheveux et la barbe, il aurait l'air de quelqu'un de complètement différent.

— Est-ce qu'il t'a donné une idée de comment il était au courant de notre relation ?

— Non. Il avait certainement pu nous observer pendant un moment, ou parler à des tas de gens dans le secteur. Je ne suis pas très connue, mais toi, tu es plus ou moins une personnalité publique.

— Et pour la croisière ? Cette information était dans le journal, ou quoi ?

— Pas que je sache, dit Street. Mais il aurait pu en apprendre l'existence de plusieurs manières. L'organisateur avait imprimé une liste de tous nos noms avec nos coordonnées, et l'avait envoyée par e-mail à tous ceux qui participaient à la croisière. Si l'homme qui m'a prise en otage avait accès à n'importe laquelle de ces personnes, il aurait pu être au courant. Et lors de notre déjeuner à Reno, ils ont distribué des instructions écrites concernant l'itinéraire pour se rendre à la jetée du Tahoe Dreamscape, où se trouvait le parking, et ainsi de suite.

— S'il t'avait filée jusqu'à cette réunion, aurait-il eu la moindre occasion de se procurer un exemplaire de cette liste ?

— Il y avait une table juste devant la salle de réunion où se tenait le buffet. Sur la table était posé un clipboard avec la feuille de présence du déjeuner. À côté, il y avait une pile de feuilles d'instructions avec les informations concernant le bateau loué. N'importe qui aurait pu se servir pendant que nous déjeunions.

— Ça paraît assez innocent, de laisser ce type d'informations à la disposition de tout le monde lors d'un déjeuner. Personne n'irait penser qu'elles pourraient contribuer à une prise d'otage. Mais plan soigneusement préparé ou non, il s'est bigrement retourné contre lui, déclarai-je.

— Oui. Mais en dehors de sa chute dans le lac, tout le reste était orchestré. Les chaînes. La façon dont il m'a attachée au garde-fou. Comment il a tout préparé sans se faire remarquer. Son appel au capitaine du bateau. Et ensuite…

Elle s'interrompit.

— La façon dont il a jeté son complice par-dessus bord, terminai-je.

Street acquiesça, le regard fixé sur les montagnes mais voyant des images plus sinistres. Spot commençait à sombrer dans le sommeil, et sa tête se mit à glisser des jambes de Street. Puis, comme un écolier somnolant en classe, il se reprit en sursautant. Ses yeux s'ouvrirent, tombants, et il reporta son poids sur ses coudes pour que sa tête reste sur les genoux de Street et sous ses délicieuses caresses. Puis il se remit progressivement à sommeiller, renouvelant le cycle.

— Tu crois que tuer son complice était prémédité, tout comme te prendre en otage ?

Elle réfléchit à la question.

— Oui. On ne peut pas décider subitement d'assassiner quelqu'un sans être extrêmement impulsif, et malgré son comportement délirant, il ne m'a pas paru impulsif. Je crois donc que le meurtre faisait lui aussi partie du plan. (Street se tourna vers moi, sourcils froncés.) Je me rappelle quand l'incendiaire m'a kidnappée. Comme ce preneur d'otage, le pyromane rayonnait d'intelligence. La différence, c'est que lorsque le pyromane était tendu, il avait l'air dément. Son plan consistait simplement à se venger. Tandis que ce type était différent.

— Rationnel ?

— Oui, je pense, dit Street. Mais féroce, aussi. Pourquoi quelqu'un se donnerait-il tant de mal pour te pousser à poursuivre Thomas Watson ? J'imagine qu'un type intelligent pourrait trouver des tas de façons d'obtenir ce qu'il veut sans recourir à une méthode aussi extrême.

— Donc, soit il n'était pas aussi malin et rationnel que tu crois, soit il se passait autre chose dont nous n'avons pas connaissance.

— Quoi, par exemple ?

— Je ne sais pas. Est-ce que tu as pu voir son complice ?

— Oui, mais il n'avait pas grand-chose de particulier. Il était assez petit, peut-être un mètre soixante-huit, et mince. Mais l'air rude. Comme s'il avait travaillé dans le bâtiment toute sa vie. Sa peau était bronzée et ridée, alors que je ne crois pas qu'il ait eu plus de la quarantaine.

— Cheveux ? demandai-je.

— Des cheveux épais et courts. D'un gris brunâtre, comme un schnauzer.

— Yeux ?

Street secoua la tête.

— Je ne les ai pas vus.

— Si le preneur d'otage portait une perruque, peut-être que son partenaire aussi.

— J'en doute. Ils étaient coupés trop court pour cacher le moindre de ses traits. Et ses actes n'étaient pas soigneusement chorégraphiés non plus. Je pense qu'il était exactement ce qu'il paraissait, un comparse probablement payé pour faire un boulot.

— Est-ce que le preneur d'otage a eu l'air de se concentrer sur son comparse ? demandai-je. Quand il le regardait, son regard était-il intense ou détaché ?

— Je ne sais pas. Je n'ai surpris aucun regard haineux. Mais je ne pense pas que l'auteur du détournement aurait révélé ses sentiments dans un regard. Il se contrôlait mieux que ça. De toute façon, je leur tournais le dos la plupart du temps, j'étais face à l'eau.

Je hochai la tête.

— Peut-être le plan consistait-il en tout autre chose. Une diversion quelconque. Une façon d'attirer toutes les forces de police de la zone pendant qu'autre chose se passait dans le bassin de Tahoe, sans policiers aux alentours pour l'arrêter.

— C'est révoltant de penser qu'il ait pu me prendre en otage dans cette intention.

— Oui. Le crime est le même, mais ça banalise ce que tu as subi et ça le rend encore plus exaspérant.

— Mais si le but était de faire diversion, ça a certainement eu l'air de marcher. Pendant que j'étais ligotée, j'ai vu des bateaux de deux ou trois bureaux du shérif. Ils étaient probablement tous sur place.

— Si un autre crime a été commis, nous en entendrons parler dans les deux jours qui viennent, dis-je.

— Comme le preneur d'otage a montré qu'il était prêt à tuer, dit Street, s'il voulait vraiment se débarrasser de Thomas Watson, il aurait été logique qu'il se contente de le tuer. Mais il ne l'a pas fait. Au contraire, il t'a enrôlé pour le mettre hors circulation d'une autre façon. Je me demande pourquoi ?

— Peut-être qu'il est très difficile d'assassiner Watson. Qu'il a un garde du corps permanent. Peut-être qu'il ne sort jamais de son appartement. Ou peut-être qu'il est hyper vigilant, et aurait reconnu le preneur d'otage si ce dernier s'était approché de lui.

— Alors il avait soi-disant découvert que Watson avait tué Grace Sun, et appris que tu t'étais occupé de l'affaire, mais n'avais pas réussi à trouver le tueur. Même si tu n'es plus dans la police depuis quelques années, tu t'intéresses toujours personnellement à découvrir qui l'a tuée. C'est bien ça ?

— Tout juste, dis-je.

— Le preneur d'otage aurait pu développer tout son plan sachant que tu serais motivé pour faire comparaître Watson devant la justice. Tu aurais eu une motivation supplémentaire, la peur qu'il me reprenne en otage si tu ne le faisais pas.

J'acquiesçai.

— Vrai. Au moins, je n'ai plus à m'inquiéter de ça.

Street contempla l'immense lac qui s'étendait à nos pieds. Elle prit une profonde inspiration et ferma les yeux. Elle reprit son verre de vin, constata qu'il était vide, le reposa. Je rentrai, ressortis avec le vin et remplis nos deux verres.

Street but une gorgée et reprit :

— Je n'ai jamais été aussi effrayée que sur ce bateau. J'ai cru que j'allais être sacrifiée à son plan, tout comme le type qui l'accompagnait. Je suis restée là à trembler, à imaginer ce que je ressentirais en sentant cette chaîne d'ancre me tirer vers le fond dans l'obscurité glaciale, la pression faisant éclater mes tympans, une eau glacée me pénétrant dans le cerveau, mes poumons écrasés. Aucun être humain ne pourrait survivre dans la profondeur de ce lac. Y penser était terrifiant.

— Tu as subi ça parce que tu es liée à moi, dis-je. Je suis désolé que mon univers te mette en danger.

Je lui entourai les épaules de mon bras. La laine brute de la couverture me réchauffa.

Street leva son verre de telle façon que le soleil couchant brillait à travers, sa lumière se fracturant en rayons rouge sombre qui dansaient sur son visage.

— On ne tombe pas amoureuse de quelqu'un parce que c'est pratique ou sécurisant, dit-elle.

— Toi non, dis-je. Mais j'ai entendu plusieurs femmes dire qu'elles s'étaient mariées pour l'argent. Je suis sûr que des hommes le font aussi. Pour la sécurité physique et psychique, ça ne doit pas être très différent.

— En tant que scientifique, je suis pleine de pragmatisme et d'efficacité, mais je ne pourrais jamais m'imaginer avoir une liaison avec un type parce qu'il a un bon emploi ou un style de vie sans danger. Je ne suis peut-être pas romantique comme toi, mais je suis quand même tombée amoureuse d'un type qui ne gagne pas grand-chose, qui préfère étudier l'art plutôt que de se consacrer à un passe-temps pratique, qui n'a même pas la télé, qui est d'une taille déraisonnable. Tu es tombé amoureux d'une femme maigrichonne qui passe sa vie à étudier les insectes. Quel genre d'étranges créatures sommes-nous ?

Street se tourna pour me regarder.

— Toi ? répondis-je. Passionnée, brillante, magnifique. Moi ? Chanceux.

Le soleil avait enfin suffisamment réchauffé Street pour que ses tremblements nerveux s'arrêtent. Elle se débarrassa de la couverture.

— Qu'est-ce que tu vas faire concernant ce qui s'est passé ? demanda-t-elle.

— Retrouver Thomas Watson. Voir s'il pourrait être l'assassin de Grace Sun. Ce qui pourrait me donner une idée de qui étaient le preneur d'otage et son complice.

— Tu ne crois pas que ça revient à céder à la manipulation de ce type ?

— Absolument.

— Je sais que ton code personnel exige que tu honores toutes tes promesses, mais cette promesse a été faite à un type à présent mort. Un type qui assassinait et terrorisait les gens.

— Oui. Mais la raison principale pour laquelle je compte rechercher Watson, c'est que s'il est réellement le tueur de Grace, je veux le retrouver en mémoire d'elle. Un meurtrier est resté impuni. Je veux rectifier ça.

— Comment vas-tu le coincer ?

— Sais pas, dis-je.

Nous terminâmes notre vin.

Street déclara qu'elle voulait dormir chez elle. Je pris ça comme une façon de tester sa force et son indépendance. On peut être pris en otage et menacé de mort, et dormir seul malgré tout.

J'eus assez de bon sens pour ne pas protester.

Nous montâmes dans la Jeep et je la reconduisis au bas de la montagne.

Une fois dans son appartement, Street sortit un cabernet Night Harvest de son casier à bouteilles et se mit à manier le tire-bouchon. C'était un sérieux changement d'habitude pour elle. Un verre et demi à mon chalet, puis elle rentrait chez elle et se mettait sérieusement à taquiner le raisin. Je ne dis rien.

Elle nous servit un verre et entreprit de préparer une espèce de dîner végétarien composé d'épinards et de tomates séchées dans une pâte sans levain, un de ces repas qui paraît terne mais s'avère délicieux. J'avais toujours présumé qu'il y avait un rapport inverse entre goût et alimentation saine, mais Street me persuadait progressivement que ce n'était peut-être pas une loi universelle.

Plus tard, nous nous assîmes en face de sa cheminée à gaz.

— Tu devrais peut-être abandonner cette poursuite, dit-elle. Si ce Watson s'avère être le meurtrier de Grace Sun, l'affaire sera classée. Pourquoi le preneur d'otage t'a envoyé sur cette piste, c'est quelque chose que nous ne saurons jamais. Est-ce que ce n'est pas une histoire que tu peux mettre de côté ?

— C'est ce que je n'arrête pas de me dire. Mais je ne peux pas m'empêcher d'y penser tout le temps.

— Pourquoi ?

— Je ne sais pas, dis-je. C'est trop bordélique. Trop de questions sans réponse.

— Mais presque tout est comme ça dans la vie, non ? Où que je me tourne, je vois du bordel. J'essaie de donner un sens à mon propre petit monde en rejetant sélectivement les informations et en mettant de la musique douce. Mais hors de ces murs, il y a tant de chaos aléatoire. Tant de dangers.

— Justement, dis-je. Ce n'est pas toi qui m'as parlé de trouver de l'ordre dans le chaos ? Que les environnements chaotiques étaient soumis à un ordre naturel ? Tu m'as dit que les torrents produisaient des tourbillons réguliers. Des masses d'air turbulentes qui se mélangent créent des formes de nuages répétitives. Des plaques tectoniques mouvantes, au fil des millénaires, produisent des couches géologiques ordonnées. Je me souviens encore de cette photo que tu m'as montrée, d'une carrière de cailloux où les pierres étaient ordonnées comme par magie. Au fond, il y avait les plus petits galets, et en remontant, les galets devenaient plus gros jusqu'à ce que la couche supérieure soit formée de pavés ronds.

— Et il y a un rapport avec le tueur qui m'a prise en otage ? dit Street, l'air peu convaincu.

— En quelque sorte. Je crois que ce que je cherche dans l'expérience du détournement, c'est l'ordre dans le chaos. Ce détournement paraît tellement aléatoire. L'objectif apparent de ce type, ses actes, le résultat surprenant. Je n'y comprends rien. Alors j'espère que je pourrai trouver un sens. Si je continue de fouiner, de poser des questions, peut-être que quelqu'un dira quelque chose qui me fera voir le schéma répétitif, voir l'ordre.

— Et si ça n'arrive pas ?

Je haussai les épaules.

— Jusqu'à présent, si je retourne suffisamment de pierres, un serpent finit toujours par en sortir. Tant que ce n'est pas un serpent à sonnette qui frappe avant que je ne sois prêt, c'est un bon résultat.

— Je ne veux pas penser à ça, dit Street.

— Mais même alors, j'aurais quelque chose à suivre.

— Ou tu mourrais des suites de la morsure. Tu parles d'une fin bordélique.

— Bien vu, dis-je.

— Alors tu vas songer à reprendre ta vie d'avant ?

— Oui.

Nous restâmes assis en silence devant le feu, et sirotâmes notre vin. Puis Street dit qu'elle voulait essayer de se coucher. Je l'accompagnai dans sa chambre, la bordai. Spot posa la patte sur le lit de Street, puis posa sa tête à côté de nous.

Je frottai le dos de Street, l'embrassai, lui souhaitai bonne nuit, et sortis de chez elle.

Spot et moi montâmes dans la Jeep et dix minutes plus tard, nous avions gravi la montagne pour rentrer au chalet.

Chapitre 6

Avant que j'atteigne la porte de mon chalet, Spot s'y trouvait déjà, reniflant dans le noir la poignée, la serrure, le montant de la porte. Il s'intéressait particulièrement à la poignée.

— Tu as trouvé quelque chose, mon gars ? murmurai-je.

Puis je l'attrapai par la cage thoracique et le secouai un peu.

— Trouve le suspect, Spot ! le pressai-je en murmurant plus fort. Trouve le suspect !

Je tournai la poignée avec deux doigts, espérant préserver les éventuelles empreintes existantes, et lui donnai une tape sur l'arrière-train. Mais au lieu de filer dans le chalet, il resta planté là et continua de renifler la poignée.

Personne n'avait cambriolé mon chalet. Aucun crime n'avait été commis. Je ne voyais pas l'intérêt et il n'y avait pas là motif à appeler Diamond ou à sortir ma trousse à empreintes digitales.

Je sortis sur la terrasse et contemplai le ciel nocturne. Spot me poussait la main avec sa truffe. Je lui frottai la tête.

Les étoiles scintillantes semblaient si calmes et paisibles, vues de loin. Pourtant, je savais grâce à Street que les apparences sont trompeuses, que l'univers était un lieu d'une violence inimaginable. Les étoiles étaient des chaudrons bouillonnants qui donnaient naissance à de nouveaux éléments. Certaines explosaient, dans une dernière performance théâtrale si spectaculaire qu'elle annihilait des systèmes solaires entiers.

Je pris le portable et composai le numéro de l'agent Ramos.

— Une question concernant Thomas Watson, déclarai-je quand il répondit. Vous m'avez dit que c'était un type sociable, qui dîne avec des groupes et tout le tralala. Et quand il est dans son nouvel appartement ici, à Tahoe ? Est-il possible de l'aborder ? Est-ce qu'il a un garde du corps qui l'isole du reste du monde ?

— Oui, il a un garde du corps, et il ne répondra pas non plus si vous frappez ou l'appelez au téléphone. Si vous voulez lui parler, vous devrez le choper quand il est à l'extérieur, en public.

— Des recommandations quant aux endroits où on peut le trouver ?

— Essayez le Chips-n-Brew à Tahoe City. C'est un habitué des lieux, vers trois heures de l'après-midi. Il s'assied au bar avec son garde du corps.

— Description ? demandai-je.

— Watson a environ trente-cinq ans, mesure un mètre quatre-vingts, pèse environ quatre-vingt-dix kilos, cheveux roussâtres plaqués en arrière comme un rocker des années cinquante, le genre de peau que vous obtenez en prenant un Écossais rouquin sans mélanine et que vous le collez au soleil une vingtaine d'années de trop.

— Habillement ?

— Il a deux approches, dit Ramos. Son style professionnel, c'est le polo et le pantalon kaki trop large. Son style pour faire la fête, un jean moulant l'entrejambe et des bottes de cow-boy argentées.

— Merci, dis-je.

Chapitre 7

Deux heures plus tard, le téléphone sonna.

Je décrochai tant bien que mal le poste posé sur la petite table que j'avais fabriquée avec une pile de livres d'art.

— Allô ?

— Il s'avère que c'est plus difficile que prévu.

C'était Street. Euphémisme typique d'elle.

— Dormir ?

— Après ce qui s'est passé.

— Tu veux revenir au chalet ?

— S'il te plaît.

— Je serai là dans quelques minutes.

Quand Spot et moi arrivâmes, Street sortit avant que j'aie eu le temps d'éteindre le moteur de la Jeep. Elle ferma la porte à clé, courut dans le faisceau de mes phares, et monta.

Nous gravîmes à nouveau la montagne. En l'accompagnant dans mon chalet, je sentais les tremblements dont son corps était agité.

Nous restâmes silencieux, simplement assis ensemble devant le petit feu que j'avais allumé dans le poêle à bois. Au bout d'une heure, nous allâmes nous coucher ; je l'enveloppai de mes bras et la serrai contre moi toute la nuit.

Dormir l'un chez l'autre n'était pas dans nos habitudes. Dans mon monde idéal, nous aurions passé toutes les nuits ensemble. Peut-être l'univers modèle de Street m'incluait-il de la même façon, mais cela aurait exigé de réécrire une enfance si sinistre qu'elle s'était enfuie à quinze ans et avait juré de ne plus jamais être trop proche de qui que ce soit.

Après quelques années avec elle, je commençais à sentir sa peur de la perte et de la trahison se mettre à diminuer. Mais je n'avais aucune illusion : le traumatisme engendré par ses parents maltraitants ne disparaîtrait jamais. Je me contentais donc d'accepter Street selon ses propres termes, en me réjouissant de tous les moments que je pouvais passer avec elle.

Nous fîmes la grasse matinée, et je préparai un petit-déjeuner de flocons d'avoine accompagnés de melon et de myrtilles. Le soleil était monté suffisamment haut pour que nous nous installions sur la terrasse, les rayons solaires neutralisant l'air froid d'une fin de matinée de septembre à deux mille deux cents mètres.

— Qu'est-ce que c'est que ça ? demanda Street en goûtant ses flocons d'avoine. Le carnivore habitué aux œufs au bacon se met à manger sainement ?

— Ne sois pas si sceptique. Ce n'est qu'il y a quinze jours que j'ai mangé ce truc végétarien au tuffeau que Ryan Lear nous a servi au dîner.

— Le tuffeau, c'est le nom de ces formations calcaires qui se sont créées au fil des siècles à Mono Lake. Je crois que tu veux dire « tofu ».

— Ah.

— Et maintenant, un petit-déjeuner sans graisses, reprit Street. C'est comme si Alexandre le Grand devenait pacifiste.

— J'étais en train de penser la même chose.

Après le petit-déjeuner, Bains téléphona pour me demander s'il pouvait voir Street. Je lui tendis le combiné et elle convint de rencontrer Bains au bureau du comté à South Lake Tahoe, où elle lui ferait sa déposition, puis aiderait un artiste local utilisé par le comté à dessiner des portraits du preneur d'otage et de son complice.

Street voulait prendre une douche et se changer avant son

rendez-vous avec le sergent Bains ; Spot et moi la raccompagnâmes à son appartement dans la plaine et lui dîmes au revoir.

Je contournai le lac en direction de Tahoe City, au nord. Je trouvai un endroit où me garer dans un des centres commerciaux près du Chips-n-Brew, l'endroit où, d'après l'agent Ramos, Thomas Watson avait ses habitudes l'après-midi. Je dis à Spot d'être sage, m'approchai du restaurant et regardai par la grande vitrine en façade.

Le restaurant consistait en une unique et grande salle, au plan évoquant à la fois un Starbucks et un pub, avec de nombreuses petites tables en bois foncé et verni. Au fond de la salle se dressaient trois énormes citernes en inox contenant la bière produite en petite quantité par la maison. Sur un côté s'allongeait un bar fait du même bois que les tables. Au centre du bar, six tabourets pour les clients qui ne voulaient pas de table.

Au-dessus du bar était accroché un tableau noir sur lequel un artiste avait écrit avec des craies de couleur la liste des plats du menu, qu'il avait décoré en l'entourant de jolies images de truites arc-en-ciel et de saumons Kokanee. De l'autre côté de la pièce, trônait un autre tableau noir où étaient dessinées des chopes en céramique pleines de bière. Les dessins étaient organisés en fonction de la couleur de la bière, la plus foncée à gauche et la plus pâle à droite. Sous chaque bière était inscrit le nom du breuvage.

À un bout du bar, c'était la zone où les clients commandaient, et à l'autre bout, celle où ils venaient chercher leurs commandes pour les porter ensuite à l'une des petites tables ou au centre du bar.

Je continuai de remonter la rue, visualisant le plan du restaurant, me demandant comment je pourrais accomplir ma tâche. Une livreuse de chez UPS passa devant moi. Elle tirait un diable chargé de cartons dans la librairie Bookshelf. Je restai devant la vitrine à regarder les livres exposés, tout en réfléchissant à une idée.

Deux pâtés de maison plus loin, je tournai dans une impasse et trouvai une poubelle derrière un magasin. Elle contenait plusieurs cartons vides. J'en sortis un carton pas très grand, d'environ trente centimètres de côté. Encore trois pâtés de maison plus loin, il y avait un magasin qui vendait un peu de tout, y compris des fournitures de bureau. J'y trouvai un petit distributeur d'adhésif transparent. Je le rapportai à ma Jeep avec le carton vide.

Spot ne fut pas tant intéressé par le scotch que par le carton, qui avait sans doute absorbé de nombreuses odeurs de poubelle. Pendant que Spot le reniflait, j'appelai Jack Santiago, le sergent de Placer County que j'avais rencontré quelque temps plus tôt. La secrétaire me passa quelqu'un d'autre, qui me dit que Santiago ne verrait pas d'inconvénient à ce qu'il me donne son numéro de portable. Je composai le numéro, et Santiago répondit.

— J'ai entendu parler de votre histoire sur le bateau de location, McKenna, déclara-t-il quand il sut que c'était moi. Drôle de façon de profiter d'une sortie sur le lac. Laissez-moi deviner. Vous m'appelez au sujet de Watson, Thomas, alias Tommy Watts, notre nouveau résident à temps partiel de Placer County, objet de la malveillance du preneur d'otage.

— Bien deviné.

— Le lieutenant Davison a obtenu l'info de l'agent Bukowski ce matin. Nous ne voulons pas plus que vous d'un meurtrier dans notre gentil petit paradis de montagne. Que puis-je faire pour vous ?

— Je me demandais si vous auriez le temps de discuter brièvement cet après-midi, répondis-je. Je serai aux alentours de Tahoe City vers trois heures.

— Je peux probablement me débrouiller. Où voulez-vous qu'on se retrouve ?

— Pourquoi pas au Chips-n-Brew ?

— Trois heures ? répéta Santiago. À tout à l'heure.

— Vous serait-il possible de venir en civil ?

— Vous surveillez un trafic de drogue, ou quoi ?

— Non. C'est juste que nous pourrons parler plus librement si nous sommes incognito.

— Je vais voir ce que je peux faire.

Je raccrochai et passai un peu de temps avec mon adhésif d'emballage, scellant soigneusement le carton vide là où il avait été ouvert, laissant en place l'ancienne étiquette de l'adresse. Je coupai une longue bande d'adhésif et deux morceaux plus courts. J'utilisai ces derniers pour fixer la longue bande sur le côté du carton, la partie adhésive tournée vers l'extérieur. À moins que l'on y touche ou l'examine de près, le carton paraissait normal, et l'adhésif fixé à l'envers n'était pas visible.

Quand j'eus terminé, il me restait une heure à tuer ; j'emmenai donc Spot au bord de l'eau, au parc des Commons, où il passa du temps à jouer avec un golden retriever. Chaque fois que le labrador filait dans l'eau et nageait, Spot courait en tous sens au bord du lac, en poussant des gémissements de frustration sonores. Réalisant qu'il était seul dans l'eau, le labrador en sortait, faisait la course avec Spot un moment, puis retournait dans l'eau. Le golden était incapable de résister à l'eau, concept étranger à la plupart des danois.

Le propriétaire du labrador était assis à côté de moi sur un banc.

— Nous enfreignons la loi sur les laisses, déclara-t-il.

— Oui, répondis-je.

— J'espère que les flics ne vont pas se pointer.

— Ouais, répétai-je.

Sur le lac, cinq scooters des mers effectuaient des virages en S à grande vitesse, leurs sillages se croisant en formation. Cela ressemblait à une version aquatique des Blue Angels[3], les vagues à crête d'écume remplaçant les sillages de fumée.

— Le problème avec les flics, reprit le propriétaire du golden, c'est qu'ils ne pensent qu'à surprendre les gens en train de faire quelque chose d'interdit.

— Ah, dis-je.

— Évidemment, je suppose que c'est bien que quelqu'un s'occupe des malfaiteurs, dit-il. Ce n'est pas comme si nous étions des voyous parce que nous laissons jouer nos chiens.

— En effet, répondis-je.

— Vous n'êtes pas très bavard, dites donc. Ou peut-être que vous êtes flic, ha ha.

— Ex-flic.

— Oh. Désolé. (Il se leva et siffla.) Ocre ! hurla-t-il.

Le golden retriever arriva en courant. L'homme fixa une laisse

---

3   Patrouille aérienne acrobatique de la Marine américaine. (*N.d.T.*)

au collier de son chien et s'empressa de partir.

Je remis Spot dans la Jeep, pris mon carton et me rendis à pied au Chips-n-Brew. Santiago arrivait justement dans un véhicule banalisé. Il passa devant le restaurant, trouva une place au pâté de maisons suivant, et se gara. Je constatai avec plaisir qu'il portait un jean et un sweat-shirt.

Nous échangeâmes une poignée de mains et entrâmes.

— Qu'est-ce qu'il y a dans le carton ?

— Une livraison pour le gérant.

— Oh.

Il y avait quatre hommes au bar, chacun avec une bière. Deux des bières étaient brunes et couvertes d'une mousse épaisse, deux blondes avec quelques bulles faiblardes. Le type le plus à droite avait des problèmes de peau et des cheveux roux lissés en arrière. Thomas Watson en train de faire sa virée de l'après-midi, exactement comme l'avait dit Ramos. Il portait un polo vert à manches courtes qui contrastait avec sa pigmentation de roux. Le garde du corps à sa gauche était large à la façon d'un phoque. Épais et rond, sans définition musculaire. Ses flancs saillaient comme s'ils avaient été remplis de gel, et restaient constamment en contact avec les types placés à côté de lui. Malgré tout, son attitude indiquait le professionnel expérimenté. S'il vous attrapait, vous auriez des problèmes, qu'il s'asseye sur votre poitrine ou vous torde le cou. Santiago ne réagit pas. Quand Bukowski lui avait parlé de Watson, il ne lui avait sans doute pas montré de photo. À moins qu'il ne l'ait fait, et que Santiago ne la jouât très cool.

Il y avait plusieurs tables vacantes. Je guidai Santiago vers l'une d'elles, près de l'entrée. Il tira une chaise placée face à la vitrine.

— Vous savez quoi, intervins-je, j'attends quelqu'un d'autre qui risque de passer sans s'arrêter. Ça vous ennuie si je prends ce siège ?

— Pas de problème.

Santiago passa derrière la table, prit la chaise adossée à la vitrine, et s'assit. Il était maintenant face au bar.

— C'est moi qui régale, dis-je. Qu'est-ce que vous prenez ? Je vais commander.

— Le plat du jour.

Il indiqua du doigt le tableau noir.

Je me levai.

— Je vais donner ce carton au gérant, et je reviens avec nos bières.

Je portai le carton au comptoir, m'approchant de Thomas Watson. Il avait les coudes sur le comptoir. Bien que minuscule comparé au tas de chair à sa gauche, Watson était un type épais, aux avant-bras charnus sortant des manches courtes de son polo. Les bras nus allaient me faciliter la tâche. Je posai le carton sur le comptoir, l'adhésif fixé à l'envers face au bras de Watson.

J'attirai l'attention d'un serveur.

— J'ai une livraison pour le gérant.

Le gamin répondit :

— Stanley est sorti, il ne reviendra que dans… (Il consulta la pendule accrochée au mur.)… environ un quart d'heure.

— Ah. Mieux vaut sans doute que je repasse.

Je tendis les mains vers le carton, me tournai, fis semblant de me cogner le genou sous le bar, poussai une exclamation et donnai un coup dans le carton, le poussant contre le bras de Watson.

— Oh, désolé, dis-je.

Je fis mine de perdre l'équilibre et attrapai son épaule d'une main. Je me servis de l'autre pour pousser fermement le carton et l'adhésif contre sa peau.

Watson essaya de retirer son bras, surpris de voir que le carton était collé à lui.

— Votre carton est collé à moi.

Il tendit la main pour le détacher. Le carton se sépara de l'adhésif, qui était resté collé à sa peau.

— Désolé, répétai-je.

Je saisis l'adhésif et le détachai d'un coup sec. Le bruit des poils arrachés fut quasiment audible.

— Merde ! cria-t-il.

Il se frotta le bras.

— Je suis vraiment confus. Je ne voulais pas vous blesser.

Je pris le carton et l'adhésif et m'empressai de revenir à notre table. Santiago fronçait les sourcils à mon adresse.

— Nous ferions mieux de partir, dis-je à voix basse.

Je tournai les talons et sortis. Santiago me rejoignit sur le trottoir quelques secondes plus tard.

— Vous avez bien vu le type que je viens de heurter ?

— Ouais. Qu'est-ce que c'était que cette mise en scène ?

Je partis dans la rue d'un pas rapide.

— C'était Watson, dis-je quand Santiago me rattrapa.

— Le type sur qui vous êtes tombé était Thomas Watson ? Mais je ne comprends pas ce que le carton... Bon sang, ça y est, j'ai compris. C'était un piège. Tout ce cinéma visait à utiliser l'adhésif pour obtenir une touffe de poils des bras du type qui pourrait avoir tué cette femme à San Francisco.

— Ouaip.

Je lui montrai le scotch.

Il l'examina de près.

— Et vous lui avez tiré des racines, aussi. Parfait pour un échantillon d'ADN.

— Ouaip.

— Alors vous ne vouliez pas du tout me parler.

— Non.

Santiago marcha un moment en silence.

— Je crois que j'ai pigé, dit-il. Vous vouliez qu'un représentant de la loi témoigne que les poils sur l'adhésif proviennent réellement de Thomas Watson. De cette façon, il y a plus de chances pour que cette preuve soit admissible au tribunal.

— Ouaip.

— Mais vous ne m'avez pas informé de votre plan à l'avance, parce qu'alors un jury pourrait l'interpréter comme venant de moi, ce qui, pour un représentant de la loi, serait interprété comme fouille illégale et saisie sans mandat de perquisition.

J'acquiesçai.

— Cependant vous, en tant que civil, pouvez acquérir l'ADN d'un suspect sans répercussions, à moins que le suspect ne porte plainte pour agression, ce qui est peu probable compte tenu de la méthode employée.

— C'est ce que j'espère, répondis-je.

Il hocha la tête à plusieurs reprises.

— Attendez que j'en parle aux collègues.

— Vous vous chargerez des preuves sur l'adhésif ? demandai-je en le lui tendant.

Il acquiesça.

— Je peux l'envoyer au labo. Je verrai s'ils peuvent nous consentir le traitement d'urgence. Si l'ADN correspond, nous aurons besoin d'un mandat d'arrêt. Mais comment en obtenir un ? Le crime s'est produit à San Francisco ?

— Vrai, mais nous avons – ils ont – déjà un mandat d'ADN contre X.

— Génial, dit Santiago. Un mandat d'ADN contre X n'identifie pas un suspect par son nom mais par son profil ADN. Et il donne à tout officier de police l'autorité nécessaire pour l'arrêter si son ADN correspond. (Il leva l'adhésif portant les poils de bras de Watson.) Alors si ce truc réussit, je pourrai l'arrêter moi-même. (Il eut un large sourire.) Je crois que je vais parler au lieutenant et voir ce que nous avons sur l'emploi du temps. Nous pourrons peut-être détacher un ou deux adjoints pour qu'ils surveillent Watson au cas où il réaliserait ce qui s'est passé et déciderait de s'enfuir. Nous n'avons pas le budget nécessaire pour le suivre très loin, mais nous pourrons au moins avoir une idée de sa destination et alerter nos collègues de la route.

— Bonne idée, dis-je.

— La prochaine fois, on pourra peut-être vraiment manger un morceau, hein ? Ils ont du bon poisson.

— Comptez là-dessus, dis-je.

Chapitre 8

En rentrant à mon bureau de l'autre côté du lac, je mis la cafetière en route puis triai mon courrier. Spot se concentra sur son inspection olfactive du bureau. Je me servis du café. Au départ, Spot s'intéressa aux murs. Puis il passa au montant de mon bureau.

— Tu viens de renifler tout ça il y a deux jours, dis-je. Personne n'est venu ici depuis. Il ne peut pas y avoir tant de nouvelles odeurs.

Spot me regarda et remua la queue. Dans un style typique des danois, cette dernière balançait si loin sur le côté qu'elle passa sur le bord de mon bureau, mettant en danger la fragile organisation de mes accessoires administratifs. Je déplaçai mon agrafeuse, mon distributeur de scotch et ma tasse à stylos, objet que Diamond m'avait offert dans un vain effort pour m'inciter à partager son nouvel enthousiasme envers les philosophes français. La tasse arborait l'image d'un golfeur qui vient de lancer sa balle dans une mare. La chemise du golfeur annonçait « Sartre » et à côté de la mare était inscrit « Un mensonge existentiel ». Diamond m'avait expliqué que c'était un message à triple sens, mais je n'avais pas vraiment compris, et sa déception face à mon ignorance avait été évidente. Mais la tasse contenait beaucoup de crayons.

Je composai le numéro de l'agent Ramos. J'étais en train de sortir un vieux croissant de mon réfrigérateur miniature quand il répondit. Je posai le croissant sur le bureau.

— McKenna à l'appareil, déclarai-je.

Spot contemplait fixement le croissant.

— Ah, répondit Ramos. J'ai parlé à un informateur qui s'est rapproché de TransPacificTronics. Il nous a déjà aidés. Il m'a dit que Watson séjourne actuellement au Marriot quand il est à San Francisco, mais qu'il y a quelques années – quand Grace Sun s'est fait assassiner – il avait l'habitude de descendre dans l'une des suites de l'hôtel Club Pacific Crest. J'ai donc appelé le Club Pacific et pressé le responsable de la réception.

— Pressé ? demandai-je.

— Un terme à moi, dit Ramos. Certaines personnes trouvent intimidant d'avoir affaire à des agents du FBI. Comme aux flics, mais encore plus. Et parfois cette réaction encourage les gens à révéler des informations qu'ils n'ont pas besoin de partager. Quoi qu'il en soit, j'ai découvert que Watson était à San Francisco et séjournait au Club Pacific le jour où cette Grace Sun a été tuée. Ce n'est pas grand-chose, mais c'est déjà ça.

Spot fit un demi-pas en avant, la tête sur le plateau du bureau, à une distance convenable pour attaquer le croissant. Ses narines se dilataient. Je tirai le croissant en lieu sûr.

— Ce serait intéressant si nous pouvions obtenir un mandat pour avoir accès à ses relevés de carte de crédit, dis-je. Peut-être Sun et Watson mangeaient-ils dans les mêmes cafés de North Beach ou traînaient-ils dans les mêmes bars du port.

— J'ai parcouru à nouveau notre dossier sur Watson, dit Ramos. Mais je n'ai rien vu de suggestif à la lumière des événements récents.

Je mangeai une bouchée de croissant. Il était suffisamment rassis pour se changer en fossile dans moins d'une semaine. Spot m'étudiait attentivement. Il passa sa langue géante sur une bajoue, puis remonta sur l'autre.

Ramos reprit :

— Watson s'est fait quelques ennemis. Mais aucun ne semble correspondre au type qui est tombé dans le lac. La zone, le mode d'opération ou le type physique ne collent pas. Je cherche des types qui auraient pu être suffisamment contrariés par Watson pour vouloir faire quelque chose d'aussi dingue que prendre Street en otage.

Spot me vrillait des yeux comme des rayons laser. Je regardai le croissant durci, mais ne distinguai aucun petit point de lumière rouge dessus. Je le lançai derrière mon dos et par-dessus ma tête. Spot était prêt, connaissant déjà ma façon de jouer à la balle. Il rebondit sur ses pattes avant d'une façon qui m'était familière, se dressa sur les pattes arrière, la tête arquée vers le plafond, et attrapa la viennoiserie comme Willie Mays bondissant devant la ligne de terrain. Je ne le vis pas mâcher, juste claquer des mâchoires deux ou trois fois et avaler. Puis il m'adressa un regard plein d'attente.

— Un croissant, c'est la portion maximum recommandée, déclarai-je.

— Je vous demande pardon, répliqua Ramos à mon oreille.

— Désolé, dis-je. Spot et moi discutons de nutrition canine.

Ramos marqua une pause.

— Les croquettes pour chien m'ont volé la vedette, déclara-t-il d'une voix dénuée d'humour.

— Donc, repris-je, vous savez que Watson se trouvait à proximité de Grace Sun le jour où elle a été assassinée. C'est très bon.

— Ce n'est toujours pas un mobile.

— C'est la raison de mon appel ; nous n'en aurons peut-être pas besoin.

Je lui racontai comment j'avais obtenu les poils de bras de Watson sur l'adhésif d'emballage.

Ramos resta silencieux un moment. Finalement, il déclara :

— On dirait que vous avez organisé une manœuvre efficace. Cela pourrait tenir devant un tribunal.

C'était une sorte de compliment, autre expérience inhabituelle pour moi, venant de Ramos.

— Vous avez l'adhésif avec les poils ? demanda-t-il.

— C'est Santiago qui l'a. Placer County va le faire analyser.

— Si l'ADN de Watson correspond à ce que vos gars de San Francisco ont prélevé sous les ongles de Grace Sun, et que nous obtenions une inculpation pour meurtre, ça fera sortir Watson du circuit de la contrebande sans que nous ayons à le coincer pour ça.

— Nous saurons d'ici quelques jours, déclarai-je.

Peu après la fin de notre conversation, Street arriva. Elle portait un jean épais et une chemise de flanelle bleu marine à manches longues, boutonnée jusqu'au col. Et par-dessus, un gilet en polaire rouge. D'épaisses chaussettes de laine dépassaient de ses chaussures de sport. Ses cheveux flottaient sous une casquette de baseball en laine rouge, du genre qui sert à réchauffer les chasseurs du Minnesota en novembre. Elle était habillée comme si le temps avait été plus froid de quinze degrés que l'automne ensoleillé de Tahoe, réaction attardée à son plongeon imaginaire dans les profondeurs du lac glacial.

Spot leva la tête en direction du visage de Street, la truffe à cinq centimètres de son menton. Il remua la queue comme si cela faisait plusieurs semaines, plutôt que quelques heures, que nous ne l'avions pas vue.

— Ça s'est bien passé ? demandai-je tandis que Street lui frottait la tête et les oreilles.

— Oui. La déposition a été facile. J'ai simplement raconté au sergent Bains ce qui s'était passé, et que toutes les personnes concernées connaissaient déjà. Ça s'est avéré plus compliqué de travailler avec la dessinatrice. Je suis sûre qu'elle est excellente, mais chaque fois que je disais quelque chose et qu'elle essayait de dessiner, ça ne ressemblait finalement à rien. À un moment, elle avait dessiné un très bon portrait de gorille à la barbe en broussaille, et je me suis mise à rire. Je sais qu'elle a trouvé ça grossier de ma part, mais je n'ai pas pu m'en empêcher. À la fin, nous nous sommes rendu compte que la seule partie du visage de ce type que j'ai vraiment vue, c'était au moment où il a retiré un instant ses lunettes de soleil. Je crois que je pourrais reconnaître ses yeux bleus si je les revoyais. Mais il était tellement proche de moi quand il a retiré ses lunettes que je ne pourrais pas vraiment décrire son visage. Ajoute à ça mon stress, et j'ai bien peur de ne vraiment pas avoir aidé la dessinatrice.

— On ne sait jamais, répondis-je.

Street voulait savoir comment s'était passée ma journée, mais elle devait avant se rendre à son labo pour passer un coup de fil. Elle m'embrassa, caressa Spot et partit.

Je lui dis que je passerais plus tard.

Je composai le numéro de mon ancien travail, que j'avais encore en mémoire après des années. Je demandai à ce qu'on me passe Joe Breeze, le flic qui travaillait à la criminelle avec moi quand Grace Sun s'était fait tuer. Trois transferts plus tard, il dit « allô ».

— Owen McKenna à l'appareil, déclarai-je.

— Ça me dit quelque chose, répliqua-t-il. Un grand type, c'est ça ?

— Ta mémoire est une vraie passoire, répondis-je.

— Bien sûr, ça me revient maintenant. On a tout fait ensemble, sauf coucher, pendant quoi, cinq ans ? Je peux même visualiser ta tête en me forçant un peu. Mais je ne te pardonne toujours pas le fait que les dames s'adressaient toujours à toi plutôt qu'à moi quand on faisait notre numéro. Je me dis que c'est juste le fait que tu sois grand. Les femmes sont toujours impressionnées par la taille. Si on faisait la même, j'aurais sans doute eu largement le dessus.

— Sans doute.

— Qu'est-ce qui se passe ? demanda Breeze.

— Tu te souviens de l'affaire Grace Sun ? On a eu un détournement de bateau, ici au lac. Le type a prétendu que le meurtrier de Grace était un gars nommé Thomas Watson.

— J'ai entendu parler du détournement. Mais vous avez visiblement réussi à cacher le lien avec le meurtre de Grace, parce que je n'étais pas au courant de ça. Qui est Watson ?

Je résumai à Joe ce qui s'était passé et comment j'avais obtenu un échantillon de l'ADN de Watson.

— Nous saurons d'ici deux jours si l'ADN correspond à ce qui se trouvait sous les ongles de Grace, ajoutai-je.

— Bon boulot, McKenna. Ce serait chouette si nous pouvions classer le dossier de Grace. Mais je me demande ce qui a motivé le preneur d'otage. Un peu délirant, qu'il se soit donné tout ce mal.

— C'est pour ça que j'appelle. Tu te rappelles le journal que Grace avait dans sa chemise quand nous avons trouvé le corps ?

— Oui. Écrit en chinois. Et il avait pris l'eau. Toute l'écriture était brouillée et illisible.

— Presque tout, en tout cas. J'aimerais y jeter un autre coup d'œil.

— Tu crois que quelque chose dedans aurait un lien avec Watson ?

— Peut-être. Peut-être pas.

— Si l'ADN de ce Watson correspond à ce que Grace avait sous les ongles, quelle différence cela ferait-il ? Nous pourrions classer l'affaire.

— C'est vrai, dis-je. Mais ça n'expliquerait toujours pas pourquoi le preneur d'otage s'est donné tant de mal.

— Tu crois que le journal aura un lien avec le gars ?

— Qui sait ? Je me souviens que pendant l'enquête, nous avons demandé à ce professeur d'essayer de traduire le journal. Il n'a pas pu tirer grand-chose des caractères brouillés. Mais il a quand même déterminé que le journal avait sans doute cent ans ou plus. Il est donc peu probable que quoi que ce soit dans son contenu ait un lien avec la situation actuelle. Néanmoins, j'aimerais y jeter un œil. Ça ne peut pas faire de mal, pas vrai ? Il est toujours avec les autres pièces ?

— Sans doute. Tu veux venir en ville et voir ça ?

— Je pensais que tu pourrais me l'envoyer par FedEx, dis-je.

— Tu sais que je ne peux pas.

— Pourquoi pas ? J'étais l'inspecteur chargé de l'enquête. J'ai une raison valable de consulter le journal.

— Techniquement, tu n'es même plus officier de police, répliqua Breeze.

— C'est une exception impérieuse. Je suis un consultant expert. Je trouverai peut-être quelque chose qui conduira au meurtrier.

— Ce serait contraire à la procédure de conservation.

— Pas du tout. Le responsable des pièces à conviction te fait signer un bon de sortie. Tu gardes trace du moment et du lieu où tu le remets à FedEx. Je signe le reçu de mon côté. Je prouve que je ne le perds jamais de vue. Puis je te le renvoie.

Breeze souffla dans le combiné.

— Quoi que tu puisses dire, t'envoyer le journal serait irrégulier. Si tu compromets notre affaire et que nous perdions une inculpation, ma carrière serait remise en question.

— Je croyais que tu n'étais pas loin de la retraite, de toute façon.

— Toujours pareil, bon sang, McKenna. On dirait que tu n'es jamais parti. Et maintenant tu vas me raconter pour la énième fois comment tu as contribué à coincer le Tueur au propane.

Breeze faisait référence à l'affaire au cours de laquelle lui, moi et deux autres flics étions entrés dans un immeuble où un type soupçonné d'incendie criminel et de meurtre traînait avec ses copains junkies. En entendant un enfant hurler, nous étions entrés sans frapper dans un appartement et tombés sur un homme en train d'agresser sexuellement une fillette de sept ans. Nous avions arrêté l'homme, et les techniciens avaient rassemblé des preuves irréfutables. Plus tard, alors que nous avions confirmé de façon satisfaisante que le pédophile et l'incendiaire étaient la même personne, nous n'avions pas de preuves suffisantes pour accuser l'homme de meurtre. J'avais eu une idée qui avait compromis les preuves sexuelles et réduit à néant le dossier de l'État pour agression sexuelle. Mais cela nous avait aidés à trouver suffisamment d'éléments pour inculper ce même homme pour meurtre, et l'envoyer dans le couloir de la mort. Après coup, le procureur m'avait adressé, pour mes transgressions, une réprimande assortie d'un clin d'œil approbateur.

— Il pourrait s'agir d'une situation similaire, répondis-je. Les informations contenues dans ce journal pourraient me conduire à d'autres indices, plus solides.

Breeze garda le silence un petit moment.

— Donne-moi ton adresse postale, dit-il.

Je lui récitai mes coordonnées.

— Comment vas-tu lire le journal, de toute façon ? (Son ton était franchement dubitatif.) Ce professeur de Berkeley n'a même pas pu nous aider.

— J'ai rencontré un médecin des urgences quand je me suis installé à Tahoe. Il parle couramment le mandarin. Je verrai s'il peut m'aider.

Breeze poussa un grognement, puis raccrocha.

9

Je venais d'arriver à mon bureau le lendemain matin quand le sergent Santiago m'appela sur mon portable.

— J'ai reçu le rapport du labo. L'ADN de Thomas Watson et l'ADN que vous avez récupéré sous les ongles de Grace Sun il y a trois ans correspondent, déclara-t-il.

— Vous avez arrêté Watson ?

— C'était le tour de Byron de surveiller Watson. Il l'avait filé jusqu'au supermarché. Forsythe a retrouvé Byron sur le parking. Ils ont arrêté Watson au rayon des légumes pendant que son garde du corps était aux crèmes glacées. Watson a été cool. Il les a suivis sans faire d'histoire. Ce que nous avons apprécié en découvrant l'arme qu'il dissimulait.

— De l'équipement lourd ?

— Un Browning de calibre 40 dans un t-shirt servant à le cacher.

— Il est à la prison de Truckee ?

— Jusqu'à ce qu'on le transfère à San Francisco.

— J'aimerais lui parler à un moment où ça vous arrangera, dis-je.

— Bien sûr. Mais le type n'a pas dit un mot. Pas même à Byron et Forsythe.

— Jamais vu ça, dis-je.

— Sans blague. C'est comme s'il avait lui-même fait son droit.

— Il a demandé à appeler son avocat ?

— Non. Ça m'a surpris. La plupart des voyous n'en ont pas, mais un type comme lui donne l'impression de devoir être cul et chemise avec un avocat quelque part. Mais peut-être qu'il n'en a pas.

— Vous êtes des flics. Et il est dans votre prison. Ça peut rendre certaines personnes réticentes. Mais peut-être qu'il me parlera. Je suis un civil. Pratiquement inoffensif.

— Comment ai-je pu oublier ça, répliqua Santiago. Tout ce que vous avez fait, c'est lui arracher des poils, et maintenant le voilà candidat pour la grande injection à San Quentin. Vous êtes comme son meilleur pote. Bref, vous connaissez la routine. L'inspecteur principal de la police de San Francisco sera le premier à parler à Watson. N'importe qui d'autre aura besoin de la permission explicite de l'inspecteur principal pour voir Watson.

— Tout juste, dis-je. Mais qui dit que nous devons nous conformer à la routine ? D'ailleurs, je ne serais qu'un type qui passe à la prison, peut-être pour inspecter la plomberie ou autre. Je pourrais dire quelques mots à Watson pendant que vous et votre équipe prenez le café.

Santiago resta silencieux un long moment.

— C'est vrai qu'on a un robinet qui n'arrête pas de couler, dit-il finalement.

— Je serai là dans une heure, répondis-je.

La prison de Truckee était un bâtiment ordinaire, sans signe distinctif. La plupart des autochtones ne savaient probablement pas où elle se trouvait, ni même qu'elle existait. Je me garai dans la rue et laissai Spot dans la Jeep. Il avait sorti la tête par la vitre arrière et poussa un aboiement qui se termina en gémissement tandis que je m'éloignais. Je me retournai, posai un doigt sur mes lèvres, puis l'agitai dans sa direction. Il aboya de nouveau. Comme un essuie-glace, sa queue remuait de façon intermittente, attendant de voir si les conditions deviendraient plus excitantes avant de passer en vitesse normale.

Je lui lançai :

— C'est un zéro sur l'échelle d'obéissance au langage des signes.

Il aboya encore. Aucun respect.

— Y a-t-il un changement chez le patient ? demandai-je à Santiago quand il vint à ma rencontre juste devant la porte.

— Non. Comme un moine, il est incroyablement tranquille. Et assis en position du lotus. Comment appelle-t-on ça quand ils fredonnent cette espèce de plainte ?

— Je ne sais pas. Absolutions tibétaines ? Psalmodies grégoriennes ?

— Oui, voilà. Je m'attends tout le temps à ce qu'il se mette à psalmodier.

— Quand a lieu le transfert ?

— Les gars de San Francisco viendront le chercher demain.

Santiago m'emmena dans la prison. Un adjoint en uniforme du shérif de Nevada County, qui devait avoir vingt et un ans, était de garde à la porte. Un autre derrière le comptoir.

— Deux flics de garde, dis-je à Santiago.

— Un prisonnier à valeur élevée exige une pluralité de gardes, déclara-t-il. Owen McKenna, je vous présente Barry Downywood et John Farnum.

Nous effectuâmes nos salamalecs.

— Arme de poing ? me demanda Santiago.

— Je n'en porte pas, répondis-je.

Il m'adressa un bref regard intrigué, puis sortit son propre flingue et le mit dans le casier de sûreté.

Nous empruntâmes le couloir menant aux cellules avec l'adjoint Farnum. Thomas Watson était assis en tailleur sur le banc, yeux fermés, bras tombants, paumes vers l'extérieur. Ses jambes étaient épaisses, comme ses bras. Il ne paraissait pas capable de les mettre en position du lotus, mais en tailleur, ce n'était pas loin.

— Vous avez la visite d'Owen McKenna, Watson, annonça Santiago.

Farnum déverrouilla la grille de la cellule, me laissa entrer, la verrouilla derrière moi.

— Vous voulez que je reste dans le coin ? (Santiago regarda brièvement Watson.) Il est mêlé à des affaires de banditisme, ça pourrait être un dur.

— Ça ira, dis-je, sachant qu'il n'avait dit cela que pour irriter Watson.

— Demandez à Barry et John quand vous voudrez sortir.

Santiago et Farnum s'éloignèrent.

Je m'appuyai au mur en face du prisonnier. Watson m'ignora ; il regardait fixement à côté de moi.

Watson avait probablement appris mon nom après que je m'étais débrouillé pour lui dérober un échantillon de poils. Sinon, j'imaginais que quelqu'un, l'un des flics qui l'avait arrêté, peut-être, avait mentionné le mandat pour ADN, ce qui aurait indiqué à Watson la véritable raison pour laquelle je lui avais collé l'adhésif sur le bras. Il n'avait pas besoin de me regarder pour savoir que j'étais la personne à l'origine de son arrestation. Mais Watson ne manifesta aucun signe montrant qu'il me reconnaissait.

— J'aimerais votre permission pour vous poser quelques questions, dis-je.

— Vous pouvez toujours demander, répondit Watson. Ça ne veut pas dire que j'ai des réponses à vous donner.

— Vous êtes sans doute au courant de l'incident du détournement sur le lac, il y a quelques jours, continuai-je. Je suis ici pour vous demander si vous avez une idée de qui était le preneur d'otage.

Watson ne répondit pas ; je lui récapitulai donc la manière dont le preneur d'otage avait organisé toute sa mise en scène, soi-disant uniquement pour me convaincre de poursuivre Watson.

— Il prétendait, avec beaucoup d'assurance ajouterai-je, que vous étiez le meurtrier de Grace Sun. Le preneur d'otage a tué un homme, failli tuer une femme, et mis tout un groupe de passagers en danger, tout ça parce qu'il était déterminé à me contraindre à vous arrêter pour le meurtre de Sun.

Je marquai une pause. Watson contemplait le mur.

— Pourquoi l'auteur d'un détournement ferait-il tout ça uniquement pour m'obliger à vous poursuivre ? La seule réponse que j'aie trouvée était que soit vous aviez tué Grace Sun, et le preneur d'otage essayait de servir la cause de la justice, soit il vous en voulait sérieusement, indépendamment de son désir de justice dans l'affaire du meurtre de Grace Sun.

Watson resta muet.

Je pouvais peut-être continuer de parler. L'avoir à l'usure.

— Ce type était visiblement décidé à avoir votre peau. Vous seriez la personne la plus susceptible de connaître son identité. Quand on y pense, des tas de gens le sauraient si quelqu'un les haïssait vraiment, pas vrai ? Pouvez-vous me dire qui était l'auteur du détournement ?

Watson ferma les yeux. Prit une profonde inspiration, la retint pendant qu'il tournait les épaules, puis se détendit et expira lentement. Il semblait entrer en transe. Ou tomber dans le coma.

— J'ai oublié d'expliquer que le preneur d'otage avait trébuché et était tombé dans le lac avec un lourd sac à dos, repris-je. Il s'est noyé. Vous n'avez donc pas besoin de vous inquiéter des éventuelles répercussions en me disant qui c'était. Et d'ailleurs, ce n'est pas comme si qui que ce soit pouvait vous atteindre à l'intérieur de San Quentin, ou je ne sais où vous allez passer des vacances permanentes.

Watson était si immobile qu'on aurait dit qu'il avait cessé de respirer. Ses yeux s'étaient ouverts tout seuls et montraient des fentes blanches. Ses lèvres étaient molles. Il avait l'air d'avoir fait une attaque. Je pouvais peut-être le pousser à parler en l'insultant.

— Peut-être que vous ne dites rien simplement parce que vous avez peur. Vous étiez le grand manitou dans votre ancien monde, votre portefeuille plein du produit de la contrebande d'armes entrant dans le pays. Maintenant, vous n'êtes plus qu'un petit homme en prison, et cette prison-ci, c'est le Taj Mahal comparée à la fosse aux serpents où on va vous emmener. Vous savez que les nouveaux, dans les country clubs de l'État, sont censés fournir des divertissements spéciaux aux résidents de longue date, n'est-ce pas ? Certains ne survivent pas. Et pour ceux qui survivent, le traumatisme physique et émotionnel est si sévère que quelques-uns se retrouvent incapables de se débrouiller seuls.

Watson prit une longue, lente et profonde inspiration, ses côtes se soulevant, son ventre sortant. Il la garda le temps de compter jusqu'à dix, puis exhala, aussi lentement qu'un trou dans un pneu qui vous laisse conduire pendant une vingtaine de kilomètres avant que la jante ne touche le bitume. À la fin, son corps se détendit un peu plus, les chairs affaissées, toute tension quittant son visage comme s'il était mort.

J'attendis une minute, mais ne vis aucun signe d'inhalation. C'était comme si Watson avait si complètement transcendé les limitations de la vie terrestre qu'il n'avait plus besoin d'air, cette ressource terrestre. Plus aucun contact possible.

— Adjoint Downywood ? Farnum ? lançai-je. Je suis prêt.

J'entendis un bourdonnement lointain. Santiago apparut une minute plus tard. Il ouvrit la grille et me fit sortir. Nous étions de retour au bureau de Downywood quand une voix résonna derrière nous.

— À mon avis, le preneur d'otage était Nick O'Connell.

Je tournai les talons et retournai dans la cellule. Watson n'avait pas changé de position. Il était toujours assis en tailleur, bras sur ses genoux, paumes vers le ciel, yeux fermés.

— Qui était Nick O'Connell ? demandai-je à travers les barreaux.

Watson garda les yeux fermés pour répondre.

— Le psychopathe le plus méchant que vous puissiez rencontrer. Soyez heureux qu'il se trouve au fond du lac.

— Vous le connaissiez ?

— Je l'ai rencontré une ou deux fois. Mais j'ai surtout entendu des choses.

— De quel genre ? demandai-je.

— Il travaillait auparavant pour Carlos, le chef du cartel Nogales. C'était le porte-couteau de Carlos. Mais O'Connell a volé une cargaison et disparu. Ensuite, il s'est mis à travailler avec Davy Halstead, le dirigeant des Red Blood Patriots.

— Vous plaisantez.

— C'était une grave erreur. Davy ne savait pas à quel point O'Connell était tordu. Un coup de chance pour Davy qu'O'Connell soit mort. Sinon, O'Connell aurait pu fomenter une rébellion et essayer de prendre la direction de la milice.

— Fomenté ?

C'était le genre de mot qu'aurait employé Diamond.

— Oui. Inciter. Provoquer.

— Est-ce que la milice veut entrer dans le circuit de la drogue ? demandai-je.

— Ils y sont déjà. Davy Halstead est un pro. Mais dans le cas présent, je pense que Davy voulait profiter de l'expertise d'O'Connell d'une autre façon. O'Connell n'a pas volé une cargaison de drogue. Il a volé une cargaison d'argent. Carlos était si contrarié qu'il a passé le mot aux autres patrons de cartels. Il leur a fait savoir qu'O'Connell représentait un risque inacceptable parce qu'il en savait trop, et parce qu'il n'avait peur de personne. Ils se sont donc mis d'accord pour l'abattre à vue.

— Les cartels se sont mis d'accord sur un objectif commun ?

— Oui. Trois d'entre eux. Tous des ennemis mortels. Tous essayant de tuer le même homme. (Watson avait toujours les yeux fermés. Il n'avait pas changé de position.) Maintenant, ils n'auront plus besoin de se donner cette peine.

— Vous avez l'air plutôt convaincu que l'auteur du détournement était O'Connell.

— C'est logique, voilà tout.

— Quel genre de drogue les Red Blood Patriots vendent-ils ?

— Ces types du trafic de drogue, c'est de la racaille, déclara Watson, ignorant ma question. J'espère qu'ils vont tous s'entretuer.

Il dit cela d'un ton venimeux.

— Vous n'approuvez pas l'usage de drogues illégales, intervins-je.

— La drogue pourrit le cerveau des gens.

— Et pourtant, vous faites entrer des armes illégales dans le pays.

Watson eut un reniflement méprisant. J'étais vraiment assommant.

— Si O'Connell était encore en vie, dit-il, je l'écorcherais vif moi-même si je pouvais le ligoter avant qu'il me tue.

— Que fait un porte-couteau ? demandai-je.

— Garde du corps. O'Connell était le garde du corps personnel de Carlos. C'est la nouvelle mode chez les patrons de la drogue. Les armes à feu sont bruyantes, attirent inutilement l'attention.

L'avantage d'un porte-couteau, c'est la furtivité. Un type qui sait manier une lame peut faire le boulot et passer au suivant, puis au suivant, alors que peut-être personne n'a encore découvert le premier boulot. Sans compter que les soldats sont habitués aux armes à feu. Ils n'en ont pas peur. Mais tout le monde a peur de se retrouver avec une lame dans le ventre. O'Connell a étudié les techniques des samouraïs. Je l'ai vu se servir de son couteau, une fois. Il l'a fait tournoyer d'un geste, impressionnant. On disait qu'il était si rapide qu'il pouvait tailler sous le sternum, remonter, vous arracher le cœur et vous le montrer avant que vous n'ayez le temps de perdre conscience et de mourir.

— Pourquoi O'Connell serait-il passé d'un cartel de la drogue à une milice ?

— Qui sait ? Il voulait peut-être jouer les grands manitous dans une plus petite boutique. Il prévoyait peut-être de mettre Davy Halstead dehors et de prendre la tête des Patriots. Il aurait pu réussir.

J'observai Watson, toujours assis immobile. Sa voix trahissait de l'émotion, mais pas son visage.

— Ce preneur d'otage, O'Connell ou qui qu'il soit, dis-je, avait un complice. C'était un petit type qui n'a rien dit, se contentant d'aider l'auteur du détournement à porter leurs affaires à bord. Le preneur d'otage l'a tué. Il l'a assommé, lui a enroulé une chaîne d'ancre autour du cou, et l'a jeté par-dessus bord. Une idée de qui c'était ?

Watson secoua la tête.

— Il pourrait s'agir de n'importe qui. Un tas de ces gars veulent simplement traîner avec quelqu'un de coriace. Ça leur donne l'impression de l'être eux-mêmes, par association.

— Comment le savez-vous ? Vous en faites partie ?

— Je suis un homme d'affaires. Dans mon métier, certains clients ont des associés et employés qui ne sont pas du genre école de droit à Harvard. Le reste de la société ignore l'étendue de cette population. Mais ils sont très nombreux. Des types de la campagne qui vivent sous la tente ou sous de vieux morceaux de contreplaqué. Des types qu'il est facile d'organiser en jouant du principe fondamental de méfiance envers le gouvernement. Vous n'avez pas besoin de déblatérer longtemps sur la classe opprimante pour que les gens veuillent s'engager à la contrecarrer.

— Vous avez suivi les cours de l'Académie navale, dis-je. Est-ce que ça ne fait pas de vous un membre de la classe opprimante ?

— J'aide ces gens. Je leur donne du pouvoir.

À entendre Watson, il était un missionnaire apportant l'illumination aux païens.

— Détourner un bateau et prendre un otage est une façon spectaculaire d'attirer l'attention sur soi, repris-je. Est-ce que Nick O'Connell était ce genre d'homme ? Serait-il allé jusque-là ?

— C'est pour cette raison que je pense qu'il s'agissait de Nick. Son modus operandi, c'était le mélodrame. L'impulsivité portée à son extrême sur le plan neurologique. Il n'avait personne pour le diriger. C'est ce qui le rendait si dangereux, si efficace quand il pliait les autres à ses désirs.

Je méditai là-dessus.

— Avez-vous tué Grace Sun ? demandai-je.

— Non.

Son ton sous-entendait que j'étais stupide de poser la question.

— Pourtant votre ADN correspond à ce qu'on a trouvé sous les ongles de Grace Sun.

Watson avait les yeux fermés. Il eut un unique mouvement de tête méprisant.

— Si O'Connell était l'auteur du détournement, continuai-je, pourquoi essaierait-il de vous impliquer dans la mort de Grace Sun ?

— Je ne sais pas.

— Qu'est-ce qu'O'Connell avait contre vous ?

Watson n'avait toujours pas ouvert les yeux. J'attendis, mais il ne répondit pas.

— Est-ce qu'O'Connell connaissait Grace Sun ?

Silence.

— Si O'Connell voulait se débarrasser de vous pour une raison précise, et s'il était aussi impitoyable que vous le dites, pourquoi ne vous a-t-il pas éliminé lui-même ? Pourquoi me mettre sur votre piste ?

Pas de réponse.

— OK, disons que Nick O'Connell était comme vous dites, qu'il avait la lame facile. Et admettons que vous avez raison, et que c'est bien lui qui a détourné le bateau. La question évidente, c'est pourquoi. Pourquoi m'impliquer quand il aurait pu vous causer toutes sortes d'ennuis sans m'y mêler ?

Toujours le silence.

J'insistai :

— Vous ne savez pas ? ou vous ne voulez pas le dire ?

Rien. Watson avait fini de parler. J'appelai pour qu'on me fasse sortir.

— Santiago est dans le coin ? demandai-je à Downywood quand il vint m'ouvrir.

— Dehors, au téléphone. Il parle depuis un bon moment.

Je levai la main à l'adresse de Santiago en le croisant. Il hocha la tête dans ma direction tout en continuant de parler.

Spot avait passé la tête par la vitre arrière à mon approche. Il remua vigoureusement la queue, sans doute la joie ineffable de voir son maître. Puis il se tourna progressivement, remuant toujours la queue, face à un endroit assez éloigné de moi. Il s'avérait qu'il ne me regardait pas du tout.

Je jetai un œil derrière moi. Une femelle pitbull marchait devant son maître. La chienne portait un frisbee rose vif dans sa gueule, l'arborant fièrement tout en trottinant. Je parvins à la Jeep, attrapai la tête de Spot et la frottai énergiquement. Spot ne m'accorda aucune attention. Il suivait des yeux le pitbull et remuait frénétiquement la queue.

Je sais quand on ne veut pas de moi. Je montais dans la Jeep quand Santiago s'approcha.

— Vous en avez tiré quelque chose ?

— Le patient s'est rallié un moment, puis est devenu inaccessible, dis-je. Vous connaissez les Red Blood Patriots ?

Santiago dilata les narines.

— Une bande de psychopathes qui marchent au pas dans les bois comme des aspirants soldats. J'ai un copain dans le service qui s'occupe du flanc ouest de la Sierra. Il a vu ces types. Il pense qu'ils sont plus dangereux que les gangs de motards qui dealent de l'ecstasy. Certains les considèrent comme des garçons inoffensifs qui jouent avec des fusils. Sauf que ces types portent des fusils d'assaut modernes et délirent sur le deuxième amendement et leur prochaine prise du pouvoir. (Santiago fronça les sourcils.) Pourquoi cette question ? Un rapport avec notre prisonnier ?

Watson pense qu'un type nommé Nick O'Connell était le preneur d'otage et qu'il était lié aux Patriots.

Santiago secoua la tête, dégoûté.

— Vous voulez que j'appelle l'agent Ramos, que je répande la nouvelle ?

— S'il vous plaît. Pas d'objection à ce que je revienne demain ? Je pourrai peut-être l'user, l'inciter à nous en dire plus.

— Nous vous donnerons un pass VIP si vous voulez. Mais son grand transfert est prévu à deux heures de l'après-midi.

— Pigé.

Chapitre 10

Le lendemain, j'étais de retour à la prison de Truckee en début de matinée. Ils me firent entrer dans la cellule de Watson. Comme la veille, il était assis sur son banc, jambes croisées. Mais cette fois ses yeux étaient ouverts, et son visage tendu.

— D'autres questions à vous poser, Watson, déclarai-je.

Watson me regarda et déplia lentement les jambes. Il se leva, avec une grimace lorsqu'il porta son poids sur sa jambe gauche.

— Rester trop longtemps assis comme ça vous ankylose, dis-je.

Il secoua la tête.

— Ce n'est pas ça. Une vieille blessure. (Watson se pencha, remonta la jambe de son pantalon et se frotta la peau à l'endroit où son tibia arborait une méchante tache d'un brun violacé.) Il y a quelques années, j'ai trébuché sur une grille d'égout à San Francisco et me suis cogné le tibia sur le bord du trottoir. Ça m'élance encore.

— À deux heures aujourd'hui, vous serez en route pour le meilleur hôtel de San Francisco. Hier, vous avez refusé de répondre à certaines questions. Je pense que vous étiez simplement fatigué, pas vrai ? On peut réessayer ?

— Je répondrai à vos questions. Au moins, vous vous intéressez à cette affaire. Peut-être que vous me ferez sortir.

— Je n'essaie pas de vous faire sortir. C'est le boulot d'un avocat.

— Vous enquêtez sur l'affaire. Vous êtes le seul à poser des questions. Vous pourriez apprendre quelque chose qui m'innocentera.

— Aucune information ne peut innocenter un coupable, dis-je.

— Je ne suis pas coupable.

— Vous persistez à dire que vous n'avez pas tué Grace Sun.

— Exact.

— Alors comment vous a-t-elle griffé assez fort pour avoir votre peau sous les ongles ?

— Elle ne m'a pas griffé. Elle ne m'a jamais touché, sauf quand nous nous sommes rencontrés et serré la main. Je n'ai aucune idée de la façon dont ma peau s'est retrouvée sous ses ongles. Ça doit être une erreur. J'ai lu des articles indiquant que certains labos sont négligents dans la tenue de leurs archives. Ils ont dû se tromper d'étiquette ou autre chose. Quoi qu'il en soit, je ne l'ai pas tuée.

— Vous admettez l'avoir rencontrée.

— Bien sûr. Du moins, je crois que c'était elle. Je n'ai rien à cacher. (Watson s'approcha du coin à l'avant de la cellule, saisit deux des barreaux, baissa la tête et parla en s'adressant au coin.) J'ai discuté avec une femme qui pouvait être Grace Sun un après-midi, un jour ou deux avant son meurtre. Peut-être le même jour. Ma mémoire de cette époque est vague parce que je n'ai appris son meurtre que des semaines plus tard. En tout cas, si c'est Grace que j'ai rencontrée, nous ne nous sommes jamais touchés en dehors d'une unique poignée de mains.

— Pourquoi lui avez-vous parlé, et où ?

— J'étais à la bibliothèque municipale de San Francisco, où je faisais des recherches sur les chercheurs d'or chinois du XIXe siècle. Une bibliothécaire m'a dit qu'une femme avait consulté des informations similaires. Selon elle, cette femme était venue à l'heure du déjeuner les trois derniers jours. J'ai attendu pour voir si elle revenait ce jour-là, et elle l'a fait. Nous avons longuement discuté. Nos centres d'intérêt se rejoignaient partiellement, mais pas tant que ça.

— Et ces centres d'intérêt sont…?

— La femme s'intéressait apparemment à l'histoire des mineurs chinois parce que son arrière-arrière-grand-père avait été un mineur venu de Chine. Elle voulait en savoir plus sur ce qu'il avait vécu. Je m'intéressais davantage aux différences entre les mineurs chinois et les autres. Je voulais savoir pourquoi les Californiens de l'époque avaient diabolisé les Chinois, et pas les Irlandais et autres groupes d'immigrants qui étaient venus pour la ruée vers l'or. A priori, c'était du racisme, mais il pouvait y avoir d'autres composantes culturelles.

— Vous êtes anthropologue ?

Watson secoua la tête.

— Pas universitaire ni quoi que ce soit. Mais oui, je suppose que c'était ce qui m'intéressait.

Il avait l'air sincère, mais ça ne paraissait pas très crédible. L'idée de recherches sur la ruée vers l'or semblait constituer le genre de sujet auquel seuls des universitaires se consacreraient.

— Vous écrivez un livre, ou quoi ?

— Non. Enfin, peut-être. Je suis simplement fasciné par la ruée vers l'or. Je suis comme ces gens qui font une fixation sur la guerre de Sécession. Je lis tout ce que je trouve. Je visite les lieux. Je fais le tour des sites miniers. Je vais dans les musées. La ruée vers l'or a créé l'État de Californie tel que nous le connaissons. Elle a créé la ville de San Francisco. Elle a joué un rôle énorme dans la construction des voies ferrées, et a financé les chemins de fer. La deuxième ruée, plus tardive, vers l'or et l'argent à Virginia City a financé l'armée de l'Union pendant la guerre civile. On a avancé que les Confédérés auraient pu l'emporter si le Nord n'avait pas disposé de cet énorme afflux d'or et d'argent venu des tunnels sous Virginia City. Bref, c'est mon violon d'Ingres. Et quand la bibliothécaire m'a dit qu'une femme consultait certains des mêmes ouvrages que moi, ça m'a intrigué. Nous nous sommes donc rencontrés. Nous avons parlé. Nous avons échangé quelques histoires. Puis nous nous sommes séparés, et je ne l'ai jamais revue.

— Quel genre d'histoire avez-vous échangé ?

— Des petites choses. Rien de significatif.

— Par exemple ?

— Par exemple, son arrière-arrière-grand-père était l'un des protagonistes de la guerre de Mulligan.

— Qu'est-ce que c'est ?

— Seamus Mulligan était un mineur irlandais, et l'un des premiers propriétaires irlandais dans les contreforts. Apparemment, il avait un petit lopin de terre, mais sur un territoire riche en or. Le propriétaire voisin était Gan Sun, l'un des premiers propriétaires chinois. Pendant plusieurs années, ils ont entretenu une âpre dispute à propos des limites de leurs propriétés. Mulligan et son fils ont essayé de lyncher Gan Sun. Sun s'est enfui en gravissant une colline, et Mulligan et son fils l'ont poursuivi. C'était une colline escarpée, couverte de roches instables. Mulligan a perdu pied, est tombé et a glissé en bas de la pente. Il s'est cogné la tête, et il est mort. Pendant le reste de sa vie, le fils de Mulligan a continué à menacer de mort Gan Sun. Les autres mineurs du coin détestaient Sun comme ils haïssaient tous les Chinois. Mais ils haïssaient encore plus le vieux Mulligan. Ils ont donc laissé Gan Sun tranquille. Au fil des ans, ils se sont mis à appeler cet incident la guerre de Mulligan. Une guerre que Gan Sun a remportée par défaut.

— C'est Grace qui vous l'a appris.

— Oui.

— Pourquoi ne pas vous être présenté quand on l'a assassinée ? Vous auriez peut-être pu fournir des informations utiles.

— Parce que j'ignorais qu'elle avait été tuée. J'avais quitté le pays le lendemain de son meurtre, comme je l'ai appris plus tard. J'avais pris le premier vol et n'avais vu aucun journal. Ce n'est pas que je prête attention aux nouvelles criminelles, de toute façon. Je ne suis pas rentré chez moi avant trois semaines. À ce moment-là, les médias avaient laissé tomber l'affaire. Ce n'est que quelques semaines après mon retour dans le pays que j'ai vu ma première référence au meurtre. Je feuilletais quelques vieux numéros du *Chronicle* au Club Pacific, l'hôtel où j'avais coutume de séjourner en ville. Je regardais ce qui s'était passé pendant mon absence, et j'ai vu une référence à Grace Sun, victime d'un meurtre. L'article mentionnait qu'elle était historienne amatrice, spécialisée dans les mineurs chinois de l'époque de la ruée vers l'or. Il y avait une photo d'elle. Elle était floue, mais ça ressemblait à la femme que j'avais rencontrée à la bibliothèque. C'est la première fois que je me suis demandé si elle pouvait être celle qui s'était fait tuer. Je n'en ai jamais acquis la certitude. Cette femme ne m'avait pas donné son nom de famille.

— Parlez-moi de votre conversation à la bibliothèque.

Watson inspira profondément et soupira.

— Qu'est-ce que ça change ?

— J'enquête, répliquai-je. Je pose des questions. Vous répondez.

— J'ai interrogé la femme sur ses recherches. Elle m'a expliqué que son grand-père chinois, son arrière-arrière-grand-père plus exactement, était venu dans ce pays au début des années 1850, deux ou trois ans après le début de la ruée vers l'or. Il a travaillé pour plusieurs entreprises dans les contreforts, près de ce qui est aujourd'hui Placerville. Elle voulait en apprendre davantage à son sujet.

— Et elle l'a fait ?

— Je crois qu'elle en a surtout appris sur les mineurs chinois en général et leur contribution aux mines de gravier aurifère. Comme leurs compatriotes qui furent plus tard engagés pour construire les voies ferrées, les mineurs chinois étaient surtout cantonnés à des travaux subalternes en échange d'une paie quotidienne. Les compagnies minières les utilisaient pour construire les toboggans, les abreuvoirs en bois. Ils creusaient aussi les sédiments des rivières et les lavaient à l'eau dans des écluses spéciales. Vous savez sans doute comment ça se faisait. Si vous ajustez la vitesse de l'eau, les angles et tout ce qui s'ensuit, vous pouvez faire en sorte que le plus gros de la boue sorte avec l'eau, tandis que la poussière d'or, plus lourde, tombe au fond. (Watson se tourna et me dévisagea.) Je suppose que ces détails ne vous intéressent pas. Comme pour la femme de la bibliothèque, c'était aussi mon centre d'intérêt, alors j'ai tendance à me laisser emporter par le sujet.

— Je suis intéressé, dis-je, remarquant à quel point Watson était expert sur cette époque. Continuez. Tout ce qui suscitait l'intérêt de Grace pourrait m'être utile pour essayer de comprendre ce qui s'est passé.

— Eh bien, continua Watson, les gens pensent que les Chinois étaient venus pour essayer de s'enrichir en trouvant de l'or, et pas mal d'entre eux l'ont fait, mais la réalité, c'était que la Chine était avant tout une source de travailleurs manuels pour les compagnies minières. Vous comprenez, avant 1869, quand ils ont terminé le chemin de fer transcontinental, construit par des ouvriers chinois, il était plus facile d'amener des travailleurs depuis l'autre côté du Pacifique que de leur faire traverser les États-Unis depuis la côte Est. Les compagnies minières et les entreprises ferroviaires se sont donc déclarées prêtes à embaucher des Chinois. C'était une relation mutuellement profitable. Même les capitaines de bateau qui se livraient au transport humain depuis la Chine ont aidé, en autorisant les Chinois à signer un contrat les engageant à payer leur traversée sur une longue durée une fois qu'ils auraient commencé à travailler en Californie. Bientôt, les Chinois constituèrent le plus important groupe ethnique de la population californienne en plein boom. En fait, la raison pour laquelle San Francisco eut finalement la plus importante concentration de Chinois en dehors de la Chine fut le travail des ouvriers immigrants pendant le XIXe siècle. Les Chinois travaillaient dur, ne se plaignaient pas, et ne s'attiraient pas d'ennuis. Bien sûr, ils pouvaient rarement prospecter pour leur propre compte. S'ils essayaient, des usurpateurs blancs les chassaient et leur volaient leurs prises. Mais certains Chinois travaillaient sur des sites abandonnés pendant leurs heures de loisir. Ils tamisaient les rejets à la recherche d'un peu de poussière d'or ici et là. Et ils inventèrent des techniques de filtrage : ils utilisaient du tissu pour retenir la poussière d'or, puis le brûlaient pour traiter le minerai. Une sorte de fusion. Ils développèrent aussi la « bascule », un genre d'appareil à bascule qui tamisait les résidus à travers des écrans. Je crois que cette femme pensait que son arrière-arrière-grand-père avait très bien maîtrisé ces techniques, parce qu'il fut finalement en mesure d'acheter des terres à l'une des compagnies ferroviaires.

— Je croyais qu'on pouvait obtenir des terres gratuitement à l'époque, grâce au Homestead Act, intervins-je.

— Oui, la loi a été votée en 1862. Et elle autorisait même les étrangers qui avaient l'intention de devenir citoyens américains à obtenir des terres. Mais vers la même époque, la plupart des meilleures terres de la région – des millions d'hectares – ont été données aux chemins de fer de l'Union Pacific et de la Central

Pacific. L'objectif était que ces compagnies revendent les terres pour financer la construction des chemins de fer. De sorte que le grand-père de cette femme a acheté un petit lopin à l'Union Pacific. Elle m'a dit qu'il voulait le cultiver, même si ce n'était pas une terre très cultivable, parce que c'était un terrain escarpé dans les collines. Elle a appris qu'il avait dégagé des arbres et terrassé les coteaux escarpés, et qu'il avait réussi à cultiver plusieurs types de produits agricoles. Mais le terrain était également traversé par un cours d'eau, et d'après elle, son ancêtre avait pu trouver de l'or dans la rivière.

— Grace vous a dit ça ?

— La femme que je prends pour Grace, oui. Je m'en souviens parce qu'elle a manifesté une certaine colère à la bibliothèque.

— Pourquoi le fait que son ancêtre a créé une ferme l'aurait-il mécontentée ?

— Parce que le gouverneur de Californie, un type nommé Bigler, qui était à la fois raciste et démagogue, a vu qu'il pouvait y gagner sur le plan politique en jouant sur la haine anti-chinoise. Il a promu l'argument selon lequel les Chinois étaient des êtres inférieurs, et que seuls les Blancs devraient être autorisés à bénéficier des richesses de la Californie. Il a fait des discours et tellement ravivé la haine anti-chinoise que des Chinois se sont fait lyncher plusieurs fois. Leurs tentes et maisons étaient incendiées. Nombre de ces atrocités étaient bien documentées.

— Comme avec les Amérindiens, dis-je.

— Oui et non, répondit Watson en secouant la tête. Ce que nous leur avons fait était bien pire. C'était une extermination en masse. Un génocide. Mais les Chinois ont été très mal traités, eux aussi. Les Blancs pouvaient assassiner des Chinois sans même être poursuivis.

J'avais du mal à concilier le discours intelligent de cet homme avec celui d'un trafiquant d'armes. Mais il était diplômé de l'Académie navale américaine.

— En tout cas, continua Watson, cette femme – Grace – m'a dit que cette montée de haine a fait perdre à son ancêtre la moitié de sa terre. Deux frères blancs (sans lien de parenté avec Mulligan) avaient une concession qui avait cessé de produire. Ils étaient furieux que le Chinetoque s'en soit bien sorti. Alors ils ont pris sa terre. D'abord, ils l'ont tabassé, puis ils ont tué son meilleur ami. Puis ils l'ont forcé à vendre sa ferme pour trois sous, le menaçant de mort s'il ne signait pas l'acte de vente. L'acte de vente les rendait légalement propriétaires de la terre. Ce qu'ils ignoraient, c'est que Gan Sun avait deux parcelles. Il n'en a vendu qu'une aux deux frères. Cent cinquante ans plus tard, cette femme – Grace Sun – était furieuse contre le gouverneur Bigler. Elle m'a dit que Bigler était une ordure et que son héritage faisait encore du mal à beaucoup de gens aujourd'hui. Elle m'a précisé que sa fille avait été privée de la moitié de l'héritage qui lui revenait et qui lui aurait été transmis, tout ça à cause du racisme légalisé de Bigler.

— C'était probablement sa cousine dont elle parlait, dis-je.

— Non, elle a dit sa fille.

— Elle vous a dit comment s'appelait sa fille ?

Watson secoua la tête.

— Pas que je me souvienne. C'était il y a des années. Ma mémoire est comme celle de tout le monde. Vous ne pouvez pas vous fier aux détails des années après.

— Mais vous êtes sûr qu'elle a parlé d'une fille.

— Oui. Je m'en souviens parce que j'ai eu une vilaine pensée à ce propos, et ça m'est resté en tête. Cette femme – Grace – avait d'énormes mains, comme un gros forgeron. Pour une raison qui m'échappe, je ne parvenais pas à m'imaginer une femme tenant un bébé avec ces mains. Je sais que c'est grossier de ma part d'avoir pensé ça. Mais quand elle a parlé de sa fille, cette image m'est restée gravée dans la tête.

Je remerciai Watson et quittai la prison.

Chapitre 11

En rentrant chez moi, je passai plusieurs appels, rapportant ce que j'avais appris à Ramos, Santiago, Bains et, pour faire bonne mesure même si c'était en dehors de sa juridiction, Diamond.

Puis je rappelai Joe Breeze à la police de San Francisco.

La réceptionniste m'annonça qu'il était sorti et serait de retour dans cinq ou dix minutes, pouvait-il me rappeler ? Je me souvins de la façon dont ça se passait. Breeze aurait une centaine d'autres choses à faire, plus importantes que de me parler. Je demandai donc à patienter.

Je mis le haut-parleur, reposai le combiné, sortis mon portable et appelai Street.

— Tu veux venir à la montagne pour un dîner de fête ? demandai-je quand elle décrocha.

— Qu'est-ce qu'on fête ?

— Je t'ai dit que j'avais toujours voulu essayer de faire du pain, pas vrai ?

— Je m'en souviens.

— J'ai trouvé une recette en ligne qui m'a paru bonne, alors j'ai acheté les ingrédients.

— Tu plaisantes, demanda Street.

— Tu n'as pas l'air de me croire.

— Pourquoi douterais-je des talents culinaires d'un type qui croit qu'une tarte au potiron n'est rien de plus qu'une portion de légumes, et que la crème fouettée qui est dessus équivaut à un verre de lait écrémé ?

— Ce n'est pas vrai ? demandai-je.

— Et je me rappelle cette tentative de faire des cookies il y a un an.

Elle fit un petit bruit bref, comme un début de rire. Rien de solide, mais c'était une musique enchanteresse après la sombre douleur d'avoir été prise en otage.

— Eh, j'avais éteint les flammes tout seul comme un grand, dis-je. Il ne m'est même pas venu à l'esprit d'appeler les pompiers. En tout cas, imagine la délicieuse odeur de pain en train de cuire qui remplit mon petit chalet.

— Justement, dit Street. Le seul moyen pour que je sente jamais cette odeur dans ton chalet est probablement de faire appel à mon imagination. L'alchimie du pain au levain n'est pas simple, Owen, ajouta-t-elle.

— Ça ne peut pas être bien difficile. Tu mélanges farine, eau, levure et quelques autres ingrédients, c'est ça ?

Il y eut un silence avant qu'elle ne réponde.

— À quelle heure dois-je être là ?

— Sept heures ?

— D'accord.

Nous raccrochâmes. Le téléphone sur haut-parleur était toujours silencieux. Je trouvai donc la recette que j'avais collée sur le frigo et me mis à sortir les ingrédients pour mon pain. Farine de blé complète, flocons d'avoine, levure, mélasse, sucre brun, sel. Je versai tous les ingrédients secs dans un saladier, les mélangeai à la cuiller. Les gens disent que le pain est difficile à préparer, mais ça me parut vraiment facile. Je mélangeai trop vite à un moment et répandis de la farine partout sur le plan de travail et par terre, mais à part ça, je me sentais l'âme d'un boulanger professionnel. Je dosai un peu d'eau à la température de la pièce, incorporai la mélasse et j'étais en train de verser le résultat dans le saladier quand Joe prit la ligne.

— Breeze, annonça-t-il.

Je pris le combiné.

— McKenna à l'appareil. J'attends depuis si longtemps que j'ai cru que tu avais pris ta retraite.

— Si tu continues d'appeler, c'est ce que je ferai, dit Breeze. J'ai entendu dire que l'ADN du type dont tu m'as parlé correspondait à ce qu'on a trouvé sous les ongles de Grace, et qu'on l'avait arrêté.

— Oui. Thomas Watson réside actuellement à la prison de Truckee, et attend d'être transféré aujourd'hui dans ta remise.

— J'ai hâte, dit Breeze.

Je continuai de mélanger ma pâte à pain. Elle commençait à devenir très épaisse.

— J'ai réfléchi à Grace, dit Breeze. Plus on en apprenait sur cette femme, plus on regrettait tous de ne pas l'avoir connue avant qu'elle soit tuée. Je me souviens que ses voisins et ses collègues de travail ont tous dit que c'était la personne la plus adorable qu'ils aient jamais rencontrée.

— L'image même de la grâce, ajoutai-je.

— Exactement. Comme si le nom avait été fait pour elle. À propos, le journal de Grace est parti ce matin, au cas où tu te poserais la question.

— J'apprécie. J'ai une piste sur l'identité de l'auteur du détournement. J'essaie d'apprendre quel était son lien avec Watson. J'ai donc besoin de ton aide une nouvelle fois.

— J'enfreins toutes les règles pour toi, je mets ma carrière en jeu, et tu as encore des faveurs à me demander ?

— Tout juste. Est-ce que tu peux consulter le dossier et voir si tu as les coordonnées de Melody Sun, sa parente ? J'aimerais l'appeler et la mettre au courant.

J'entendis Joe soupirer au téléphone.

— Il me faut quelques minutes pour descendre et le retrouver dans les archives. Je te rappelle ?

— S'il te plaît. Regarde aussi si d'autres parents sont mentionnés, en particulier une fille.

Je raccrochai. Ma mixture à pain était maintenant impossible à mélanger. Je m'étais attendu à ce qu'elle prenne, mais je ne m'attendais pas à du ciment. J'avais peut-être mis trop de farine. Mais je me dis que je devais essayer de la pétrir avant d'ajouter de l'eau. Je posai la pâte sur ma planche à découper en bois.

Le pétrissage fut un travail du même calibre qu'écraser des rochers à mains nues. Et le peu de pâte qui n'était pas devenue dure comme la pierre me collait aux doigts comme de la glu. J'étais peut-être censé me graisser les mains. Je décollai autant que possible ce magma infâme, me frottai sous l'eau pour me nettoyer, et me séchai. Je trouvai un vaporisateur d'huile d'olive et m'en vaporisai sur les mains. J'essayai de pétrir à nouveau. À présent, la pâte ne me collait plus aux doigts, mais continuait sa transformation de calcaire en granit. Je la passai donc sous le robinet pour y faire entrer un peu d'humidité.

L'eau ne pénétrait pas. Elle formait juste une couche lisse à la surface de la boule de pâte. La pâte me glissa des mains, roula de l'autre côté du plan de travail, tomba à terre et glissa jusqu'au mur opposé.

Spot bondit sur ses pattes, et le téléphone sonna.

— Spot, non ! lançai-je en attrapant le téléphone.

C'était Joe Breeze.

— Tu as un stylo ? demanda-t-il.

Le chien était déjà sur la pâte. Spot est prêt à manger quasiment n'importe quoi, à part de la poussière et des pommes de pin. Mais au lieu de s'en saisir, il la reniflait d'un air soupçonneux.

— Prêt, dis-je à Breeze. Spot, bas les pattes ! lançai-je à mon clebs.

Spot ne recula pas, mais secoua la tête comme s'il avait du poivre dans les narines.

— C'est le numéro de téléphone et l'adresse de l'endroit où habitaient Melody et Grace, déclara Joe. (Il me lut un numéro dont le code régional était 415. San Francisco. L'adresse se trouvait à North Beach.) J'ai aussi le numéro de la voisine chez qui Melody a séjourné après le meurtre. Une femme du nom de Veronica Place.

— Je me souviens d'elle, dis-je. La vieille dame qui utilisait encore le nom de scène du temps où elle était actrice.

Breeze me lut un second numéro avec le même code régional et une adresse à North Beach.

— J'espère qu'elle y est toujours, dis-je.

— J'espère qu'elle est toujours en vie, où qu'elle se trouve, répliqua Breeze. Elle était déjà très vieille quand le meurtre s'est produit.

— D'autres coordonnées ? adresse e-mail ? adresse professionnelle ?

— Voilà le numéro du travail de Grace. La compagnie
d'assurances. (Il me le lut.) Mais il n'est pas fait mention d'une
fille. Qu'est-ce que c'est que cette histoire ?

— Watson m'a dit qu'il avait rencontré Grace, lui avait parlé
à la bibliothèque de San Francisco, répondis-je. Selon lui, Grace
a mentionné sa fille. D'après mes souvenirs, nous n'avons jamais
entendu parler d'une fille.

— Ça ne me dit rien non plus. Ce n'est pas comme si mes
souvenirs de cette affaire étaient tout frais. Attends, je vais jeter un
autre œil dans ces papiers.

Je l'entendis poser le combiné. Le dossier claquer sur le bureau.
Des pages tourner. Spot s'était écarté de la boule de pâte à pain. Il
s'assit et contempla la pâte comme s'il s'agissait d'une créature
inconnue qui risquait de remuer de son propre chef.

— Non, reprit Breeze. Dans le résumé, ça dit que Grace Sun
était célibataire, âgée de cinquante et un ans, et sa seule parente
connue était sa cousine Melody Sun, quarante-huit ans.

— C'est noté. Merci.

— Tu me tiens au courant de cette histoire ?

— Sûr, dis-je.

Nous raccrochâmes.

Spot avait toujours les yeux fixés sur la pâte à pain, depuis une
distance de sécurité d'une cinquantaine de centimètres. Je ramassai
la pâte. Elle était couverte de poussière et de crasse. Je la passai
sous l'eau et la frottai. Une partie de la saleté partit, une autre
s'incrusta dans la pâte. Des fibres supplémentaires. Avec un peu
de chance, la chaleur de la cuisson tuerait les éventuels microbes.

Je replaçai la pâte sur la planche à découper et j'essayais de la
pétrir à nouveau, en faisant pénétrer l'humidité glissante dont elle
était couverte, quand on frappa à la porte. Spot n'aboya pas, ce qui
signifiait que c'était Street ou Diamond, ou peut-être Mallory de la
police de South Lake Tahoe.

— Entrez, lançai-je.

Diamond entra, un dossier en papier kraft à la main. Spot remua la queue et le renifla au passage. Diamond donna à Spot une tape sur la tête comme s'il faisait sonner la petite cloche sur le comptoir d'un bureau de poste. Spot remua la queue plus énergiquement. Diamond s'approcha de mon coin cuisine et fronça les sourcils.

— Vous faites la cuisine, dit-il du même ton qu'il aurait employé en me voyant découper ma façade à la tronçonneuse pour ouvrir une nouvelle fenêtre, ou traîner un tuyau d'arrosage à l'intérieur pour nettoyer la salle de bains.

— Un cadeau pour ma chérie, dis-je.

Diamond examina le contenu du saladier dans lequel je pétrissais.

— Laissez-moi deviner. Un beignet géant fourré avec une bestiole écrasée sur la route. Quel était l'organisme d'origine ? un porc-épic ?

— Du pain, dis-je. Je prépare du pain.

— Terriblement foncé.

— Je croyais les Mexicains plus sophistiqués que des mangeurs de pain basique, blanc, spongieux et gonflé à l'hélium. C'est de la farine complète. C'est sain. J'ai même ajouté des flocons d'avoine pour plus de fibres. Et on ajoute de la mélasse au blé complet. Alors oui, il est censé être foncé.

— Vous avez ajouté toute une bouteille ? demanda-t-il.

— Vous devriez sans doute vous en tenir aux fayots et au riz, et me laisser les aliments plus élaborés, répliquai-je. Le pain, c'est du grand art. Cela exige la main d'un neurochirurgien, le nez d'un sommelier, l'oreille d'un pianiste de concert.

— Pour faire cuire du pain, il faut une oreille de pianiste ?

— Faites-moi confiance, dis-je.

Diamond secoua la tête, incrédule, et posa sur le plan de travail un dossier kraft contenant des papiers.

— L'agent Ramos m'a appris que les Red Blood Patriots pourraient être liés à Thomas Watson, l'homme sur la piste duquel l'auteur du détournement vous a lancé. Je vous ai apporté un article les concernant. Des gens assez peu sympathiques.

— Merci, dis-je en passant à nouveau la pâte sous l'eau courante. J'aime autant en savoir le plus possible sur ces gars-là.

La pâte commençait à s'assouplir de nouveau.

Diamond hocha la tête, sonna une seconde fois la tête de Spot, et sortit.

Je mis la boule de pâte au centre d'un moule à tarte en verre et la plaçai dans le four pour qu'elle monte. J'avais trouvé une astuce sur Internet : allumer la lumière du four pour lui donner un peu de chaleur, ce qui l'aiderait à gonfler. Quel pro je faisais.

Je composai le numéro qui, selon Joe, avait été celui de l'appartement de Melody et de Grace. Un enregistrement annonçait que le numéro n'était plus en service.

Je composai celui de leur voisine âgée, Veronica Place. Elle répondit à la troisième sonnerie.

— Allô ?

Je sus que c'était elle parce qu'elle avait une voix de scène, assez voilée et forte pour qu'elle soit sans doute encore capable de la faire porter dans une salle pleine.

— Mlle Place, je m'appelle Owen McKenna. Nous nous sommes rencontrés il y a trois ans dans des circonstances stressantes. (Je lui expliquai que j'étais alors dans la police de San Francisco et que je travaillais sur le meurtre de Grace Sun.) J'ai essayé de rappeler Melody parce qu'il semble que nous ayons attrapé le tueur. Mais son numéro n'est plus en service.

— Oh, ma parole, déclara Veronica Place avec emphase. (À sa voix grave, on aurait dit une drag queen qui ne prenait pas la peine de parler d'une voix aiguë.) Je n'ai pas vu Melody depuis très longtemps. J'imagine que ça fait plus de deux ans. Cette fille avait si peur de revenir dans l'appartement qu'elle a vécu chez moi deux ou trois mois. Et puis elle a enfin repris courage et y a emménagé de nouveau. Mais ça lui donnait des terreurs. Elle revenait ici en courant dans la rue et tambourinait à ma porte à minuit, me suppliant de dormir avec moi. Je me souviens encore d'elle debout sur seuil, ses longs cheveux noirs tout filandreux et mouillés par les larmes, la sueur et la peur. La pauvre Melody a perdu quelque chose d'important le jour où sa cousine est morte. Finalement, elle a vendu l'appartement et a acheté une maison de ville à Woodside, sur la péninsule, près de Palo Alto ou de Mountain View, ou de l'un de ces hauts lieux technologiques. Elle m'a dit qu'elle était au pied des montagnes où poussent les séquoias. Ça doit être ravissant. Elle voulait prendre un nouveau départ. Nouvelle maison, nouveau travail, nouvelle vie. Je ne peux pas dire que je lui donne tort.

— Quel était son nouvel emploi ? Ou son ancien, d'ailleurs ?

— Oh, je n'en ai aucune idée. À mon âge, je me souviens de la nature des gens, mais je n'arrive pas à retenir les détails prosaïques de leur vie.

— Auriez-vous son nouveau numéro et son adresse, par hasard ?

— Certainement. Une chose que j'ai apprise en faisant de la scène, c'est qu'il faut être organisée. Vous ne pouvez pas prendre le risque de rater votre réplique ou votre entrée juste parce que vous avez oublié de prendre des notes sur votre script. Attendez. Le voilà dans mon petit carnet. Melody Sun.

Elle me donna le téléphone et l'adresse.

— Une autre question qui s'est posée, dis-je. Vous souvenez-vous de la fille de Grace ?

— J'ignorais que Grace eût une fille.

— Avez-vous jamais vu une autre femme avec Grace ? Quelqu'un… (Je m'interrompis pour faire une rapide soustraction, en tenant compte du fait que Grace avait eu un enfant très jeune.) Quelqu'un autour de la trentaine ?

— Eh bien, évidemment qu'il y avait d'autres femmes. Grace et Melody avaient des amies. Des collègues. J'ai vu des tas d'autres femmes au fil des années. Mais je n'ai jamais songé qu'une d'elles pourrait être sa fille, et je ne pense pas qu'un détail de ce genre m'aurait échappé. Et en tout cas, Grace n'a jamais mentionné qu'elle avait une fille.

— Merci beaucoup, Mlle Place. Je vous suis vraiment reconnaissant.

— Dites bonjour à Melody de la part de Veronica, dit-elle.

— Je n'y manquerai pas.

— M. McKenna, puis-je vous appeler Owen ?

— Oui, bien sûr.

— Owen, reprit-elle, vous m'avez l'air d'être un homme solide, un vrai. Si jamais vous êtes dans le secteur et que vous vouliez me rendre visite, je suis presque toujours chez moi. Je prépare un martini qui vous fera dresser les cheveux sur la tête, et ils onduleront comme si vous étiez Vincent Price.

— Je vous crois sur parole, Veronica. Merci pour l'invitation.

Nous raccrochâmes et je composai le numéro de l'adresse de Melody à Woodside.

Un homme décrocha. Quand je demandai à parler à Melody, il me dit que c'était le mauvais numéro.

Je recherchai sur Google l'adresse donnée par Veronica et trouvai un autre numéro de téléphone. Je le composai, et une jeune femme me répondit.

— Banque et caisse d'épargne de Redwood.

J'essayai de réfléchir rapidement. Pourquoi une banque serait-elle dans les bases de données à l'adresse résidentielle de Melody ?

— J'espère que vous pouvez m'aider, dis-je. Je recherche le propriétaire d'une maison de ville que j'aimerais acheter. Le numéro de votre banque lui était associé. Peut-être cette propriété est-elle saisie ? Pourriez-vous m'orienter vers le service approprié ?

— Oui, bien sûr. Je vous passe notre division immobilière.

Le téléphone sonna, et une autre femme répondit. Je lui expliquai que je m'intéressais à la propriété et lui demandai si elle pouvait me fournir des informations.

— Nous avons mis cette propriété en vente chez Bonnard Immobilier. Je vais vous donner leur numéro.

J'en pris note tandis qu'elle me le dictait. Je la remerciai, raccrochai et composai ce numéro.

Je donnai l'adresse de la maison à la réceptionniste, puis demandai l'agent immobilier qui s'en occupait.

— Ce doit être Sheila Stone. Ne quittez pas.

— Sheila Stone, annonça une voix féminine.

— Je suis un investisseur qui envisage de déplacer une partie de mon portefeuille dans des propriétés foncières appartenant aux banques. Je m'intéresse à une maison de ville que vous avez en vente à Woodside. (Je lui donnai l'adresse.) J'ai cru comprendre qu'elle appartenait à la Banque et caisse d'épargne de Redwood. Est-elle toujours disponible ?

— Oui, tout à fait, et c'est une propriété ravissante, un cadre magnifique près des séquoias et des élevages de chevaux. Ces maisons de ville sont très demandées. Celle-ci se vendra vite. Pouvons-nous fixer un rendez-vous ?

— Peut-être, mais dites-moi, je vous prie. Si c'est une bonne propriété qui se vendra rapidement, pourquoi le propriétaire ne l'a-t-il pas vendue ? Comment s'est-elle retrouvée saisie ?

— C'est encore une victime de ces emprunts à risques, les subprimes. La propriétaire s'est rendu compte que la valeur avait fortement augmenté depuis le peu de temps qu'elle l'avait achetée, alors elle s'est engagée dans l'un de ces plans de refinancement douteux où elle a emprunté cent dix pour cent de l'évaluation en croyant que la propriété continuerait de prendre de la valeur. Bien entendu c'est le contraire qui s'est produit, et elle s'est retrouvée à devoir bien plus que la maison ne valait. Et donc, comme beaucoup d'emprunteurs malheureux, elle a disparu.

Mon interlocutrice semblait dégoûtée.

— Avec l'argent de son refinancement.

— Exactement. Vous ne pouvez pas savoir à quel point les agents immobiliers sont…

Elle s'interrompit.

Je ne voulais pas m'engager dans cette conversation, et restai silencieux.

— Quoi qu'il en soit, continua-t-elle, je serais ravie de prendre rendez-vous avec vous. Ce que le prêteur a perdu, vous le gagnez.

— Laissez-moi aller y jeter un coup d'œil. Je vous appellerai si je désire voir l'intérieur.

J'appelai ensuite la compagnie d'assurances où travaillait Grace au moment de sa mort. On me balada entre trois femmes différentes. Deux d'entre elles me dirent qu'elles avaient bien connu Grace. Aucune d'elles n'avait entendu parler d'une fille.

L'une des collègues de Grace, une femme du nom de Frances Mirra, se montra particulièrement expansive à son propos. Je lui demandai en quoi consistait le travail de Grace.

— Elle était experte en sinistres. Vous savez, quelqu'un dont le travail consiste à réduire les sommes versées aux victimes. C'est le pire boulot de notre secteur. Vous vous occupez de ces gens qui ont enduré quelque chose de terrible – une inondation ou autre – et vous êtes censé vous rendre sur place et leur dire que leur maison était délabrée et ne valait pas grand-chose avant l'inondation, et que le mobilier qu'ils tenaient de leur famille n'était qu'un tas de vieux meubles sans valeur. Ça peut être assez déprimant. Mais au bout de quelques années dans l'entreprise, Grace a refusé de le faire. Elle disait que ce n'était que justice, et mettait dans les dossiers des rapports favorables aux indemnisations. Alors la compagnie d'assurances a nommé une nouvelle directrice, Danielle Rimbottom. Une blonde débraillée qui ne s'intéressait qu'aux chats et au chocolat, et dont le seul atout par rapport à Grace était que Danielle avait des mains parfaites, de longs doigts fins, des ongles parfaits. Elle ne manquait pas une occasion d'en faire étalage, juste pour pousser Grace à se sentir indésirable. Danielle était déterminée à se débarrasser de Grace dès le début. Et donc, Grace – qui était une sorte de scout, toujours prête au point que c'en était déraisonnable – est passée en mode préparation au combat. « Preuves écrites, preuves écrites, preuves écrites », disait-elle toujours. Elle a rassemblé tous les matériaux qui pouvaient avoir un impact sur ses différentes affaires. Elle a organisé, comparé et rédigé des transcriptions de conversations – le moindre appel téléphonique – en soulignant chaque point important. Elle a rassemblé toutes les estimations de coûts pour les indemnisations et les a corrélées avec les dépenses réelles. Elle a même monté un collage vidéo des demandes d'indemnisation des clients et des abus qui avaient résulté de la part des assurances. Quand le jour est venu où Danielle Rimbottom l'a fait demander dans la salle de conférence, où les patrons s'attendaient à l'inquisition, ce qui est arrivé est que Grace a sorti sa documentation, ses notes, ses dossiers, et la vidéo qu'elle leur a montrée sur son ordinateur portable, et toute l'histoire selon laquelle Grace était le talon d'Achille de l'équipe s'est effondrée. Au lieu de voir Grace se faire virer, Danielle était pratiquement détruite. Elle a porté ses jolies petites mains à sa bouche, horrifiée et, de honte, est sortie en courant. Après cela, Grace est revenue se joindre à notre petit groupe dans le bureau et a déclaré que tout était une question de préparation. Vous pouviez être un super-héros, mais si vous étiez pris par surprise, vous plongiez. Par contre, si vous étiez préparé, vous pouviez être le ringard de la classe et vous triompheriez quand même.

Je remerciai cette femme pour le temps qu'elle m'avait accordé et raccrochai.

Une heure plus tard, on frappait à la porte. Spot bondit sur ses pattes, la queue battant à grande vitesse, ce qui voulait dire que c'était Street.

Chapitre 12

J'ouvris la porte.

Street se tenait là, vêtue d'un jean noir couvrant de fines bottes noires avec assez de talons pour la grandir de cinq centimètres. Elle portait un pull à col roulé noir et, par-dessus, un sweater au dessin élaboré dans des motifs rouges, orange et noirs. Perses, peut-être. Le fait qu'elle portait des vêtements séduisants au lieu d'être emmitouflée dans de multiples couches d'épais vêtements semblait indiquer qu'elle était en voie de guérison.

Spot me bouscula pour passer devant et se dressa, s'appuyant sur elle tandis qu'elle se penchait pour le serrer dans ses bras.

Je lui donnai un petit baiser.

— Un cabernet Oakstone, ça ira ?

Elle acquiesça.

Je sortis les grands verres, versai deux centimètres de vin dans le sien et sept bons centimètres dans le mien. Nous bavardâmes un peu, et je lui parlai de mes découvertes.

Street déclara :

— La seule chose qui me vienne à l'esprit pour expliquer une fille dont personne n'était au courant serait que Grace ait eu cette enfant il y a des années et qu'elle l'ait fait adopter par quelqu'un. Elle pourrait ne pas en avoir parlé. Personne ne serait au courant, peut-être pas même sa cousine Melody.

— Possible, dis-je en méditant cette idée.

— Et alors que se serait-il passé si cette fille avait recherché sa mère biologique ? reprit Street. Grace aurait eu soudain une personne nouvelle et très importante dans sa vie. Elle n'en aurait sans doute pas parlé à sa cousine ni à d'autres proches. Mais elle aurait pu en parler à un inconnu.

— Ah, dis-je.

Ça se tenait, effectivement.

— La nouvelle lui aurait brûlé les lèvres, mais elle aurait hésité à en parler aux gens qu'elle connaissait, de peur qu'ils ne la jugent durement. Alors elle aurait pu mettre l'idée à l'épreuve en en parlant à un inconnu comme Thomas Watson à la bibliothèque, juste pour voir l'effet que cela produisait sur elle.

— Il se peut que tu aies mis le doigt sur quelque chose, dis-je. Je vais devoir me renseigner là-dessus. Mais dans toutes mes recherches pendant des années, je ne me souviens pas d'avoir jamais recherché d'enfants qu'on avait fait adopter. Ce sera un nouveau terrain d'enquête.

— Je connais une femme qui enseigne à l'Université de Californie à Davis, dit Street. La fille qu'elle avait fait adopter l'a retrouvée sur Internet et lui a envoyé un e-mail. Elle était à la fois morte de peur et folle de joie. Elles ont fini par se rencontrer. À présent, elles se voient très souvent. Je vais l'appeler et voir s'il y a une façon standard de procéder dans ce genre de recherches.

Street sortit sur la terrasse pour utiliser son portable.

J'ouvris la porte du four pour voir comment ma pâte à pain avait monté depuis deux heures que je l'avais préparée.

Je n'en étais pas sûr, mais elle avait l'air d'avoir gonflé d'au moins un demi-centimètre. Trop tard pour attendre plus longtemps ; je consultai donc la recette, allumai le four à cent quatre-vingts degrés et réglai la minuterie sur trente-cinq minutes.

Street était toujours sur la terrasse, et parlait au téléphone.

Je m'attaquai à ma viande sautée. Je mis une casserole de riz complet à mijoter, puis coupai un oignon, hachai plusieurs gousses d'ail, découpai le poulet en lanières, et le fis sauter avec l'ail et l'oignon. Je découpai en dés céleri, poivron vert, poivron rouge et carottes, et les jetai dans la poêle. Je mis de côté les haricots mangetouts et la sauce d'accompagnement. Je les ajouterais peu de temps avant de servir.

Street rentra dans le chalet.

— Il y a tout un univers qui s'est créé sur Internet autour des parents biologiques et de leurs enfants qui reprennent contact des années après l'adoption, annonça-t-elle. J'ai donné le nom de Grace à ma connaissance de Davis et lui ai dit ce que tu m'avais raconté. Elle a parcouru les divers sites qu'elle connaissait, et a trouvé une femme qui avait écrit à un site d'annonces pour parents biologiques et enfants cherchant à se retrouver. C'était il y a trois ans et demi. La femme qui a publié l'annonce se présentait comme Arianna, âgée de trente-deux ans. Elle a indiqué qu'elle vivait sur la côte Ouest et qu'elle avait été adoptée à sa naissance. Les seules informations qu'elle tenait de ses parents adoptifs étaient le prénom de sa mère biologique, Grace, et le fait que sa mère avait dix-neuf ans quand elle lui avait donné naissance à l'hôpital Sainte Anne de San Francisco.

— Y avait-il des informations suggérant que Grace était entrée en contact avec elle, ou qu'elles s'étaient rencontrées ?

— Non. Toute communication directe entre elles aurait été privée, à moins qu'elles n'aient mis des informations concernant leur rencontre sur Facebook ou un autre site public.

— Les coordonnées d'Arianna étaient-elles indiquées ?

— Juste une adresse e-mail. Je l'ai notée.

Street me tendit un bout de papier plié qu'elle avait déchiré dans une enveloppe.

— Merci. Tu es incroyable, dis-je.

— Je suis pratiquement comme un détective privé, ajouta Street.

— Oui. On pourrait échanger nos métiers, à part que je n'aimerais pas étudier les cafards. Je vais envoyer un message à cette femme.

Street plissa subitement le nez.

— La viande sautée sent très bon, mais qu'est-ce que c'est que cette odeur bizarre ?

— Je ne vois pas ce que tu veux dire. La seule chose que je sens, moi, c'est le merveilleux arôme de pain en train de cuire.

Street me dévisagea en louchant très légèrement.

— Arôme ? Que ferions-nous sans euphémismes. (Elle passa dans le coin cuisine et jeta un œil par la porte du four.) Oh, un mini-pain ! Rigolo. Tu as adapté la recette pour que ce soit un petit pain individuel.

— Eh bien, pas tout à fait. Mais je suis sûr que tu vas l'adorer.

Je vis une question se former dans l'esprit de Street, mais elle se ravisa et ne dit rien.

Quand la minuterie sonna, je sortis le pain. Il était lourd et très foncé.

— Je ne crois pas pouvoir attendre que ça refroidisse, déclarai-je. L'excitation du pain frais, chaud et sortant du four est trop forte pour lui résister.

Je sortis mon couteau pour trancher un morceau de la boule de pain. Après l'avoir sciée un petit moment, le couteau n'avait pas percé la croûte.

— J'ai oublié d'aiguiser le couteau, dis-je.

— Le pain frais exige toujours un couteau super aiguisé, commenta Street.

J'aiguisai le couteau plusieurs fois, et en testai le fil sur mon ongle. Le couteau était maintenant un vrai rasoir. Je m'attaquai de nouveau au pain. C'était comme essayer de trancher un pavé. Je finis par enfoncer la pointe du couteau dans la miche et, en faisant levier et en forçant, je réussis à en détacher un morceau.

Une autre manœuvre du même type sépara le morceau en deux plus petits. Je m'étais un peu inquiété en constatant la dureté de la croûte. Mais quand l'intérieur du pain apparut lui aussi dur, je préférai le tester moi-même avant d'en donner à Street. Je mordis donc dedans.

Street me regardait mastiquer.

— Alors ? demanda-t-elle.

J'essayai de répondre tout en mâchant.

— Le, euh, pain n'est pas vraiment, comment dire, mangeable dans le sens normal du terme.

— Le sens normal, c'est : on le mâche et on l'avale ?

— Oui, marmonnai-je, essayant toujours d'introduire assez de salive dans le pain pour pouvoir fournir de l'exercice à mes mâchoires sans me casser une dent.

Je sentis un peu de gravier, puis un cheveu. Je tirai dessus, mais il se cassa. Sans doute des restes de l'escapade du pain à travers la pièce.

Tout en continuant de mâcher, je pris la décision d'épargner à Street la même frustration. Je pris donc l'autre petit bout et le lançai à Spot, sachant qu'il ne mordrait sans doute pas plus d'une fois dedans avant de l'avaler.

En fait, il mordit dedans plusieurs fois, puis le recracha.

Finalement, j'abandonnai, crachai mon morceau dans une serviette en papier, traversai la pièce et ramassai le morceau rejeté par Spot.

— Pas tout à fait du niveau d'un restaurant ? demanda Street.

— Je crois que je me suis trop concentré sur le poulet sauté, répondis-je.

— Ça doit être ça, dit Street.

J'ajoutai les haricots mangetouts au mélange dans la poêle, incorporai un peu de sauce et le servis deux minutes plus tard. C'était savoureux.

— Je ne sais pas ce que j'ai fait pour rater le pain, dis-je tandis que nous mangions. J'ai dû tomber sur une mauvaise recette.

Street hocha la tête.

— Je suis sûre que c'est ça. Ça arrive tout le temps. Les artisans développent d'excellentes recettes chimiques pour fabriquer de la fausse pierre, et les mettent accidentellement en ligne à la rubrique « pain ». Mais le poulet aux légumes est fameux.

Après le dîner, Street but les dernières gouttes de son unique petit verre de vin, m'embrassa en me souhaitant bonne nuit, et partit. Je comprenais son besoin de rentrer chez elle et d'être indépendante, mais son départ me laissa dans la poitrine une douleur physique aussi réelle que si je m'étais déchiré un muscle thoracique.

Je mis un CD de Miles Davis et John Coltrane, me versai encore deux centimètres de vin et sortis ma monographie sur Thomas Hill. En partie pour regarder les magnifiques paysages du XIXe siècle. En partie pour voir s'il peignait des portraits de mineurs chinois.

Je m'assis dans le rocking-chair devant le poêle à bois et tournai les pages à la façon d'un très jeune enfant parcourant un livre d'images. Pas de grande interrogation. Pas de question érudite. Aucune analyse universitaire requise. Quelque chose de bien mieux. La contemplation enfantine d'un monde nouveau comme seul un livre d'images peut en présenter. Imaginer une vie différente de façon juvénile. Des questions commençant par « Et si... » ou « Pourquoi le... ».

Thomas Hill naquit en Angleterre en 1829, émigra aux États-unis et atteignit sa majorité en Nouvelle-Angleterre. Il s'installa à San Francisco après la ruée vers l'or. Avec des maîtres tels qu'Albert Bierstadt, Hill devint l'un des principaux peintres californiens du réalisme romantique. Et ses plus célèbres tableaux représentaient le Yosemite, la Sierra et le mont Shasta.

Je tournai les pages une à une. Lentement. Marquant une pause sur chaque image. Elles me ramenaient plus d'un siècle en arrière, à une époque où les gens de l'est des États-unis essayaient encore de comprendre l'importance des paysages de l'Ouest. Je contemplais chaque image, imaginant l'effet que cela ferait de voir ces lieux stupéfiants avant l'arrivée des autoroutes, des voitures, des hôtels et des fast-foods.

J'avais vu de mes propres yeux certains des tableaux, comme la toile géante exposée au musée d'Oakland.

Aussi grandiose que fût l'œuvre de Hill dans la réalité, le livre posé sur mes genoux restait unique. Street me manquait, mais la magie de Hill opérait sur mes yeux, celle de Miles et Coltrane sur mes oreilles, la chaleur du poêle jouait sur ma peau, la tête de Spot était sur mon genou, et le cabernet Oakstone agissait de l'intérieur.

Malheureusement, mon livre ne contenait aucune image de mineur, chinois ou autre. Je ne pouvais qu'imaginer la vie de Gan Sun et l'héritage qu'il avait laissé à son arrière-arrière-petite-fille Grace, un héritage qui avait probablement entraîné son meurtre.

Chapitre 13

Le lendemain matin, je m'assis pour composer un e-mail à l'adresse de l'éventuelle fille biologique de Grace.

Chère Arianna,
Veuillez pardonner cette intrusion dans votre vie. Votre nom m'a été donné par quelqu'un qui connaît les sites d'adoption sur Internet. Elle a déterminé que vous étiez la fille biologique de Grace Sun et que vous étiez probablement en contact avec elle avant sa mort. Si ce n'est pas le cas, veuillez accepter mes excuses et ignorer ce message.

Si vous êtes bien la fille de Grace, je vous écris pour vous informer que je m'appelle Owen McKenna, et que j'étais l'un des inspecteurs de la police criminelle qui ont travaillé sur le dossier de Grace. Je suis désolé d'aborder un événement aussi bouleversant, mais j'ai pensé que vous voudriez savoir que nous avons peut-être trouvé son assassin.

Un homme dont l'ADN correspond à celui trouvé sur le corps de Grace est actuellement en prison, dans l'attente de son procès.

Merci de me répondre pour confirmer que vous êtes la fille de Grace et que vous avez reçu cet e-mail.
Sincèrement,
Owen McKenna

J'envoyai l'e-mail et réfléchis à l'impact qu'il aurait. Émotion, inconfort et rage mêlés, espérais-je, d'un peu de soulagement. Je n'avais aucune garantie que cette femme me répondrait. Je ne savais même pas si son adresse e-mail était toujours active. Mais si elle l'était, j'avais fait un pas de plus vers la conclusion de cette affaire, pour tourner la page comme l'avait dit Street. Après Arianna, la fille de Grace, sa cousine Melody constituerait la dernière étape.

*
**

Mon portable sonna deux tasses de café plus tard.

— Allô ?

— Je viens de recevoir un e-mail inhabituel, dit une voix.

Masculine, avec un léger accent mexicain.

— Diamond, répondis-je. Racontez-moi ça.

— L'e-mail provient d'un compte Gmail, et s'intitule Fille adoptée. Je vais vous le lire.

« Cher sergent Martinez,

J'espère que vous ne tenterez pas de trahir ma confiance et de retrouver l'auteur de cet e-mail. Je réponds à un courrier d'un certain M. Owen McKenna. J'ai consulté quelques articles de journaux en ligne et découvert que c'était un de vos amis. J'ai des raisons de me méfier des e-mails. Son compte a pu être piraté. Donc, au lieu de répondre à un message potentiellement frauduleux, je vous écris pour plus de sécurité. Un hacker peut m'approcher sous une fausse identité, mais un hacker ne serait pas en mesure de deviner qui je pourrais approcher. Je suis désolée si cela paraît paranoïaque, mais croyez-moi, j'ai des raisons d'être paranoïaque.

Par conséquent, puis-je vous demander d'appeler M. McKenna et de vérifier si c'est réellement lui qui m'a écrit ? Parce qu'il était impliqué dans l'affaire du meurtre de Grace Sun, et parce qu'il pose apparemment des questions à mon sujet, je crains qu'il ne soit suivi ou surveillé à son insu. L'homme qui est après moi m'a déjà envoyé des e-mails, et il pourrait essayer d'accéder à l'ordinateur de M. McKenna et à sa messagerie, pensant que je lui répondrais s'il l'utilisait.

Si M. McKenna a envoyé le message, veuillez lui dire que oui, je suis la fille de Grace Sun. La rencontrer a été la meilleure et la pire chose qui me soit jamais arrivée. Elle s'est montrée merveilleuse envers moi comme personne ne l'a jamais fait. Mais ensuite, on l'a assassinée. La rencontrer a pratiquement détruit mon existence.

Après la mort de Grace, un homme – je ne sais pas qui il est – m'a appelé à propos de quelque chose qu'il voulait et qui appartenait à Grace. Comme je ne répondais pas, il a découvert où j'habitais et essayé de me tuer. Je m'en suis sortie de justesse et suis en fuite depuis ce jour. Je me cache depuis trois ans. J'ai loué un appartement sous un nom d'emprunt et me suis mise à payer mes factures en liquide. Ma vie est plus ou moins revenue à la normale, et je commençais à penser que peut-être je n'étais plus visée.

Mais alors M. McKenna m'a écrit. À présent, j'ai peur que quelque chose de terrible ne recommence.

Dans son e-mail, M. McKenna écrit qu'il a arrêté l'assassin de ma mère biologique, Grace. J'en suis ravie et soulagée. Je sais que mon agresseur était lié à Grace d'une façon ou d'une autre parce qu'il m'a appelée juste après le meurtre. Mais je n'ai aucune raison particulière de croire que la personne arrêtée par McKenna – que l'assassin de Grace – soit l'homme qui a tenté de me tuer.

Désolée de paraître méfiante, mais je suis à nouveau complètement pétrifiée. Vous pouvez m'envoyer un e-mail, mais je vous en prie, n'essayez pas de me trouver. S'il vous plaît. Je vous en supplie. »

— L'e-mail est signé « Anna », ajouta Diamond.

— Vous pouvez rédiger une brève réponse par e-mail ? Visiblement, il vaut mieux qu'elle vienne de vous.

— Bien sûr. Je suis à mon bureau. Que voulez-vous lui dire ?

— « Chère Anna, ici Owen McKenna. Je parle au sergent Diamond Martinez par téléphone, et il écrit ce que j'ai à vous dire. Je suis désolé que vous viviez un cauchemar, et je ne veux pas ajouter à votre stress. Je vous en prie, songez à m'appeler. Si vous voulez… »

— Woua, ralentissez, intervint Diamond. Je ne suis pas une secrétaire habituée à noter sous la dictée.

— Désolé. (Je continuai plus lentement.) « Si vous voulez, vous pouvez régler votre téléphone de façon à avoir un numéro bloqué afin qu'il ne puisse être vu par quiconque reçoit votre appel. Peut-être votre ligne téléphonique est-elle déjà réglée de cette façon. Sinon, communiquer par l'intermédiaire de Diamond est une bonne idée. En attendant, pouvez-vous me dire quoi que ce soit concernant l'agresseur ? Pouvez-vous me donner une description de ce à quoi il ressemblait ? Avez-vous la moindre idée concernant son identité ? Il y a peut-être une chance pour que nous l'arrêtions sans que vous ayez à révéler où vous vous trouvez. » Signé Owen.

— C'est tout ? demanda Diamond.

— Vous pensez que ça va ?

— Ce n'est pas du Samuel Richardson, mais j'imagine que le contenu atteint son but.

— Qui est ce Richardson ?

— Vous et cette Anna échangeant une correspondance, ça me rappelle Richardson, un Anglais du XVIIIe siècle qui écrivait des romans épistolaires. J'ajoute votre numéro de téléphone et je l'envoie ?

— Oui, dis-je.

— Fait, dit Diamond. Qu'est-ce que vous pensez de tout ça ?

— Je ne sais pas. Elle a l'air terrifiée, en tout cas. Bien sûr, il se peut qu'elle dramatise à l'excès et exagère les circonstances, ou ait tout imaginé. Mais elle paraît sincère. Et quelle motivation aurait-elle pour inventer ça ? Si elle est réellement en fuite et se cache, c'est une réaction très forte à sa peur. Et quiconque lui a fait peur s'est donc montré extrêmement efficace. Personne ne devrait avoir à vivre dans la terreur.

— Je me demande pourquoi elle n'a pas appelé les flics, déclara Diamond. Ça donne l'impression que c'est parce que son histoire ne tient pas la route. Mais il pourrait y avoir une autre raison.

— Si elle appelle, je lui poserai la question.

— Espérons que Thomas Watson est l'agresseur d'Anna en plus d'être l'assassin de Grace, reprit Diamond. Ou peut-être Nick le Couteau, ou son complice, était-il son agresseur. Si c'est le cas, elle pourrait être tirée d'affaire.

— Oui. Watson comme Nick O'Connell sont tous deux liés à Grace.

Diamond ne répondit pas, parce que mon téléphone bipait dans nos oreilles.

— Attendez, j'ai un autre appel, dis-je. (Je regardai l'écran de mon téléphone. L'appel était privé.) C'est peut-être notre réponse. Je vous rappelle.

— À plus tard, lança Diamond, et il raccrocha.

Chapitre 14

J'appuyai sur le bouton « Répondre » et annonçai :

— Owen McKenna.

— Très bien, M. McKenna, nous allons essayer, répondit une voix de femme mal assurée. Anna Quinn à l'appareil. (Le tremblement de sa voix était si fort que j'avais l'impression qu'elle allait se mettre à pleurer d'un instant à l'autre. Elle eut un hoquet, puis retint son souffle.) Je suis désolée. Je ne veux pas être bouleversée. Mais ce qui s'est passé il y a trois ans était si effrayant que ça a chamboulé ma vie. Je ne supporte pas l'idée d'être ramenée de force dans cette situation.

— Je suis désolé pour les circonstances, Anna, dis-je. Mais je suis content que vous m'ayez appelé. Je ne veux pas vous donner de faux espoirs, mais je peux peut-être vous aider pour la personne qui vous harcèle. Peu de temps après le meurtre de Grace, j'ai quitté la police. Mais je suis toujours lié aux forces de l'ordre, je travaille comme détective privé à Tahoe.

— Oh mon Dieu, si je pouvais être sûre d'être débarrassée de lui pour toujours ! Si je pouvais retrouver ma vie d'avant ! Vous pouvez faire ça ? Vous pouvez le trouver sans me parler face à face ?

— Peut-être. J'aurais besoin que vous me disiez tout ce que vous pouvez concernant les circonstances.

— D'accord. Par quoi dois-je commencer ?

— Avez-vous la moindre idée de qui est cet homme ? demandai-je.

— Non, aucune.

— Vous ne l'aviez jamais vu ?

— Non, répondit-elle.

— Il n'a rien dit ou fait pour suggérer son identité ?

— Non.

— Y avait-il la moindre indication de pourquoi il était après vous ?

— Oui. J'ai reçu un appel téléphonique avant qu'il ne m'attaque. Juste après le meurtre de Grace.

— Racontez-moi, dis-je.

— C'était le lendemain de sa mort. Cet homme à la voix inégale m'a appelée et a laissé un message disant qu'il voulait un journal que Grace m'avait donné.

— Qu'y avait-il dans le journal ?

Justement. Elle ne m'a jamais donné de journal. Laissez-moi revenir en arrière : en plusieurs occasions, Grace m'a fait des cadeaux. Ça a commencé la première fois que je l'ai rencontrée. Je l'avais contactée par e-mail, et elle m'a répondu. Nous avons eu une relation très intense par e-mail. Puis nous nous sommes vues au musée De Young. Ce jour-là, elle m'a donné une photo d'elle et de son grand-père, Ming Sun. Mon arrière-grand-père. La photo avait été prise des années auparavant, quand Grace était adolescente. Elle voulait que j'aie une idée de mon héritage. Deux ou trois jours plus tard, nous nous sommes retrouvées dans un salon de thé. Cette fois, elle m'a donné une bague fabriquée par Ming Sun. Elle m'a dit que la bague avait beaucoup de valeur pour elle et qu'elle voulait que ce soit moi qui l'aie. Une autre fois, nous sommes allées à la bibliothèque municipale, où elle m'a montré des livres sur la ruée vers l'or. L'un de ces livres mentionnait un certain Gan Sun. Gan était le grand-père de Ming. Ce qui faisait de lui le père de mon trisaïeul. Grace m'a dit qu'elle avait un objet provenant de lui, et qu'un jour elle me le donnerait. Et donc, en une dizaine de rencontres avant sa mort, elle m'a fait beaucoup de cadeaux. Des petites choses, la plupart du temps. Des choses d'une valeur sentimentale. La dernière fois que j'ai vu Grace, c'était le jour de sa mort. Je lui ai rendu visite le matin, et nous avons prévu de dîner ensemble le soir même. Elle avait décidé de me donner l'objet fabriqué par Gan Sun. Elle m'a seulement dit qu'il était très précieux et qu'elle m'en parlerait au dîner. Et puis on l'a assassinée, et peu de temps après, j'ai reçu sur mon répondeur le message de cet homme qui voulait un journal. Il disait que le journal lui appartenait, et qu'il me paierait une récompense de cinq cents dollars si je le lui rendais. Il me disait de le rencontrer devant la pyramide Transamerica le lendemain à midi, pour lui donner le journal et recevoir ma récompense. Mais je n'y suis pas allée, en partie parce que je n'étais pas au courant de cette histoire de journal, et en partie parce que j'avais peur. Quelque chose dans sa voix m'effrayait. Lorsqu'il a rappelé, j'étais chez moi et j'ai décroché. Il m'a dit que j'étais très vilaine de ne pas être venue au rendez-vous et qu'il ne me donnait qu'une autre chance. J'ai eu l'impression que si je lui désobéissais, il m'arriverait quelque chose de désagréable. C'était terrifiant !

— Vous avez bien fait de ne pas y aller, dis-je. Avez-vous informé la police à son sujet, ou du fait que vous aviez vu Grace le matin où on l'a tuée ? Je ne me souviens pas de vous avoir parlé.

— Non, je n'en ai parlé à personne. Le meurtre de Grace m'avait tellement déstabilisée. Si je parlais aux flics des cadeaux et du fait que je lui avais rendu visite le jour de son meurtre, je savais que je serais entraînée dans toute une succession de trucs juridiques, de dépositions, de convocations au tribunal et tout ce qui s'ensuit. C'était peut-être une réaction stupide. Mais je savais que rien de tout ça n'avait le moindre rapport avec moi. Grace ignorait tout de mon existence jusqu'à quelques semaines auparavant. Même chose pour la police. Je savais donc que si je continuais de ne pas exister, ça ne ferait aucune différence.

Elle continua :

— Plus j'y pensais, et plus il me semblait que le type qui voulait le journal était dangereux. J'ai donc mis mes quelques affaires dans un sac et quitté l'appartement. Je n'ai pas dit à ma colocataire où j'allais. Je me suis juste excusée, lui ai payé ma part du loyer pour un mois supplémentaire, et lui ai dit que j'espérais qu'elle pourrait rapidement trouver une autre colocataire. J'ai séjourné dans deux ou trois motels au début, puis finalement j'ai pris une chambre dans une pension de famille à l'ancienne mode. J'ai utilisé un faux nom et payé le loyer en liquide. Je dirige une affaire de conception de sites web. Du moment que j'ai un ordinateur, je peux travailler n'importe où.

— Comment avez-vous pu quitter votre appartement et toutes vos affaires aussi rapidement ? La plupart d'entre nous auraient besoin de plusieurs semaines pour se préparer à déménager, surtout si nous envisagions de changer fréquemment de domicile et devions nous débarrasser de tout.

— C'est une longue histoire, dit Anna. Pendant douze ans, ma partenaire était une femme nommée Tara Sperri. Nous nous étions rencontrées à l'université de South California et avions emménagé ensemble. Nous avons connu de nombreuses années agréables. Mais vous savez comment même les meilleures relations peuvent s'user. Nous étions toutes les deux tellement concentrées sur notre carrière. Tara est avocate et travaille pour l'assistance judiciaire d'Alameda County. J'ai commencé comme professeur des écoles à Fremont, puis j'ai démissionné pour lancer mon affaire de conception de sites web. Quand Tara et moi avons finalement décidé de nous séparer, nous avons organisé une énorme vente dans notre garage, puis vendu notre maison. Je voulais être débarrassée de tous mes biens matériels et ne garder que les quelques objets que j'emporte avec moi quand je voyage. Des vêtements de rechange. Mon ordinateur portable. C'était une façon de laisser le passé derrière moi et de prendre un nouveau départ. J'ai trouvé une femme qui louait la chambre d'amis de son appartement, et j'avais donc un abri. Mais j'étais anéantie. Je restais couchée là toutes les nuits, sans dormir, à penser que ma vie n'avait mené nulle part. Tara était partie. Je n'avais plus de maison. Mes parents adoptifs étaient morts depuis un moment, je n'avais donc pas de famille. C'est alors que j'ai décidé de rechercher ma mère biologique. C'est la rupture avec Tara qui m'a conduite jusqu'à Grace. Quand j'ai rencontré Grace, j'ai eu le sentiment de rentrer chez moi. Un lien qui était plus que ce que j'avais avec mes amis. Je n'aurais jamais imaginé que c'était le début d'un cauchemar.

— Au cours des trois années qui se sont écoulées depuis, vous n'avez toujours pas parlé à la police du meurtre de Grace ni de votre agresseur ? demandai-je.

— Non, répondit-elle.

J'eus envie de sermonner Anna et de lui expliquer à quel point les témoins réticents constituaient l'un des plus gros problèmes rencontrés par la police pour combattre la criminalité. Mais je ne voulais pas mettre en péril ce mince lien avec la fille biologique de Grace Sun et les informations qu'elle pourrait détenir.

— Il ne vous est pas venu à l'esprit que celui qui vous avait appelée pourrait être l'assassin de Grace ?

— Si. Mais j'avais peur malgré tout d'en parler à la police.

Elle resta silencieuse un long moment.

— Quand j'étais à l'université, déclara finalement Anna, Tara et moi avions une meilleure amie nommée Mandy Melane. Pendant notre première année de fac, Mandy a rompu avec son petit ami. Il s'est mis à la harceler. Elle s'est donc adressée à la police et a obtenu une ordonnance restrictive. Elle avait tellement peur de lui qu'elle a quitté son dortoir pour retourner habiter chez ses parents à Torrance. Ça n'a rien changé. Son ex-petit ami l'a assassinée une semaine plus tard. Il avait plusieurs années de plus qu'elle, et deux de ses copains étaient des flics. À l'époque, nous nous sommes demandé si c'était grâce à eux qu'il avait découvert où elle logeait.

Anna haletait.

Je ne savais pas quoi dire.

— Je croyais avoir semé mon agresseur, dit-elle. Mais il s'est débrouillé pour obtenir des informations concernant mon nouveau domicile.

— Que s'est-il passé ?

— Il est entré par effraction dans ma chambre au milieu de la nuit. Je l'avais fermée à clé, mais mes colocataires avaient laissé la porte d'entrée de la maison déverrouillée. Il a cassé la serrure de la porte de ma chambre. Il est entré avec un couteau à la décoration compliquée dans la main, l'a fait tournoyer autour de ses doigts pour me terrifier. Puis il l'a lancé dans ma direction.

— Vous vous êtes enfuie ?

— Oui. Je m'inquiétais de voir ce psychopathe s'en prendre à moi depuis plus d'un mois. Dans la brève période où j'ai connu Grace, elle a dû me dire à trois reprises que le meilleur moyen de confronter ses peurs est de se préparer à toute éventualité. On aurait dit qu'elle était médium, qu'elle savait que quelque chose risquait de m'arriver. J'ai tant appris d'elle ! En tout cas, elle insistait toujours sur l'importance d'être prête à tout ! J'avais donc préparé un plan de fuite au cas où celui qui me harcelait découvrirait un jour où j'habitais et entrerait par effraction. Je dormais toujours vêtue d'un short, d'un t-shirt et de mocassins, et je gardais mon petit sac à main près du lit. J'avais un sac d'affaires dans le coffre de ma voiture. Ma clé de rechange était accrochée à mon bracelet, que je n'enlève jamais, même sous la douche. Et j'avais mis un livre bien lourd dans une taie d'oreiller dont j'avais noué les bouts. Je la gardais sur mon lit. Quand il est entré dans la chambre et a fait tournoyer son couteau, j'étais si terrifiée que j'ai eu envie de hurler. Mais j'ai fait ce que je m'étais entraînée à faire : je lui ai lancé la taie d'oreiller contenant le livre. Lui m'a lancé le couteau. J'étais déjà en train de rouler au bas du lit et d'attraper mon sac quand le couteau s'est enfoncé dans la tête de lit, à l'emplacement de ma tête. Je ne sais même pas si le livre l'a atteint. Mais il m'a fait gagner une seconde ou deux. J'ai soulevé la fenêtre et me suis précipitée dehors, par l'escalier d'incendie. Je l'ai refermée derrière moi, en enclenchant le loquet que j'avais installé à l'extérieur. Je me suis enfuie dans ma voiture. C'est l'expérience la plus terrifiante que j'aie jamais vécue. Je n'ai survécu que parce que je m'étais entraînée de nombreuses fois à réaliser mon plan.

— Y avait-il assez de lumière dans la pièce pour voir à quoi ressemblait ce type ? demandai-je.

— Non, mais je n'aurais pas pu de toute façon, parce qu'il portait un masque de ski. Le seul indice qui pourrait vous aider est que quand il a tendu la main pour sortir le couteau de son fourreau, sa manche s'est relevée et j'ai vu un tatouage sur son poignet. Il était constitué de lignes bleues ondulantes, mais je n'ai pas pu lire ce qui était écrit. J'étais complètement traumatisée. Je tremble encore de peur en y pensant maintenant, trois ans plus tard.

— Avez-vous jamais entendu parler d'un homme nommé Nick O'Connell ?

— Non. Pourquoi ? Attendez, si, j'ai déjà entendu ce nom. Pas Nick. Mais O'Connell. Laissez-moi réfléchir. C'est Grace qui a mentionné ce nom. Quelque chose qu'elle avait appris à propos de son arrière-arrière-grand-père Gan Sun. C'était dans le livre sur la ruée vers l'or. Ça parlait d'un truc appelé la guerre de Mulligan. Une querelle à propos d'un terrain, remontant au XIXe siècle. Le nom d'O'Connell était lié à ça d'une façon ou d'une autre, mais j'ai oublié comment.

— Vous rappelez-vous le moindre détail ?

— Non. Juste qu'elle avait mentionné ce nom.

— Dans quel livre cela se trouvait-il ? Pouvez-vous vous souvenir du titre ou de l'auteur ?

— Non. Je n'avais même pas regardé la couverture.

— Et l'endroit où il était rangé ? Pourriez-vous retrouver la zone dans la bibliothèque ?

— Il faut que vous compreniez que la bibliothèque municipale de San Francisco est très spectaculaire. Je n'arrêtais pas de regarder l'architecture du bâtiment. Comparée à la bibliothèque de la ville où j'ai grandi, je n'ai même jamais… enfin, peu importe d'où je viens. Quoi qu'il en soit, Grace m'a fait traverser la bibliothèque et nous sommes montées et descendues, mais je ne pourrais même pas vous dire à quel étage nous nous sommes retrouvées. Il y avait des tas de rayonnages et des tas de livres et, à part quand Grace me montrait un passage dans un livre, tout ce que j'ai vu, c'était le bâtiment. Un peu comme de l'art moderne.

Je fournis à Anna une explication rapide de la prise d'otage qui s'était terminée par la mort de l'agresseur. Je lui expliquai que ce type avait un tatouage et faisait des moulinets avec son couteau, et qu'il avait aussi accusé Thomas Watson d'avoir tué Grace. Je racontai à Anna que quand j'étais allé parler à Thomas Watson, il m'avait dit qu'à son avis le preneur d'otage était un homme nommé Nick O'Connell, un gars qui faisait des tours avec des couteaux et avait un numéro tatoué sur le poignet.

— Nous pensons donc que c'est Nick O'Connell qui s'est noyé, dis-je. Les tours d'O'Connell avec son couteau ressemblent à ceux de votre agresseur. Et son lien avec Grace, par l'intermédiaire de Thomas Watson, ajoute davantage de crédibilité à l'idée que c'est lui qui s'en est pris à vous.

— Mais nous ne sommes pas certains qu'O'Connell était bien celui qui me harcelait, dit-elle. Peut-être que des tas de malades font tournoyer des couteaux. Peut-être qu'il y a un gang quelque part dont les membres ont pour signe distinctif de faire des tours de couteau.

— C'est possible, dis-je. Faire tournoyer un couteau est une caractéristique inhabituelle, et il pourrait simplement s'agir d'une coïncidence. Mais le fait qu'O'Connell faisait tournoyer ses couteaux et était au courant du meurtre de Grace est très convaincant. Deux coïncidences comme celles-là sont rares. Ajoutez le tatouage, et ça devient encore plus rare. Votre agresseur pourrait bien être mort.

— J'ai envie de le croire, dit Anna. Vous ne savez pas à quel point j'ai envie de le croire. Dites-moi, pourquoi ce Nick O'Connell a-t-il détourné le bateau, à votre avis ? Pourquoi se serait-il donné tant de mal pour vous pousser à arrêter l'assassin de ma mère ?

— Nous ne savons pas pourquoi. Il avait sans doute une sérieuse rancune contre Watson et voulait avoir le plaisir de voir la justice s'abattre sur lui. Mais ça ne justifierait pas ses actes. De sorte qu'en fait, nous ne savons vraiment pas.

Anna ne répondit rien.

— Y a-t-il quoi que ce soit d'autre concernant votre agresseur que vous pourriez me dire ? demandai-je.

— Pas vraiment. Il portait un masque. A fait tournoyer le couteau. Avait ce tatouage. Voulait un journal que je ne possédais pas. Le voulait suffisamment pour me tuer afin de l'obtenir.

— Anna, je crois que vous devriez envisager de donner toutes ces informations, de raconter toute votre histoire, à la police. Selon l'endroit où vous vivez, vous pourriez peut-être obtenir une protection. Si, par exemple, vous séjournez à San Francisco ou êtes disposée à vous y rendre, je pourrais vous aider à entrer dans une planque. Ils ont plusieurs endroits que personne ne connaît, des maisons fournies par des civils, des lieux que les flics ne connaissent même pas. Ou, si vous veniez à Tahoe, nous avons plusieurs possibilités ici aussi.

— Vous croyez que mon agresseur était l'auteur du détournement, qu'il est mort, et pourtant vous parlez encore de planque ?

— Un principe fondamental, répondis-je. Toujours rester prudent, toujours pencher vers un excès de sécurité. Considérer tous les indices en gardant l'esprit ouvert, mais ne pas les croire tant qu'ils n'ont pas été prouvés. C'est une affaire étrange. Mieux vaudrait que vous gardiez profil bas jusqu'à ce que nous l'ayons démêlée.

Elle ne répondit pas tout de suite.

— J'ai pensé à aller voir la police. Une centaine de fois, ces trois dernières années. Mais alors je devrais une fois de plus révéler qui je suis et où je vis. Actuellement, la plupart de mes clients me paient en ligne. Je dépose les quelques chèques que je reçois au distributeur de billets. Personne ne sait qui je suis. Je vais chercher mon argent liquide dans un autre distributeur. Mais ma banque est petite, et si je changeais d'adresse, je devrais probablement changer de banque. Ce qui signifie que je devrais fournir à une nouvelle banque des informations telles que mon adresse. Ces informations iraient dans leurs bases de données. Si mon agresseur est quelqu'un d'autre que ce type mort, quelqu'un qui a des relations, s'il pouvait appeler quelqu'un qu'il connaît à la banque...

— Elles sont assez bien sécurisées, intervins-je, regrettant immédiatement d'avoir dit ça.

— C'est ça, répliqua-t-elle avec une dérision évidente. C'est pour ça que les hackers extraient, de façon routinière, cent mille numéros de Sécurité sociale des ordinateurs des banques. C'est pour ça que ces geeks pénètrent dans le système informatique du Pentagone et volent des secrets militaires. Parce que les ordinateurs sont vraiment sûrs.

— Vous avez raison. Désolé.

Anna ne répondit pas. J'avais franchi la ligne jaune.

— Écoutez, Anna, laissez-moi examiner tout ça et voir ce que je peux découvrir, lui proposai-je, sachant que je ne risquais pas de découvrir grand-chose sur la base de ce qu'elle m'avait dit.

Là encore, pas de réponse.

— Y a-t-il un moyen pour que je vous contacte plus rapidement que par e-mail ?

— Si l'envie m'en prend, je vous appellerai, dit-elle avant de raccrocher.

Chapitre 15

On frappa à ma porte. Spot grogna, ce qui signifiait qu'il ne s'agissait pas de quelqu'un qu'il connaissait.

Un chauffeur de chez FedEx me tendit un paquet, et me fit signer le reçu. L'adresse de l'expéditeur était le bureau de Joe Breeze à la police de San Francisco. Spot trottait à côté de moi, le reniflant tandis que je le portais à ma petite table de cuisine et arrachais l'adhésif qui le scellait.

Le journal était comme dans mes souvenirs, un carnet à reliure de tissu d'environ douze centimètres de large sur vingt centimètres de haut. La couverture en tissu était faite d'une soie violette délavée et portait une grande tache d'un noir violacé en forme d'aubergine marbrée, qui partait du bord des pages et remontait à travers la moitié inférieure de la couverture.

Je feuilletai le carnet, retrouvant son odeur de moisi et les rangées de caractères chinois qui, pour la plupart, étaient brouillés au point d'être illisibles. C'était un spectacle poignant, d'innombrables heures et peut-être des années de travail soigneux, perdu quand le journal avait trempé dans l'eau.

Je composai le numéro du portable de mon ami le docteur Lee, tombai sur sa messagerie et laissai un message. Il me rappela une demi-heure plus tard.

— J'étais aux urgences quand vous avez appelé, déclara-t-il de sa petite voix délicate et précise. Je suis en pause.

— Je travaille sur une affaire dans laquelle nous détenons un carnet couvert d'écriture chinoise. Je me demandais si vous pourriez l'examiner. Vous n'aimeriez pas déjeuner de restes de poulet sauté, par hasard ?

— J'ai grandi en mangeant des restes de poulet sauté, répondit-il.

Son ton ne sous-entendait aucun jugement, juste une observation.

— Alors vous pourriez faire la démonstration de votre tolérance cosmopolite envers l'orgueil culinaire. Les Blancs, comme vous le savez sans doute, se prennent pour les meilleurs chefs du monde.

— Vous êtes un drôle de type. Quand j'y goûterai, je penserai sans doute que vous vouliez dire « malfaisance culinaire ». Ma journée se termine bientôt. Je serai là dans une heure et... (Il marqua une pause.)... cinquante minutes.

Je raccrochai en me disant que même si l'obsession du docteur Lee pour la précision ne faisait pas de lui le meilleur pote de tout un chacun, elle m'aurait parfaitement convenu si je me trouvais sur la table d'opération et qu'il était en train de me découper les entrailles.

Juste avant l'heure dite, je plaçai les restes de la veille au soir sur le poêle pour les réchauffer.

Spot renifla l'intégralité du corps du docteur Lee quand j'ouvris la porte, une heure et cinquante minutes plus tard.

— Il sent les urgences, déclara le médecin en tendant les bras au-dessus de Spot comme un pélican qui se sèche les ailes.

Il pénétra dans mon chalet et se dirigea vers le rocking-chair.

— Antiseptique et sang. Mystérieux, pour un chien.

— Spot, laisse le docteur tranquille, lançai-je.

Spot m'ignora. Tandis que le docteur Lee s'asseyait, Spot se mit à lui renifler le cou et l'oreille. Je l'écartai en le tirant par le collier et lui montrai le tapis à franges devant le poêle.

Spot me dévisagea, puis effectua lentement deux cercles, s'allongea et soupira.

— Quelle est cette affaire ? demanda le docteur Lee.

Je lui tendis le journal.

— Une femme nommée Grace Sun a été retrouvée assassinée à San Francisco il y a trois ans. Elle avait ceci dans sa chemise. Il se pourrait qu'elle ait essayé de le cacher à son assassin. L'auteur du détournement, à bord du Dreamscape, a prétendu que son objectif, en prenant Street en otage, était de me convaincre qu'un homme du nom de Thomas Watson était l'assassin de Grace. Les deux affaires sont donc liées.

Le docteur Lee avait ouvert le carnet et en touchait les pages comme si elles avaient été écrites en braille.

— Ça paraît compliqué, dit-il.

— Oui. Nous n'avons jamais su pourquoi Grace avait été assassinée. Thomas Watson affirme ne pas l'avoir tuée, en dépit du fait que son ADN correspond à celui de l'épiderme trouvé sous les ongles de Grace.

— Affirmation plutôt audacieuse de sa part alors que vous avez son ADN.

— Tout juste. J'essaie donc de comprendre ce que l'auteur du détournement avait à voir avec l'affaire.

— Et voilà que ce dernier s'est noyé, ajouta le docteur Lee. Une sacrée énigme.

J'acquiesçai.

— Peut-être ce carnet peut-il nous fournir des informations concernant la raison de l'assassinat de Grace.

— Bien sûr, vous l'avez fait examiner par d'autres personnes à l'époque où cela s'est produit.

— Nous avons demandé à deux professeurs de Berkeley de l'examiner, dis-je. L'un d'eux était un archiviste. Il pensait que le papier avait plus de cent ans, probablement fabriqué en Chine au début ou au milieu du XIXe siècle. L'autre professeur enseigne les langues asiatiques et connaît le mandarin. Il a dit que le journal avait l'air d'avoir été écrit par un homme qui était mineur de métier. Il pensait qu'il s'agissait d'un journal personnel centré sur le travail de cet homme. Mais tant de pages étaient brouillées qu'il n'a pas pu nous dire grand-chose.

Le docteur Lee feuilletait le carnet.

— On dirait qu'il est tombé dans l'eau. Dans de l'eau sale.

— Oui. Qu'en pensez-vous ? Pouvez-vous lire certains des caractères brouillés ?

— Pas grand-chose. Tout d'abord, je dois dire que je ne suis pas expert en hanzi.

— C'est comme ça qu'on appelle les caractères chinois ?

— Oui. Comme le kanji pour le japonais, le hanzi désigne les idéogrammes chinois. En fait, le kanji fut à l'origine dérivé du hanzi.

— Vous parlez couramment le mandarin, n'est-ce pas ?

— Oui. C'est une longue tradition dans ma famille, même si nous sommes dans ce pays depuis six générations. Tout le monde parle toujours aussi bien mandarin qu'anglais à la maison.

— Avez-vous appris à écrire en mandarin ?

— Oui, mais je ne l'ai pas suffisamment fait pour devenir très bon.

Venant du docteur Lee, j'imaginai que ça faisait quand même de lui un expert.

Je désignai le journal.

— Pouvez-vous me dire d'après les caractères brouillés si c'est écrit en mandarin, ou le mandarin écrit est-il identique aux autres dialectes chinois ?

— La réponse à votre première question est oui, il semble que ce soit du mandarin. La réponse à la seconde, c'est que toutes les différentes sortes de langues chinoises partagent la même écriture hanzi. Les caractères sont interchangeables. Mais les mots varient. Bien que les diverses langues chinoises soient souvent appelées dialectes, elles sont assez dissimilaires pour probablement mériter d'être considérées comme des langues distinctes.

Le docteur Lee s'interrompit et feuilleta quelques pages.

— Le chinois, en réalité, est une très grande famille de langues. Près de trois cents différentes. Elles sont toutes apparentées, et au fil des siècles le gouvernement chinois a usé de son influence pour rendre les caractères hanzi universels. C'est comparable à la façon dont les langues romanes utilisent toutes le même alphabet latin. Et partagent même un certain nombre de mots.

— Des mots qui sont les mêmes en anglais et, disons, en espagnol.

— Tout juste, répondit le docteur Lee. Prenez le mot « international ». Il s'écrit de la même façon en anglais, français et allemand, et presque de la même en espagnol et en italien. Et il signifie la même chose dans toutes ces langues. Cela se produit également avec quelques langues chinoises différentes. Et comme le néerlandais et l'allemand, certaines langues chinoises peuvent être comprises par ceux qui parlent quelques langues très similaires. Mais la plupart des gens, malgré tout, ne peuvent comprendre que leur propre langue. De plus, le chinois est l'un des groupes linguistiques qui sont tonaux. De nombreux mots peuvent être prononcés sur différents tons, ou d'une voix plus ou moins aiguë. Un ton haut, un ton moyen, un ton bas. Les tons peuvent aussi monter ou descendre. Bien sûr, nous utilisons aussi différentes fréquences et des tons montants ou descendants en anglais, mais ils nous fournissent différentes inflexions ou nuances dans ce que nous voulons dire. Tandis qu'en chinois, les différents tons donnent aux mots des sens complètement différents. De sorte que la prononciation des mots varie largement d'une langue chinoise à l'autre.

Le docteur Lee tourna une autre page du journal.

— Bien que ceci soit du mandarin, ce n'est pas contemporain. Il y a quelques constructions inhabituelles qui suggèrent son ancienneté. Mais comme vous le disiez, ce journal a été écrit il y a cent ou deux cents ans.

— Que pouvez-vous me dire en le consultant ?

Le docteur Lee contempla une page, en sauta quelques-unes, se concentra sérieusement sur la nouvelle page, puis se reporta à la fin du journal et y passa un très long moment.

— La première partie est écrite avec une seule plume, et la deuxième a été rédigée avec diverses plumes. Le style des caractères et le style de l'écriture dans chaque partie sont tous deux légèrement différents, eux aussi. Je pense que ce journal a été écrit par deux personnes distinctes.

— Vous plaisantez, dis-je. Le professeur de Berkeley n'a rien mentionné de ce genre.

— Les professeurs de Berkeley sont très occupés. Combien l'avez-vous payé ou payée ?

— Payé. Et je ne crois pas que nous lui ayons versé quoi que ce soit.

— Eh bien, vous avez votre réponse, déclara le docteur Lee.

— Je ne vais pas vous payer, dis-je.

— Je croyais avoir droit à un déjeuner de poulet sauté.

— Les restes ne constituent pas habituellement une rémunération, fis-je remarquer.

— Les restes de poulet sauté, si. À moins que vous ne les rendiez immangeables.

Je pensai à mon pain de la veille au soir, pesant comme un lourd rocher au fond de la poubelle de ma cuisine.

— Je ne rendrais jamais un plat immangeable, dis-je.

— C'est ce que je me disais, répliqua le docteur Lee.

— Que pouvez-vous glaner d'autre dans ce journal ?

— Glaner, répéta le docteur Lee. Est-ce un mot de flic ?

— Bien sûr.

— Eh bien, il y a là-dedans des commentaires sur le travail de mineur, comme l'a dit le professeur. Concernant les fouilles dans le lit des rivières. La façon d'orienter l'eau pour débarrasser le minerai des sédiments. Et il y a une référence à une dispute concernant un terrain, mais ce qu'il voulait en dire est complètement brouillé. Le nom mentionné est Mulligan.

— Comme si le rédacteur chinois avait été impliqué dans une dispute avec un mineur irlandais ?

— Quatre-vingt-dix pour cent du texte est illisible, mais oui, c'est ce que je dirais.

Il se tut. Au bout d'une minute, il reprit la parole.

— Cette présentation est quelque peu formelle. Comme si le rédacteur avait reçu une certaine éducation. Mais s'il était mineur, il serait très inhabituel qu'il ait été cultivé. La plupart des mineurs qui vinrent de Chine pendant la ruée vers l'or étaient des fermiers illettrés. Tout comme la plupart des colons blancs qui vinrent à l'Ouest depuis la côte Est. Pareil pour tous les gens qui émigrèrent aux États-Unis depuis l'Europe à la même époque. Ils étaient essentiellement motivés par la quête d'une vie meilleure. Bien entendu, il y a eu des personnes cultivées qui sont parties pour le Nouveau Monde. Mais la plupart des gens cultivés détenaient de bonnes situations dans la société, et avaient tendance à rester où ils se trouvaient.

— Et pourtant vous croyez que ce carnet a été rédigé par quelqu'un qui avait reçu une éducation formelle.

— Pas formelle dans le sens d'être allé à l'école. Mais peut-être les parents de cette personne se sont-ils efforcés de l'éduquer à la maison. Par exemple, vous voyez ces quelques caractères nets au milieu de cette page brouillée ?

Il me tendit le livre pour me montrer le passage.

— Qu'est-ce que ça dit ? demandai-je.

— Il n'y a pas de traduction littérale en anglais. Mais le rédacteur dit plus ou moins que la nourriture mangée par les Caucasiens est répugnante.

— Au lieu de dire que la bouffe des Blancs est nulle.

— Oui, exactement. La façon dont c'est écrit ne ressemble pas à un extrait du journal d'un mineur sans éducation.

— Pouvez-vous dire quoi que ce soit du contenu ? Ce que raconte cet homme, peu importe son style ?

— Ce dont parle le journal... (La voix du médecin se perdit dans un murmure. Il feuilleta quelques pages.) Les caractères brouillés le font paraître sans suite. Laissez-moi l'étudier un moment.

Je pris cela comme une façon d'exiger le silence.

Je passai dans le coin cuisine, servis le riz et le sauté dans des bols, et les rapportai dans le salon avec deux bières blondes Sierra Nevada.

Nous mangeâmes sur nos genoux. Spot leva la tête et renifla l'air longuement et avidement, les narines dilatées, ses circuits cérébraux calculant les chances d'une éventuelle récompense qui pourrait lui échoir s'il restait couché et tranquille pour s'attirer mes faveurs, au lieu de se lever et de susciter une admonestation de ma part.

Je ne me considère pas comme un glouton du niveau de Spot, mais j'avais fini ma nourriture et ma bière alors que le docteur Lee venait d'enfourner soigneusement sa cinquième bouchée. Il buvait sa bière comme Street, par minuscules gorgées. Quand il se tamponna le coin de la bouche du bout de son petit doigt, je me rendis compte que j'avais oublié les serviettes. Je bondis sur mes pieds, allai dans la cuisine, détachai un morceau d'essuie-tout et le lui apportai.

— Désolé. C'est comme manger avec les Philistins, déclarai-je.

Le docteur Lee plaça l'index à l'intérieur de la serviette en papier et s'essuya les lèvres en décrivant le même arc précis qu'une femme qui met du rouge à lèvres.

Il continuait de tourner les pages tout en mangeant. De temps à autre, il poussait un petit « hmmm ». À un moment, il inspira légèrement.

Je remportai mes plats à la cuisine et pris une seconde bière. Je regardai le docteur Lee examiner le carnet. Il incarnait, dans une certaine mesure, le cliché classique de l'Américain d'origine asiatique. Esprit brillant associé à un tempérament studieux. Je ne connaissais pas sa famille et n'avais donc aucune idée de la combinaison de nature et de culture qui l'avait produit. Mais son passé de premier dans toutes les matières était clairement visible dans l'image qui se présentait à mes yeux. Le docteur Lee ne pouvait pas plus rester assis à raconter des blagues et à engloutir des bières avec les copains devant le match de football du lundi soir qu'il n'aurait pu monter un taureau dans un rodéo à Cheyenne.

Au bout d'un moment, il reprit la parole.

— Comme je l'ai déjà dit, je pense que ce sont en réalité deux journaux, dit-il. Les deux tiers du début, ou à peu près, ont été écrits par un homme, le dernier tiers par un autre.

— Vous parlez d'un homme. Vous voulez dire spécifiquement de sexe masculin ?

— Oui. Partiellement, bien sûr, parce que la première partie semble être le journal d'un mineur, et presque tous les mineurs étaient des hommes. Et en partie parce que le style général d'écriture des caractères est masculin. Même s'il ne spécifie pas son sexe, d'après ce que j'ai pu lire.

— Vous pouvez déterminer si le rédacteur était un homme ou une femme juste en examinant les caractères chinois ?

— Habituellement, oui. Pas tant le choix des caractères en termes de voix ou de contenu, mais le style de l'écriture manuscrite. C'est la même chose que lorsque vous examinez un texte écrit en anglais. Les experts vous diront que l'écriture ne révèle pas le sexe, l'âge, les revenus ni quoi que ce soit d'autre. Mais bien entendu, ce qu'ils veulent dire est que l'écriture ne peut pas révéler ces détails de façon conclusive. Pourtant, par quelque mystérieux lien entre gènes et capacités motrices, le style d'écriture a en réalité tendance à révéler le sexe, que ce soit en cursive romaine ou en caractères chinois. Dans tous les magazines scientifiques que je lis, je n'ai toujours trouvé aucune explication satisfaisante du pourquoi de cet état de fait. Néanmoins, de la même façon que la structure faciale suggère un garçon ou une fille, l'écriture fait la même chose. (Il fit un geste avec le journal.) Pour la même raison, je pense que le dernier tiers du journal a également été écrit par un homme, et que ce deuxième homme n'était pas un mineur, mais un ouvrier du bâtiment spécialisé dans la maçonnerie.

— Vraiment ? Le professeur n'a jamais rien mentionné de tel.

— Gardez à l'esprit que ce n'est qu'une conjecture basée sur certaines choses que disent ces rédacteurs, un style différent d'écriture pour la dernière partie du journal, ainsi qu'un style différent de voix. La syntaxe chinoise. Mon idée des dates pour la seconde partie du journal vient d'une affirmation concernant les transports motorisés. Il pourrait s'agir d'une référence à une sorte d'appareil mécanisé servant à la construction. Mais elle pourrait aussi suggérer des véhicules à moteur. Si le premier rédacteur était mineur pendant la ruée vers l'or, et si le second était en vie aux débuts des véhicules sans chevaux, alors cela indiquerait que le deuxième rédacteur avait au moins deux générations d'écart avec le premier. D'autre part, bien que les styles d'écriture soient différents, ils ne sont pas aussi différents que ceux de deux personnes qui ne se connaissent pas. Ce qui m'incite à me demander si peut-être le second rédacteur n'était pas le petit-fils du premier.

— Ça expliquerait pourquoi deux personnes ont écrit dans le même journal.

— Oui. (Le docteur Lee hocha la tête.) Il aurait pu se transmettre dans la famille.

— Et l'idée de la maçonnerie ?

Le docteur Lee posa son bol non terminé sur la petite table

placée à côté de lui et sirota encore un peu de bière.

— Une référence à la pose de pierres. Mais c'est difficile à dire. Les caractères brouillés dans la deuxième partie du journal sont très difficiles à déchiffrer. On dirait presque que le journal est un conte de fées sur un peuple céleste qui vivait dans le Palais céleste.

— Un peuple céleste ? Vous pensez qu'il s'agit de fiction ? d'une histoire ? demandai-je.

— Je ne saurais dire. Peut-être. Ou il pourrait s'agir d'une métaphore. Bien que le second rédacteur n'écrive pas dans le style formel et cultivé du premier, et que l'écriture ne soit pas sophistiquée, son style semble indiquer qu'il était très intelligent.

— Autre chose que vous avez pu déchiffrer dans le journal ?

Le docteur Lee fronça les sourcils.

— D'une manière générale, rien ne paraît très remarquable. Il semble contenir deux journaux, comme si un petit-fils avait repris là où son grand-père avait arrêté. Mais un détail a attiré mon attention. Ici, dans la première partie du journal (il m'indiqua une page), il y a une référence à du métal jaune sous la tente. (Le médecin passa à la fin du journal, là où il avait gardé un doigt entre les pages.) Et ici, près de la fin de la deuxième partie du journal, il dit que la cachette doit durer éternellement. (Le docteur Lee leva les yeux vers moi.) On se demande si les deux font référence à la même chose.

— Le premier rédacteur aurait eu de l'or et l'aurait caché sous sa tente ? Et le second aurait cherché une meilleure cachette ? Deux personnes, chacune détenant de l'or ou autre chose de précieux, et le dissimulant ? Le professeur de Berkeley n'a jamais mentionné ce genre de choses.

Les sourcils du docteur Lee montèrent et redescendirent une unique fois.

— Une caractéristique culturelle commune aux Chinois est qu'ils sont très frugaux. Si un Chinois détenait de l'or, il n'envisagerait pas nécessairement de le dépenser. Il pourrait le transmettre à son petit-fils. Il pourrait également lui transmettre sa tendance à thésauriser.

Le docteur Lee remonta sa manche pour examiner sa montre en or. Son bracelet-montre était du même bleu que sa chemise.

— Je ferais mieux d'y aller, déclara-t-il.

— Une dernière observation ? demandai-je, les yeux fixés sur le journal posé sur ses genoux.

Le docteur Lee feuilleta le carnet encore une fois. Il s'arrêta vers la fin, puis revint en arrière de quelques pages.

— Un point intéressant à l'endroit où il parle des gens dans le Palais céleste, répondit-il. Je l'ai déjà remarqué. Mais ce n'est sans doute rien d'important.

— Quoi ?

— Les caractères sont complètement brouillés. Mais on dirait que ce rédacteur mentionne une personne importante qui aurait une boîte à enregistrer. Le choix des caractères est maladroit. Mais le sens le plus proche que je puisse en déduire serait que cet observateur important a enregistré le lieu avec sa boîte à enregistrer. Et vu la façon dont les caractères sont tracés, il insiste sur les mots représentant le lieu.

— Comme un emplacement physique ?

— Oui, je pense.

— Il se pourrait qu'un photographe ait pris une photo d'un lieu significatif, dis-je.

— C'est ce que je me suis dit.

— Est-ce qu'il donne l'identité du photographe ?

— Non. Il n'y a que cette référence à un observateur important.

— Peut-être l'observateur lui a-t-il paru important du simple fait qu'il possédait un appareil photo, dis-je.

— Bien sûr. Le docteur Lee hocha la tête. Le Palais céleste pourrait aussi faire paraître l'observateur plus important.

Il regarda à nouveau sa montre, puis se leva.

Spot se redressa d'un bond et contempla le poulet sauté que le docteur Lee n'avait pas terminé.

J'attrapai le bol.

— Peut-être plus tard, ta grandeur, lui lançai-je.

Je remerciai le docteur Lee pour son aide, et il partit.

Chapitre 16

Mon portable sonna au moment où je sortais marcher avec Spot.

— Allô ? répondis-je en remontant mon allée par une journée claire et lumineuse comme du cristal.

— C'est Anna. Vous avez un instant ?

— Bien sûr.

Spot décrivit un cercle en courant autour de la Jeep, puis passa devant mon chalet en trottinant, et s'engagea sur la pente descendante menant au bord de l'escarpement. Peut-être voulait-il admirer la vue.

— M. McKenna, croyez-vous au libre arbitre ? demanda Anna.

Je ne m'attendais pas à ça.

— Que voulez-vous dire ?

— Simplement l'idée que nous sommes libres de prendre nos décisions nous-mêmes. Que nous pouvons décider de la marche à suivre. Que nous ne sommes pas contrôlés par des forces ou événements extérieurs. Croyez-vous que nous sommes contrôlés par la physique ? ou par notre biologie ? ou par nos religions ? S'il y a un Dieu omniscient, est-ce qu'il ou elle détermine nos actes ?

Le sujet semblait tomber du ciel, mais le ton d'Anna était si réfléchi et sincère qu'elle avait visiblement beaucoup médité la question. Je me rendis compte que c'était une de ces occasions où je ferais mieux de réfléchir avant de parler. Que je ne devais pas me montrer désinvolte. Ce qui, bien entendu, me rendait pratiquement incapable de parler.

— Eh bien, je suppose que nous voulons nous croire libres de prendre des décisions, pas vrai ?

Je ne savais pas où elle allait avec cette question, et trouvais quelque peu étrange que quelqu'un que je connaissais à peine m'appelle pour me la poser.

— Oui, dit Anna. Mais sommes-nous vraiment libres ? Prenons-nous des décisions parce que nous le voulons ? Ou parce que nous le devons ?

— Ce sujet me passe un peu au-dessus de la tête, Anna. J'imagine que nous prenons certaines décisions librement et d'autres par nécessité. J'ai besoin d'argent, je dois donc aller travailler. Ce genre de choses. Alors peut-être n'est-ce pas du libre arbitre, hein ?

— Exactement, dit-elle.

— Mais je suis pleinement conscient de ne pas réellement être obligé d'aller travailler. Je perdrais peut-être mon emploi en n'y allant pas, mais si je voulais, je pourrais dire « au diable le boulot ». Je pourrais décider de laisser tomber mon emploi. Il me reste donc un peu de libre arbitre.

Elle resta silencieuse un moment. Je me demandai si je n'avais pas répondu de travers.

— Pourquoi me posez-vous cette question, Anna ? finis-je par demander.

— J'ai une amie qui affirme que nous n'avons pas de libre arbitre. (On aurait dit qu'elle parlait d'elle-même.) Elle prétend que j'en suis un exemple classique.

— Parce que vous avez pris des décisions par nécessité plutôt que par désir ?

— Exactement. Mon amie lit ce philosophe du nom de Schopenhauer. Un philosophe allemand d'il y a longtemps, vers les débuts de notre pays. Et il disait que nous nous croyons tous libres et sommes persuadés qu'à tout moment nous pouvons changer le cours de notre vie, mais qu'en réalité nous devons toujours faire ce à quoi nous sommes obligés plutôt que ce que nous voulons. Que nous sommes contrôlés par la nécessité.

— Anna, de quoi s'agit-il ? Pourquoi me demander ça ?

— Parce que si les décisions que j'ai prises ne visaient pas à trouver un peu de liberté face à l'homme qui m'a agressée et étaient plutôt déterminées par la nécessité, par mon besoin de sécurité, alors ça signifie que j'ai perdu trois ans de ma vie.

— Vous avez été productive pendant ces trois années, n'est-ce pas ?

— C'est ce que je voulais croire. Mais peut-être que rien de tout ça n'a d'importance. Peut-être que j'ai simplement suivi une voie par nécessité. C'est pire que de se faire agresser dans sa propre chambre. (Sa voix commençait à monter dans les aigus.) C'est pire que de perdre sa liberté. C'est comme mourir !

— Anna, je ne crois pas que ce soit vrai. Oui, vous avez fait certaines choses par nécessité. Mais vous êtes toujours aux commandes de votre vie.

— Non, ce n'est pas vrai ! C'est mon agresseur qui est aux commandes ! Il a pris le contrôle de ma vie. C'est exactement ce que disait Schopenhauer. J'aurais aussi bien fait de le laisser me tuer il y a trois ans !

— Schopenhauer n'a pas dit ça, quand même ?

— Il aurait pu. J'ai perdu ma vie. Je n'ai pas de libre arbitre. Dès l'instant où ce désaxé a laissé ce message sur mon répondeur, j'étais sous son contrôle. J'ai tout perdu !

Son discours s'était enfoncé dans les ténèbres, dans le désespoir. Comme si elle avait renoncé à la vie en l'espace d'une minute.

— Anna, ne voyez pas les choses comme ça. (Ma voix sonnait plus fort que je ne l'aurais cru.) Votre agresseur est probablement mort. Il n'y a donc probablement aucune nécessité de vivre dans la peur de cet homme. Mais nous ne pouvons pas en être sûrs. La prudence suggère que vous restiez où vous êtes et que vous gardiez un profil bas. Mais ça ne veut pas dire que vous avez perdu votre vie. Vous vous comportez simplement de façon sensée.

— Le seul moyen pour moi de reprendre ma vie est de dire à l'agresseur d'aller se faire voir. De vivre ma vie comme je l'entends.

— Que voulez-vous dire ?

— De revenir dans le monde. De sortir de l'anonymat.

— Pas encore, Anna. Bientôt. Mais pas encore. Il est d'une importance critique que vous restiez prudente.

— Vous venez de dire que vous pensiez mon agresseur mort.

— Oui, répondis-je, hésitant. Mais le penser est à des années-lumière de le savoir. Tant que nous n'aurons pas de preuves solides, ça ne vaut pas la peine de prendre le risque. Le gain potentiel en liberté de mouvement n'est rien face à la perte potentielle si votre agresseur est toujours en liberté.

— Vous êtes en train de dire que je n'ai pas de libre arbitre. Ce que disait Schopenhauer. Je ne peux qu'agir par nécessité.

— Non, Anna. Ce que je dis, c'est…

Elle raccrocha.

Chapitre 17

Je réfléchis à ce que le docteur Lee m'avait dit concernant la mention dans le journal d'une personne importante avec une boîte à enregistrer. Je ne connaissais aucun expert en photographie ; j'appelai donc le musée d'art du Nevada à Reno.

— Ici le détective Owen McKenna, j'appelle à propos d'un projet de recherches qui pourrait nous aider à résoudre une affaire de meurtre.

— Dieu du ciel, répondit la réceptionniste de sa douce voix aux inflexions professionnelles. J'ai bien peur que vous n'ayez appelé le mauvais numéro. Vous êtes au musée d'art du Nevada.

— Mes questions concernent l'art. La photographie, plus spécifiquement. Pourriez-vous m'indiquer un expert en photographie du début du xxe siècle ?

— Oh, je vois. Eh bien, je ne sais pas exactement qui serait le plus indiqué sur ce sujet. Je peux vous passer le répondeur de Sondra Moliere. Elle donne des cours de portrait photographique à l'école E. L. Cord du musée. Cela vous conviendrait-il ?

— Oui, merci.

Je laissai mon numéro.

Mon téléphone sonna vingt minutes plus tard.

— Sondra Moliere, je vous rappelle.

Une autre voix douce. Tout aussi professionnelle. C'était peut-être un des critères exigés pour travailler dans le monde des musées.

— Merci, Sondra. Je travaille sur une affaire et une question intéressante s'est présentée, qui pourrait être liée à votre domaine.

Nous avons un vieux journal intime dans lequel un ouvrier sino-américain parle d'une personne importante munie d'une boîte à enregistrer, sur le site de construction d'un lieu appelé Palais céleste. Je vous ai appelée parce que je soupçonne qu'il s'agit d'un photographe. Cela se situe au tout début du xxe siècle.

— C'est une idée intéressante, mais je ne suis pas sûre de comprendre en quoi je puis vous aider.

— Moi non plus, dis-je. Est-ce qu'un détail vous rappelle quelque chose ? Y avait-il un photographe important qui aurait appelé son appareil « boîte à enregistrer » ? Ou un des photographes du début du xxe siècle était-il spécialisé dans les chantiers de construction ? Est-ce que l'un d'eux s'est intéressé à quelque chose qui s'appelait « Palais céleste » ?

— Je suis désolée, mais je dois répondre non à toutes ces questions. Aucun photographe ne me vient à l'esprit.

— Comment me suggéreriez-vous de m'y prendre dans mes recherches ? Existe-t-il une sorte de base de données complète des photographes, dans laquelle je pourrais faire des recherches par sujet ?

— Vous voulez dire, chercher quelque chose comme les chantiers de construction ?

— Tout juste. Ou les ouvriers du bâtiment. Ou le Palais céleste.

— Non, répondit-elle. Bien sûr, il est facile de trouver les sujets courants. Paysages, portraits, et ainsi de suite. Mais je ne vois pas de moyen direct de trouver des photos relatives au bâtiment.

— Une idée de qui je devrais appeler ? D'autres musées ? Des galeries qui vendent de la photographie ?

— Bonne question, dit-elle. Vous savez, vous avez piqué ma curiosité. Laissez-moi me renseigner auprès de certains collègues et voir s'ils ont des idées. Si je trouve quelqu'un d'utile, puis-je lui dire de vous contacter directement ?

— S'il vous plaît. Je vais vous donner mon numéro de portable et mon adresse e-mail, aussi, au cas où je ne pourrais pas répondre à ce téléphone.

Je lui dictai mes coordonnées.

— J'espère terminer un projet aujourd'hui, dit-elle. Si je

me dépêche, j'aurai un peu de temps avant de rentrer chez moi. J'essaierai de vous rappeler plus tard dans l'après-midi. Ça ira ?

— Ce serait merveilleux. Merci.

*
**

Sondra Moliere rappela pendant que je préparais le dîner.

— Je n'ai pas trouvé grand-chose, dit-elle. J'ai appelé plusieurs personnes que je connais dans le métier. Marchands d'art, conservateurs, professeurs. Robert Calibre, au Crocker Museum, s'est montré particulièrement obligeant. Il dispose d'une liste impressionnante d'adresses e-mail, et m'a dit qu'il enverrait une note groupée avec vos coordonnées. J'espère que cela ne pose pas de problème.

— Non, pas du tout. Merci beaucoup pour vos efforts.

— Bonne chance dans votre enquête, répondit-elle.

Nous raccrochâmes.

Chapitre 18

Tard dans la soirée, Anna m'appela de nouveau.

Street m'avait téléphoné depuis longtemps et m'avait souhaité « bonne nuit – je t'aime » de cette voix sensuelle qui me fait aspirer à une vie dans laquelle nous nous glisserions ensemble sous les draps tous les soirs. J'avais mis une bûche sur un lit de braises qui pourrait ou non conserver assez d'énergie pour relancer le feu, m'étais versé un doigt ou deux de porto Château Routon, et étais assis dans le rocking-chair devant le poêle à bois.

Spot se leva de sa couche pour vérifier quelle dose d'affection je pourrais avoir en réserve. Il posa le menton sur mon épaule. Je lui fis un soigneux massage crânien, en commençant par les gros muscles du cou et en terminant par ma routine du bout des doigts sur l'arête de son nez et autour de ses yeux, en remontant vers les oreilles.

Il était passé dans cet état de demi-sommeil où sa respiration devient plus forte et où ses yeux se ferment, tout cela en restant debout, mais les pattes avant commençant à céder. Alors même que ses pattes arrière perdaient de leur fermeté et qu'il était en danger de tomber, le téléphone piailla et Spot se réveilla.

Tandis que je prenais le portable sur la petite table, Spot s'étendit sur le tapis à franges.

L'écran du téléphone affichait « numéro privé ».

— Allô ?

— M. McKenna ? Est-ce trop tard pour appeler ?

— Non, Anna. N'hésitez pas à appeler à n'importe quelle heure. Et je vous en prie, appelez-moi Owen.

— Owen. Si vous apprenez quoi que ce soit concernant mon agresseur, m'appellerez-vous au lieu de m'en informer par e-mail ?

— Oui, si vous me donnez votre numéro.

— Oh, c'est vrai. J'imagine que ça ne risque rien. Même si quelqu'un devait se débrouiller pour trouver mon numéro de portable sur votre téléphone, il n'est pas dans l'annuaire. Il ne pourrait donc pas découvrir où j'habite. Et le fournisseur téléphonique n'a qu'une boîte postale, de toute façon.

Elle me dicta le numéro, et je l'écrivis sur un bout de papier, en insérant un trait tous les deux chiffres. Si quelqu'un trouvait le bout de papier, il n'aurait aucun sens.

— Si je vous importune en appelant maintenant, j'en suis désolée. Vous êtes probablement en train de vous détendre.

— Aucun problème, dis-je.

— D'abord, je voulais vous remercier. Vous essayez de m'aider, et je me suis montrée incroyablement ingrate. Je m'en excuse.

— Ça ne fait rien, dis-je.

— C'est juste que de voir enfin quelque chose arriver qui pourrait me rendre ma vie, je ne peux pas arrêter d'y penser. Je suis inquiète, effrayée et excitée, tout ça en même temps.

— C'est une réaction normale.

— Vous croyez que ça arrivera ? Pourrai-je retrouver une vie normale ?

— Oui. Soyez simplement patiente. Nous n'y sommes pas encore.

— D'accord.

La voix d'Anna était tranquille. Un mélange de résignation et de lassitude.

— Aujourd'hui, vous m'avez parlé de vos rêves d'avenir, dis-je. Des plans que vous aviez mis de côté. Quels sont-ils ?

— Je crois vous avoir dit que dans mon ancienne vie, j'étais enseignante. J'enseignais la science à des enfants de CM2 et de sixième. Des gosses à l'âge parfait où ils s'engagent à fond, mais ne sont pas encore blasés. J'adorais enseigner. Mais j'avais du mal avec l'administration et ses interminables règlements. Et j'avais toujours voulu diriger ma propre affaire ; j'ai donc commencé à monter ma boîte de conception de sites, en y travaillant le week-end et chaque soir. J'utilise des logiciels de conception standard, mais j'ai également étudié la programmation. Et j'ai écrit quelques applications, dont l'une se vend en ligne et est téléchargée cent fois par jour. Non loin du quartier où Tara et moi habitions, il y avait deux filles qui étaient mes étudiantes, Maya et Lola. Elles habitaient un immeuble délabré. La mère d'une des filles travaillait à temps partiel comme femme de ménage. La mère de l'autre avait un problème d'alcoolisme et ne pouvait pas garder un emploi. Elles subsistaient grâce à un peu d'aide des programmes de l'État et des institutions fédérales. Bien entendu, il n'y avait pas de père dans l'un ou l'autre foyer. Alors Tara et moi invitions régulièrement Maya et Lola chez nous pour essayer de leur donner des points de vue différents de ce dont elles avaient l'habitude. Les filles ont vu mon travail informatique et manifesté de l'intérêt. Elles ne s'intéressaient pas à l'ordinateur, mais adoraient mes mises en page de sites, pleines de couleurs. Je leur ai donc demandé si elles aimeraient avoir chacune leur propre site Internet. Pas simplement une page Facebook, mais tout le tralala, avec une adresse e-mail professionnelle.

— Vous voulez dire, comme si mon adresse était Owen à OwenMcKenna.com ?

— Oui. Ça vous plairait sans doute aussi, hein ?

— Je ne sais pas si je suis sophistiqué à ce point, dis-je.

— Eh bien ces filles ont adoré l'idée. Je me suis donc servi de cet appât pour leur apprendre comment tout ça fonctionne. Nous leur avons obtenu un nom de domaine à chacune, et avons commencé à leur construire un site avec des photos, une page où elles pouvaient publier leurs blogs et ainsi de suite. Elles ont progressivement appris à utiliser les logiciels de conception de sites. Elles ont fini par créer des sites magnifiques. Bien sûr, comme elles grandissaient et commençaient à se concentrer sur les activités qui absorbent les adolescents, elles ne s'intéressaient plus autant à l'informatique. Mais je suis restée en contact avec elles. Je les ai convaincues que toute fille possédant leurs compétences technologiques avait un énorme avantage pour entrer à l'université et trouver un métier.

Elles rechignaient à arrêter d'envoyer des textos à leurs amis, même l'espace d'un instant. Mais j'ai continué de les pousser à rester informées des changements dans les logiciels. Nous avions même un horaire. Deux heures après l'école chaque mardi et chaque jeudi. Quand le moment est venu pour elles de penser à l'université, je les ai aidées à exploiter leurs connaissances technologiques dans leurs candidatures. Maya a obtenu une bourse pour l'université d'État de Sacramento en programmation logicielle, et trois ans et demi plus tard, elle était diplômée et se faisait embaucher par Intel. Vous n'imaginez même pas combien elle gagne. Lola a suivi presque tout le cursus d'une petite école technique à San José. Elle a abandonné ses études avant la fin lorsqu'une nouvelle startup informatique l'a embauchée. Petit salaire, mais énormes stock-options. Si l'entreprise prend de l'importance, cette fille qui a grandi dans une HLM vaudra des millions.

— Et toutes ces années après, elles ont toujours leurs propres sites ?

— Oui ! C'est génial. Elles sont toutes les deux ravies de leur métier. Aucun de leurs camarades de classe au lycée, issu d'un milieu similaire limité, n'est même allé à l'université. Et non que gagner beaucoup d'argent soit une fin en soi, mais ces filles ne connaissent personne d'autre de leur lycée, quel que soit son milieu d'origine, qui s'en sorte aussi bien qu'elles.

— Et tout ça rendu possible par la technologie que vous leur avez enseignée, dis-je.

— Oui. Je ne me vante pas en le disant. Je reconnais simplement les faits. Si vous enseignez aux filles des compétences technologiques de pointe, cela leur donne un avantage monstrueux dans ce monde hi-tech.

— C'est votre rêve ? Enseigner les technologies de pointe à des filles ?

— Exactement ! Je veux monter une école, Owen ! Je veux me concentrer sur des filles qui ont été marginalisées par les aléas de la vie, qu'elles aient grandi dans les cités du centre-ville ou simplement connu des circonstances familiales difficiles. J'ai fait pas mal de recherches. Ce pourrait être une sorte d'école privée subventionnée, où elles recevraient aussi un enseignement général. Mais il y aurait en plus un fort accent sur la technologie. Cela demanderait beaucoup d'argent, mais il y a des subventions pour ce genre d'établissement. Et j'ai parlé à plusieurs cadres d'entreprises qui m'ont dit que leurs boîtes seraient sans doute disposées à m'aider.

— Parce qu'elles en scraient les bénéficiaires, dis-je.

— En effet. Le problème, c'est que je ne peux pas avancer sur ce projet tant que je reste cachée. Il faudrait que je sois une sorte de personnage public, dirigeant une école, recherchant des financements, faisant la promotion du concept. Cela devra donc attendre que nous ayons la certitude que ce preneur d'otage était bien mon agresseur. Et si ce n'était pas lui, alors nous devons trouver l'agresseur et le mettre en prison.

— Une école me paraît un excellent projet, Anna.

— Ce serait génial. J'aimerais tellement ça !

— Changer la vie de filles qui sinon n'auraient sans doute que peu d'opportunités, dis-je.

— Oui ! Des filles qui risqueraient de tomber enceintes et d'arrêter. Des filles qui pourraient se tourner vers la drogue. Des filles qui pensent que leur avenir ne sera rien de plus que celui des gens qui tirent le diable par la queue autour d'elles. Je pourrais leur offrir un rêve. Je pourrais leur offrir de l'espoir. Je pourrais leur montrer une voie menant tout droit à d'excellents emplois. Je pourrais même leur montrer comment lancer leur propre entreprise technologique.

L'excitation était palpable dans sa voix.

— De nombreux programmeurs de logiciels sont des femmes, dis-je. J'ai fait quelque chose chez Intel une fois, et la moitié des employés étaient des femmes.

— Bien sûr. Les femmes ont des tas de postes dans l'industrie logicielle. Mais je parle du niveau supérieur. C'est comme faire passer les filles, en médecine, d'infirmière à médecin, au domaine de la recherche de pointe. Pour ce faire, il faut atteindre les filles quand elles sont jeunes, pas quand elles entrent à l'université ni même au lycée. Bien sûr, les métiers du logiciel sont compliqués et les femmes excellent dans ce domaine. Mais je parle de changer les femmes en créatrices du prochain monde technologique. Elles imagineront de nouveaux paradigmes. Monteront de nouvelles entreprises. Les garçons qui excellent et finissent par créer les nouvelles technologies ont commencé à les apprendre au collège. En primaire. Quand nous ferons ça pour les filles, le monde changera.

Elle reprit son souffle.

J'attendis.

— Vous voulez savoir comment s'appellera l'école ? demanda-t-elle.

Elle eut un petit souffle comme si elle était sur le point de glousser, mais se reprit. Je me demandai si elle avait jamais ri depuis qu'elle avait commencé à se cacher. Souriait-elle ? Son enthousiasme représentait une énorme amélioration comparée à la peur et aux inquiétudes de nos précédentes conversations, mais je doutais encore que l'hilarité fasse la moindre apparition dans sa journée.

— Allez-y, dis-je. Dites-moi le nom de l'école.

— Elle va s'appeler « Visez les sommets ». Et le sous-titre, c'est « L'école technologique pour filles qui déchire ».

— Le nom est bien choisi.

— J'ai même trouvé un emplacement. Il y a un petit immeuble de bureaux délabré en vente à Oakland. C'est dans une zone idéale, avec des quartiers en difficulté des deux côtés. Bien sûr, je ne pourrai jamais me le payer. Mais si je pouvais trouver de l'argent, obtenir des subventions, trouver un ange gardien ou deux, je pourrais peut-être faire un emprunt. L'immeuble à lui seul coûterait un million de dollars, mais ça en vaudrait tellement la peine. La disposition est parfaite pour une école. Il y a de l'espace pour créer des classes et même des dortoirs. Bien entendu, ce n'est qu'un rêve, mais je me suis renseignée pour faire installer le haut débit et il s'avère que c'est parfaitement faisable. En plus, j'ai examiné les transports publics de là à San José, Santa Clara, et même à Palo Alto. Mes filles pourraient faire des sorties, depuis notre école, dans les plus grands centres technologiques du monde.

— Où elles pourraient voir comment on obtient un job qui déchire, glissai-je.

— Plus que ça, reprit-elle. Je vais leur apprendre à diriger une boîte. Regardez combien des plus grandes entreprises hi-tech du monde se trouvent ici même, en Californie du Nord. Google. Apple. Facebook. Hewlett-Packard. YouTube. Intel. Adobe. Twitter. Oracle. Cisco. Yahoo!. eBay. PayPal. Netflix. Presque toutes ont été lancées par de jeunes hommes, ou même des gamins, qui connaissaient la technologie et avaient assez d'assurance pour se croire capables de faire mieux. Les systèmes et les mécanismes pour réussir brillamment sont déjà en place. Nous n'avons plus qu'à montrer aux filles comment y accéder.

La voix d'Anna était si intense que je pouvais ressentir cette intensité au téléphone. Comme un rayon de soleil audible.

— Je peux le faire ! continua-t-elle. Pensez un peu ! La moitié de notre population a été ignorée dans la ruée vers l'or technologique. C'est comme au moment où la société a fini par ouvrir la porte aux filles pour qu'elles deviennent médecins, avocates, professeurs, architectes ou astronautes. La technologie, c'est la dernière frontière. Quand nous commencerons vraiment à enseigner la technologie aux filles, quand notre société laissera la deuxième moitié de notre population accéder à l'univers technologique, le boom que cela provoquera ne ressemblera à rien de ce que nous avons déjà connu !

— Ça paraît génial, Anna.

— Vraiment ?

Sa voix était un mélange d'espoir, d'émerveillement et d'incrédulité… et d'un peu de désespoir.

— Vraiment, dis-je.

Chapitre 19

Le lendemain matin, j'étais levé avant l'aube. J'emmenai Spot faire une promenade dans le crépuscule matinal. J'étais encore dans une semi-obscurité, à l'ombre de la montagne située à l'est derrière mon chalet, mais à l'ouest, de l'autre côté du lac, la crête de la Sierra se colorait légèrement de rose à l'approche du lever de soleil, et la lueur se reflétait sur la chaîne Carson du côté est du lac Tahoe, éclairant faiblement la forêt d'un halo rosé. Nous suivîmes la piste qui serpente vers le nord depuis mon chalet, traversant la forêt qui s'étend sur le flanc de la montagne. L'air automnal était d'un froid vif, et les oiseaux, écureuils et tamias étaient déjà éveillés, industrieux et bruyants dans leurs préparatifs pour l'hiver. Spot quitta la piste et chargea à travers la forêt, démontrant que, qu'ils soient guidés par leur nez, leurs yeux ou leurs oreilles, les chiens sont capables de s'orienter dans l'obscurité.

Dix minutes plus tard, là où la piste décrit un virage pour suivre une ride dans la peau de la montagne, Spot courut vers un grand pin de Jeffrey auquel nous avions tous deux rendu visite dans le passé. Il renifla l'arbre et la zone environnante avec un intérêt inhabituel. Je restai à le regarder dans la lumière croissante de l'aube tandis qu'il inspectait l'écorce de l'arbre, sa base, ses environs. Puis il bondit sur ses pattes avant et se dressa sur les pattes arrière de toute sa hauteur, un bon mètre quatre-vingt-dix, ses griffes antérieures agrippant l'écorce de l'arbre. Il colla sa truffe dans les sillons de l'écorce, à un mètre quatre-vingts du sol, et inspira profondément.

— Qu'est-ce qu'il y a, mon gars ? demandai-je en m'approchant.

Il m'ignora et poursuivit son inspection.

Des études ont indiqué l'étendue du monde qui s'ouvre à l'odorat d'un chien. Votre chien peut déterminer tout ce que vous avez mangé depuis la veille ou l'avant-veille. Si vous venez d'un endroit où votre compagnon s'est trouvé, il le saura quand vous rentrerez chez vous. Votre chien saura si vous avez été en contact avec quelqu'un qu'il connaît. Il peut sentir si vous vous êtes approché d'un autre animal. Et si c'est un chien, un chat, un cheval ou quelque autre bestiole avec lequel votre chien a déjà eu des contacts, il le saura même si vous n'avez pas touché cet animal. Un chien sait si quelqu'un est furieux, triste, inquiet ou heureux à partir de l'odeur de cette personne. Il sait si vous vous êtes trouvé à proximité d'un fumeur de cigarette ou de cigare. Si vous achetez une nouvelle marque de shampoing, votre chien sait faire la différence. Si vous passez de la margarine au beurre, il le remarquera. Il peut déterminer si une femme qu'il rencontre est enceinte, avant même qu'elle ou que son médecin le sache. Un chien peut être dressé à sentir un cancer spécifique avec plus de précision que n'importe quelle technique de diagnostic médical. Si vous décidez de prendre l'escalier au lieu de l'ascenseur à votre travail, dès votre retour à la maison votre compagnon aura conscience que quelque chose a changé dans votre journée. Les chiens peuvent même être dressés à sentir le sucre sanguin dans l'haleine d'une personne et avertir un diabétique d'un problème à venir, bien avant que la personne n'en prenne elle-même conscience. Je regrettai donc avec ferveur que Spot ne soit pas capable de parler anglais et de me dire ce qu'il avait découvert.

Spot retomba à quatre pattes et décrivit des S çà et là autour de l'arbre, en reniflant la terre.

— Qu'est-ce que c'est, mon gars ? demandai-je à nouveau.

Je m'accroupis, m'appuyai du dos contre l'arbre et regardai à travers la forêt en direction de la vue que j'avais contemplée tant de fois. À huit cents mètres de là, mon chalet était encadré par les arbres, petit et sombre sur le flanc distant de la montagne.

Je restai accroupi une minute, réfléchissant aux implications. Malheureusement, il faisait encore trop sombre pour que j'inspecte entièrement le site.

Lorsque le soleil se leva, Spot et moi descendions de la montagne en voiture. Les nuits exceptionnellement froides de la fin septembre avaient donné aux bosquets de trembles une vive couleur orange doré. Ils captaient les premiers rayons du soleil et contrastaient si fortement avec la forêt de pins verte que je me dis qu'ils devaient avoir l'air de soucis vus de l'espace.

Trois heures plus tard, nous étions sur l'autoroute 80 et approchions des chaînes côtières. Je tournai au sud sur la 680, l'itinéraire le plus court vers le sud de la baie et, espérai-je, plus rapide que d'emprunter le Bay Bridge pour traverser San Francisco et parcourir la péninsule.

Les montagnes herbues et arrondies de l'East Bay chatoyaient de leur dernière lueur dorée avant que les pluies de l'hiver ne les retransforment en velours vert clair. L'heure de pointe était passée quand nous traversâmes rapidement Walnut Creek, Danville et les autres agglomérations à l'est du tunnel d'Oakland. Tandis que l'autoroute tournait vers le sud-ouest, nous franchîmes le défilé dans les montagnes et entrâmes dans le gigantesque bassin de la région de la baie, immense mer intérieure reliée à l'océan par un détroit si étroit que les explorateurs espagnols l'avaient manqué en remontant la côte californienne.

L'air était inhabituellement clair. Je distinguais, de l'autre côté de la baie, la péninsule de San Francisco avec les montagnes de Santa Cruz et leur couronne de séquoias qui formaient sa colonne vertébrale. La brume océanique qui nourrissait les grands arbres était à peine visible, remontant du Pacifique de l'autre côté, ses lambeaux glissant à travers les arbres géants là où Skyline Boulevard suivait la crête, et s'écoulant comme de lentes rivières grises dans les vallées jusqu'à la baie.

Je coupai à travers le quartier nord de San José et tournai vers le nord sur la 280, candidate, en approchant Stanford, au titre d'autoroute urbaine la plus magnifique du monde.

Spot se dressa sur le siège arrière, essayant sans succès de s'étirer dans l'espace confiné. Je poussai le bouton pour entrouvrir sa vitre, et il sortit la truffe de cinq ou six centimètres dans le vent à 110 km/h, reniflant les mystères du paysage splendide et encore intact qui se déroulait, les radiotélescopes géants sur les collines qui écoutaient le bruissement des galaxies, l'accélérateur de particules long de mille six cents mètres enterré sous l'autoroute, avec lequel de multiples lauréats du Nobel ont découvert les aspects les plus démesurés de l'univers en faisant entrer en collision les plus petites particules de matière, les antiques séquoias qui étaient déjà des géants âgés quand les premiers Espagnols naviguèrent vers le nord à bord de leurs galions, le brouillard qui était plus vieux que la vie elle-même.

Finalement, Spot se fatigua d'avoir la truffe au vent, et se recoucha.

Je trouvai la sortie de Woodside et me dirigeai vers l'ouest, en direction de la crête montagneuse de la péninsule. De grandes propriétés étaient éparpillées dans les collines, séparées les unes des autres par des pâturages à chevaux, des paddocks, des granges et autres structures équestres. Je trouvai un embranchement, puis un autre, puis un troisième, et arrivai dans une rue où s'alignaient plusieurs maisons de ville. Chacune d'elles était propre et soignée, et contrastait avec les grandes demeures n'abritant qu'une famille à proximité.

Je trouvai la maison où Melody Sun avait vécu avant d'obtenir un nouveau financement et de se retrouver ruinée par son peu de capitaux et son énorme dette. Le panneau de l'agence immobilière était petit et discret.

Je frappai et, comme je m'y attendais, personne ne vint ouvrir. Je me dirigeai vers la gauche et frappai à la porte du voisin. Personne ne répondit. Je passai à droite et frappai.

La porte s'ouvrit, et un vieil homme leva les yeux vers moi. Il plissa les yeux face à la forte lumière.

— Bonjour, je cherche ma vieille amie Melody Sun qui habitait à côté. Vous savez comment je pourrais la retrouver ?

L'homme serra les lèvres, les fit remonter vers son nez, et me claqua la porte au nez.

Je passai à la porte suivante à droite et frappai. Pas de réponse.

Je continuai. Je ne tarderais pas à frapper aux portes à Palo Alto. Je frappai à une autre porte. Une jeune femme vint ouvrir. Je répétai mon discours.

— Vous ne savez pas ce qui s'est passé ? (La jeune femme fronça les sourcils.) Melody... (Elle s'interrompit, se pencha au-dehors et regarda des deux côtés. Elle me dévisagea, se demandant, peut-être, si j'étais quelqu'un de sûr.) Melody a déménagé, finit-elle par dire.

— Je sais que la banque a saisi sa maison de ville. Mais je ne sais pas où elle a déménagé. Pouvez-vous me donner une adresse ?

La jeune femme m'étudia un instant.

— Vous la connaissiez bien ?

— Pas très bien. Nous nous sommes rencontrés après la mort de sa cousine Grace. Mais je ne suis plus en contact avec elle depuis quelque temps. J'espérais renouer avec elle.

— Eh bien, je ne veux pas vous perturber, mais Melody a tout perdu. Pas simplement sa maison, mais tout le reste. Quand elle est partie d'ici, elle avait sa petite camionnette, un sac de couchage et quelques vêtements à l'arrière, et c'était tout.

— Avez-vous la moindre idée de l'endroit où elle est allée ? demandai-je.

— Justement. Elle n'est allée nulle part. Elle n'avait plus de domicile. Elle a dit qu'elle vivrait dans sa camionnette. Vous comprenez, après la mort de sa cousine, Melody a rencontré un homme, s'est mariée et s'est installée ici avec lui. Mais ensuite elle a perdu son emploi, son mari a pris tout leur argent avant de s'enfuir, et elle n'avait plus d'argent pour louer quoi que ce soit. Je lui ai proposé de venir habiter chez moi, mais elle n'a rien voulu entendre.

— Avait-elle un téléphone portable ?

— Elle l'a résilié, dit la jeune femme.

— Alors vous n'avez aucun moyen de la contacter ?

— Non.

— Quand cela s'est-il passé ?

— Il y a trois semaines. Je suis rentrée du travail un soir et je l'ai vue dans l'allée, en train de mettre ses affaires dans sa camionnette. Elle était vraiment déprimée les mois précédents. Surtout quand elle s'est rendu compte que son mari avait vidé le compte en banque avant de partir. C'était le stress de tout ça qui lui a fait perdre son emploi.

— Je ne l'ai jamais rencontré. Combien de temps est-il resté avec elle ?

— Je ne sais pas. Il était avec elle quand elle a acheté la maison, et n'est parti qu'un an plus tard. C'était il y a six mois. Tout est allé de mal en pis à partir de là. Elle a perdu le mari, son emploi, son argent, la maison. Elle est partie le soir même où je l'ai vu faire ses bagages, et je ne l'ai pas revue depuis.

— Savez-vous où elle travaillait ?

Elle secoua la tête.

— Une entreprise qui fabriquait des logiciels.

— Est-ce que Melody utilisait Sun comme nom de famille ? Ou avait-elle pris le nom de son mari ?

— Vous posez beaucoup de questions.

— Je m'inquiète pour elle. Vous ne poseriez pas de questions, vous ?

La jeune femme réfléchit.

— Melody Sun, c'est comme ça que je l'ai toujours connue. Je croyais que Sun était aussi son nom, à lui.

— Est-ce que Melody vous a dit quoi que ce soit avant de partir ?

— Pas grand-chose. Je lui ai demandé si elle voulait s'installer chez moi. Je lui ai demandé si je pouvais l'aider. Je lui ai même demandé si je pouvais lui donner de l'argent. Mais elle a tout refusé. Et quand j'ai demandé où elle allait, elle m'a dit qu'elle avait entendu parler d'un refuge pour femmes à Marin, un endroit tenu par un groupe de dames unitariennes[4]. Elle envisageait d'y aller pour un jour ou deux, le temps de trouver ses repères. Mais elle m'a dit qu'elle voulait surtout être seule, qu'elle allait peut-être se contenter de prendre la route et rouler jusqu'au bout du monde. Je me souviens que ça m'a paru quelque peu inquiétant.

Je remerciai la jeune femme et retournai à ma Jeep. J'appelai

---

4   Unitarisme : doctrine chrétienne spécifique qui soutient que **Dieu** est un et se distingue de la trinité chrétienne. (*N.d.T.*)

Street. Quand elle répondit, je lui expliquai ce que j'avais appris.

— Tu veux que je cherche le refuge sur Internet ?

— Oui, s'il te plaît.

— Si tu avais un meilleur téléphone, tu pourrais le faire de là-bas.

— Oui, mais il me faudrait deux ans de cours d'informatique à l'université pour apprendre à me servir du téléphone. Si j'attends deux ans, la moindre chance de retrouver Melody se sera évanouie depuis longtemps.

— Tu es un drôle de type, déclara Street sans le moindre humour apparent. (Il y eut un silence.) Le voilà. Il s'appelle le Trait d'union, « L'endroit où les femmes trouvent leur avenir ». C'est une association à but non lucratif sponsorisée par l'Association féminine des universalistes unitariens. L'adresse du refuge n'est pas indiquée. Probablement parce que certaines des femmes qui s'y trouvent sont poursuivies par des hommes mal intentionnés. Mais il y a un numéro de téléphone. Tu peux essayer ça.

Street me le donna ; je raccrochai et composai le numéro.

— Église unitarienne universaliste de Corte Madera.

Une voix de femme.

— Je cherche le Trait d'union, déclarai-je.

— Sur quoi porte votre demande ?

Méfiante. Pas amicale, mais pas non plus inamicale.

J'expliquai qui j'étais et que je cherchais à localiser Melody Sun.

— Je regrette, nous ne pouvons pas donner d'informations par téléphone. Mais vous pouvez peut-être venir à notre église. Je suis sûre que vous comprendrez pourquoi nous devons nous montrer extrêmement prudents. La sécurité de nos résidentes passe avant tout le reste.

— Oui, bien sûr.

La femme me donna l'adresse.

Je repris la 280 en direction de la grande ville, suivis la route 1 qui traverse le Presidio et me dirigeai vers le Golden Gate. Le brouillard enveloppait le pont, serpentant par vrilles autour des véhicules. Périodiquement, une trouée dans les nuages ouvrait la vue sur un navire dans l'eau en contrebas, ou sur Alcatraz dans le lointain.

Du côté nord du pont, je montai la pente à travers un épais brouillard, empruntai le tunnel et ressortis dans une atmosphère dégagée, le brouillard retenu par la crête montagneuse qui s'élevait au nord et continuait jusqu'au mont Tam.

L'Église unitarienne universaliste se trouvait dans une rue latérale, dans un immeuble commercial isolé qui avait l'air d'avoir été autrefois un petit marché de fruits et légumes. Je me garai et entrai dans l'immeuble.

L'entrée ouvrait sur une grande pièce où étaient disposées des chaises en deux demi-cercles parallèles. Au point focal se trouvait un tabouret de bar rond. Le mur du fond était un tableau blanc sur lequel on pouvait lire « Les 6 clés de la communauté » écrit au marqueur. Au-dessous était écrit : « Dans chaque tranche de population, un dialogue socratique est l'un des meilleurs moyens de produire engagement et inclusion. »

La rencontre de la religion et de l'intelligentsia.

Sur un côté de la pièce, il y avait un grand comptoir où reposaient une machine à expresso et des piles de tasses en porcelaine sur des napperons en papier.

Un côté de l'entrée donnait sur une officine. Je tirai la porte à moi et y entrai.

Une femme était assise à son bureau. Il y avait une porte ouverte dans le mur du fond. À travers l'ouverture, je vis une autre femme assise à une autre table de travail. Elles ressemblaient toutes les deux vaguement à Jodie Foster, jolies mais sans en rajouter. Elles étaient bien habillées, en tenue professionnelle décontractée, dans les gris et les bruns. De loin, aucune ne semblait porter de maquillage ni de bijoux en dehors de petites boucles d'oreilles. Elles avaient des coiffures que l'on ne pouvait décrire que par le terme « raisonnable ». Je ne sentis pas de parfum. Elles parlaient au téléphone, des voix cultivées, plus basses que la moyenne, choisissant intelligemment leurs mots. Pas de bavardage inutile. L'émission « All Things Considered » de la NPR[5] sortait d'une

---

5 NPR : National Public Radio, principale radio non commerciale des États-Unis. (*N.d.T.*)

petite radio placée au sommet d'une étagère. Les plateaux des deux bureaux étaient dégagés, propres, organisés. Il n'y avait ni beignets ni café. Pas de plaque portant un aphorisme gravé. Pas d'autocollant en forme de cœur annonçant « Bonne journée à vous ». Pas de petite grenouille sculptée, assise les pattes croisées sur le rebord d'un pied de lampe ou d'un classeur à dossiers. Pas de photo d'enfants dans un petit cadre en plexiglas. Pas de tasse à café arborant un logo sportif et servant à ranger les crayons.

Sur la table, à l'entrée, il y avait une pile d'exemplaires du *New Yorker* et une autre pile d'exemplaires de l'*Atlantic Monthly*. Dans une des étagères reposait la collection complète de *L'Histoire de la civilisation* de Will et Ariel Durant, la première que je voyais qui fût suffisamment usée pour donner l'impression que les livres avaient peut-être été lus. Les autres titres portaient en grande partie sur l'humanisme, le laïcisme et le libre arbitre.

Il n'y avait ni pamphlets ni icônes accrochés aux murs, ni tableaux, sculptures ou autels, ni rien qui fût de nature religieuse.

À la voix de la femme qui se trouvait en face de moi, je reconnus la personne à qui j'avais parlé au téléphone depuis Woodside.

Elle raccrocha, prit soigneusement note de quelque chose dans son agenda, et leva les yeux vers moi.

— Oui ? Que puis-je faire pour vous ?

— Je suis Owen McKenna. Je vous ai contactée au téléphone à propos de Melody Sun.

— Oui, bien sûr. Puis-je voir une pièce d'identité, je vous prie ?

Je sortis ma licence de détective privé.

Elle l'étudia.

— Je vous demande un instant.

Elle se leva et passa dans le bureau à l'arrière. Je les entendis parler à voix basse, mais ne distinguai pas les mots. Elle revint.

— Veuillez entrer ici, M. McKenna. (Elle me conduisit dans l'autre bureau.) Je vous présente Samantha Abrams. C'est notre directrice. Elle sera ravie de vous aider.

L'autre femme se leva, me serra la main.

— Enchantée de vous rencontrer, M. McKenna.

Je vis qu'elle avait ma licence à la main. Elle me la rendit. La première femme sortit et ferma la porte derrière elle.

— Mary m'a dit que vous posiez des questions sur Melody Sun ?

— Oui.

Je lui expliquai mon passé dans la police de San Francisco et comment j'avais rencontré Melody après la mort de sa cousine Grace.

— J'essaie de localiser Melody pour l'informer que nous avons sans doute trouvé l'assassin de sa cousine. J'ai cru comprendre que Melody était dans une période difficile. Cela l'aidera peut-être de savoir que le meurtrier pourrait enfin être puni.

Samantha soutint mon regard pendant un long moment, puis baissa les yeux et tripota un bouton de son chemisier.

— Je crains d'avoir de mauvaises nouvelles pour vous, M. McKenna. Melody est arrivée ici dans un triste état. Sérieuse dépression, découragée par sa situation. En l'espace de quelques mois, elle qui avait mené une vie relativement heureuse s'est retrouvée sans domicile et sans argent. Elle a vécu chez nous six jours, et chaque jour, elle semblait aller plus mal. Notre psychologue d'astreinte a travaillé avec elle. Il a dit que Melody souffrait d'une grave dépression et avait besoin de voir un psychiatre et de suivre un traitement médicamenteux approprié dès que possible. Il a également dit ce que nous pouvions toutes voir, que Melody était remarquablement intelligente. Mais bien sûr, les gens intelligents sont parfois ceux qui supportent le moins la dépression. Nous avons donc pris rendez-vous pour Melody le lendemain. Mais Melody est partie l'après-midi même et n'est pas revenue. Tôt le lendemain, nous avons reçu un appel de la patrouille du Golden Gate. La camionnette de Melody avait été retrouvée à quatre heures du matin, garée au milieu du pont. Le véhicule était positionné de travers, comme si elle avait freiné brutalement en le faisant déraper. La portière avant était ouverte, et le moteur tournait. Melody n'était visible nulle part. Il y avait un post-it collé sur le volant qui disait : « Désolée, je ne peux plus supporter cette vie. »

— Elle s'est suicidée, dis-je.

— Ils n'ont jamais retrouvé le corps. Mais à ce qu'ils nous ont dit, c'est souvent le cas. Même quand quelqu'un voit la personne sauter et continue de regarder, le corps coule souvent à pic et n'est jamais récupéré.

La nouvelle m'avait sonné. Peut-être la mort de Melody n'était-elle pas liée à celle de Grace, mais la coïncidence paraissait trop forte. Quand Grace s'était fait tuer, j'avais vu l'effet dévastateur que cela avait produit sur Melody. Il était impossible de ne pas penser que le meurtre de Grace avait déclenché une cascade d'événements, dont le point culminant avait été le suicide de Melody trois ans plus tard.

— Je suis désolé, dis-je.

— Oui, c'est très dur. Plusieurs des autres résidentes du Trait d'union sont bouleversées. Elles éprouvaient de la compassion pour Melody. Elles comprenaient sa douleur. Nous sommes particulièrement vigilantes avec elles.

— Avez-vous pu contacter sa famille ?

— Melody nous a dit qu'en dehors de son mari qui a disparu il y a des mois, elle n'avait aucune famille.

Je me levai.

— Merci de m'avoir accordé votre temps.

— Je vous en prie.

Chapitre 20

L'agent Ramos m'appela alors que Spot et moi attaquions la première grande pente des collines El Dorado marquant le début des contreforts.

— Le sergent Santiago m'a rapporté les dires de Watson affirmant que Nick O'Connell était l'auteur du détournement, dit-il. Nous avons la photo donnée par O'Connell lors de sa réservation. Elle est meilleure que le dessin de l'artiste, mais pas tellement. Je l'ai montrée à Street. Elle ne peut pas l'identifier formellement, mais elle dit que c'est une bonne possibilité. J'aimerais vous en apporter une copie. Je peux être chez vous dans un quart d'heure.

— Excellent. Je remonte la 50, mais je ne suis qu'à Cameron Park, alors je ne serai là que dans environ une heure vingt.

— D'accord, je viendrai dans une heure vingt, répondit-il.

Ramos était assis dans sa Suburban, garée dans mon allée, à mon arrivée. Il parlait dans son téléphone portable. Je lui fis signe et emmenai Spot dans le chalet.

Il cogna à la porte cinq minutes plus tard.

Quand j'ouvris, il fit un pas en arrière et fronça les sourcils à l'adresse de Spot, qui cherchait à sortir en passant la tête entre moi et le montant de la porte.

— J'ai un pantalon noir, dit-il. Votre molosse a des poils blancs.

Son visage était dénué d'expression, mais sa voix était tendue.

J'indiquai Spot du doigt.

— Toutes ses taches sont en poils noirs, dis-je. Alors certains passeront inaperçus.

Ramos m'adressa un regard torve.

Je poussai ma hanche vers le côté, de sorte que Spot était coincé contre le montant et ne pourrait pas facilement atteindre Ramos.

— Spot, tu n'irais pas perdre tes poils sur l'agent Ramos, quand même ?

Spot leva les yeux vers moi. Sa queue battait contre le placard, juste à côté de la porte d'entrée.

— Cette chanson des Beatles, *Love Me Do*, passe à la radio, déclara Ramos. Sa queue bat le même tempo que la mélodie.

— J'imagine que vous vous êtes qualifié à son test affectif.

— Il ne songe probablement qu'à faire de moi son déjeuner.

— J'en doute. Il n'a mâchonné aucun diplômé en droit depuis plus d'une semaine.

— Peut-être avons-nous mauvais goût, répliqua Ramos.

C'était la première fois que je l'entendais s'essayer à l'humour.

Je saisis le collier de Spot et le retins pendant que Ramos franchissait précautionneusement la porte.

Ramos passa devant le rocking-chair et posa une hanche sur l'un de mes deux tabourets de bar, placés devant le plan de travail de mon coin cuisine. Il posa un talon sur le support en forme de croix. Ses chaussures noires étaient aussi polies et brillantes que ses cheveux et sa moustache noirs. Le pli de son pantalon formait un angle aigu.

J'obligeai Spot à s'étendre sur son lit en copeaux de cèdre.

Ramos me tendit la photo, s'attendant à ce que je vienne la prendre. Le geste pouvait être condescendant. Il était également possible qu'il ait peur de s'approcher de Spot.

Je la lui pris.

Le cliché de Nick O'Connell était l'exemple même de ce qu'une photo ne peut révéler.

— La masse des cheveux, de la barbe et des sourcils colle avec mon souvenir de l'auteur du détournement, dis-je. Mais je ne reconnais rien d'autre. Ses yeux et son nez paraissent ordinaires. Si on lui collait d'autres yeux ou un autre nez avec Photoshop, rien ne changerait. Ce type était probablement l'auteur de l'agression. Mais ça signifie qu'il pourrait s'agir de n'importe qui. Les cheveux et la barbe constituent des suggestions, rien de plus.

Je lui rendis la photo.

Ramos leva la main, la paume vers moi.

— C'est une copie que j'ai faite pour vous.

— Merci.

J'informai Ramos des autres détails des événements depuis que j'avais parlé à Watson.

— Anna doit regretter d'avoir contacté sa mère biologique, déclara Ramos quand j'eus fini. Grace s'est fait assassiner, et Anna s'est retrouvée hantée par un mystérieux meurtrier qui veut un journal dont elle ne sait rien. Et maintenant Melody a sauté du Golden Gate.

Ramos se leva et, décrivant un arc de cercle pour garder ses distances vis-à-vis de Spot, alla à la porte coulissante et regarda à travers la vitre en direction du périmètre montagneux encerclant le lac.

— Comment Anna a-t-elle échappé à l'attaquant dans sa chambre à coucher ? demanda-t-il, toujours tourné vers le lac. Elle a une formation de commando ?

— Je ne pense pas. Elle est juste méticuleuse. Elle a insisté sur le fait que Grace lui avait appris à tout planifier soigneusement. Apparemment, Grace affirmait que l'on peut affronter n'importe quelle possibilité effrayante, simplement en s'y préparant bien. Si Anna avait eu une expérience militaire, elle se serait presque certainement concentrée sur les armes qu'elle pouvait se procurer. Mais d'après ses dires, il ne semble pas qu'elle ait même songé à s'armer. Tout ce qu'elle voulait était un moyen de fuir.

— Bien vu, dit Ramos en tournant le dos à la porte coulissante. Peut-être Grace soupçonnait-elle qu'on pourrait faire du mal à Anna, et lui a-t-elle donné des leçons de préparation à cause de cela. Qu'en pensez-vous ?

— Je ne sais pas. Je suis mal à l'aise face à cette affaire depuis le début. Nous avons supposément arrêté le meurtrier de Grace. Mais ça ne colle pas. Arrêter un meurtrier ne répond pas à cette question :

pourquoi Watson – ou quelqu'un d'autre – aurait-il assassiné une femme qui ne semblait être une menace pour personne ? Tant que nous ne comprendrons pas quel était le lien entre Watson et l'auteur du détournement, je ne me sentirai pas mieux.

Ramos fronça les sourcils. Son visage était l'image même d'une extrême concentration. Je me demandai s'il se détendait jamais. S'il le faisait, c'était probablement avec la même intensité.

Ramos reprit :

— Anna vous a dit que son agresseur faisait tournoyer un couteau. Ça ressemble à ce qu'a dit Street concernant l'auteur du détournement.

J'acquiesçai.

— Watson s'est ouvert à vous, continua-t-il, et vous êtes celui qui l'a arrêté. Il refusait de nous parler, à nous.

— Peut-être l'avez-vous usé, et j'ai eu un coup de chance.

— Ne me faites pas le coup de la fausse modestie, McKenna. Vous saviez visiblement comment le faire parler.

J'attendis une fraction de seconde.

— Watson a parlé d'O'Connell comme d'un porte-couteau. Je lui ai demandé ce qu'il entendait par là, et il m'a décrit cet homme comme une sorte d'artiste dans sa manière d'employer une lame pour commettre ses actes de violence. Il a également mentionné qu'O'Connell faisait un numéro avec son couteau en le faisant tournoyer.

— La manière dont l'agresseur d'Anna a exigé qu'elle suive ses instructions paraît semblable à ce qu'a fait le preneur d'otage quand il vous a appelé. Il se comporte comme O'Connell. Parle comme O'Connell. Manie le couteau comme O'Connell.

— Tout juste. Voici une autre énigme qui ne tient pas debout. Anna m'a dit que Grace l'avait emmenée à la bibliothèque municipale de San Francisco et lui avait montré un livre sur la ruée vers l'or. Le livre mentionnait un événement appelé la guerre de Mulligan.

— Ce qui signifie ? demanda Ramos.

— Une querelle concernant un terrain à l'époque de la ruée vers l'or, qui impliquait une personne nommée Mulligan et une autre du nom de Gan Sun.

— Quel rapport avec Anna et Grace ?

— Simplement que l'arrière-arrière-grand-père de Grace a connu des épisodes violents. Ce Mulligan a essayé de le lyncher. On dirait que les ennuis sont héréditaires, dans cette famille.

— Drôle de coïncidence. Mais il serait vraiment tiré par les cheveux d'imaginer que tout ça a le moindre lien avec une dispute qui s'est produite il y a cent cinquante ans.

— Je serais de votre avis, dis-je, sinon que d'après Anna, Grace a mentionné qu'un certain O'Connell était impliqué dans l'histoire de Mulligan et de Gan Sun.

— Il semble que le journal soit au centre de cette affaire.

Ramos tendit la main vers le récipient à cure-dents sur le plan de travail de ma cuisine, et en tira un. Il l'examina de près, le retourna, et l'introduisit entre ses dents. Du côté supérieur droit. À trois heures. Il fit un mouvement de levier avec, d'avant en arrière, puis sortit le cure-dents de sa bouche. Il tira un mouchoir de sa poche et s'essuya soigneusement le bout de la langue. Ensuite, il essuya le cure-dents, le posa sur le plan de travail, plia trois fois le mouchoir avec soin, et le glissa à nouveau dans sa poche.

J'ignorais totalement si Ramos avait jamais étudié le dossier Grace Sun. S'il l'avait fait, il aurait su que le journal avait été trouvé sur le corps de Grace, et que j'étais moi-même au courant.

Je déclarai donc :

— Quand on a trouvé le cadavre de Grace, elle avait un journal sous sa chemise.

— Le journal que cherchait l'agresseur d'Anna, répondit Ramos en hochant la tête.

— Exact. Il était écrit en chinois et en grande partie brouillé par un séjour dans l'eau. Un professeur de Berkeley n'a rien pu en tirer d'utile. Le fait que l'agresseur ait dit à Anna qu'il voulait le journal suggère que le document contenait quelque chose de précieux. Peut-être Watson et O'Connell étaient-ils tous deux après le journal, et ont-ils élaboré un plan. Watson a baratiné Grace et s'est fait inviter à prendre le thé. Il a amené O'Connell avec lui. La tension est montée. Grace et Watson se sont battus, elle l'a griffé, et O'Connell a répondu en lui fracassant le crâne avec la poêle à frire. Ça expliquerait comment ils étaient tous deux impliqués, et pourquoi Watson avait l'air sincère quand il m'a dit qu'il ne l'avait pas tuée. Si c'est O'Connell qui l'a tuée, alors O'Connell sauverait sa peau en faisant condamner Watson pour le meurtre. Mais Watson ne voudrait pas accuser O'Connell parce que, sans ADN pour le prouver, il devrait reconnaître que lui-même a participé au crime. Il serait inculpé de complicité.

— Reconstitution malaisée, dit Ramos. Mais possible. Et le détournement ? Comment l'expliquez-vous ?

— Tout aussi malaisément. Quel que soit l'objet de valeur que décrit le journal, Nick le Couteau le voulait pour lui seul. Une fois débarrassé de Watson, il aurait pu partir à sa recherche. Il a donc concocté un moyen de me pousser à arrêter Watson.

— La question subsiste, intervint Ramos. Pourquoi O'Connell n'a-t-il pas simplement tué Watson au lieu de vous impliquer ?

Je secouai la tête.

— Là, je sèche.

— Une idée de l'endroit où se trouve le journal ?

Je tendis la main à côté du grille-pain, pris le journal et le lui tendis.

— Je croyais que le meurtre de Grace Sun était un dossier toujours ouvert, déclara-t-il en feuilletant le journal.

— Il l'est.

— Cet objet n'est pas une pièce à conviction ?

— Si, répondis-je.

— Le fait qu'il soit en votre possession présente-t-il un problème de rupture de la procédure de conservation ?

— Oui.

Ramos me dévisagea.

— Mais à chaque étape, nous avons noté, signé, posé la main sur le cœur et juré fidélité à la loi.

Ramos jeta le journal sur mon plan de travail.

— Je ne peux même pas lire, tout est complètement brouillé.

— Vous lisez le mandarin ?

— Jamais essayé, je ne peux donc pas affirmer que non.

Encore de l'humour. J'étais impressionné.

Chapitre 21

Après le départ de Ramos, je composai le numéro du Dreamscape.

— Tahoe Dreamscape, croisières de rêve sur le lac Tahoe, me répondit une jeune femme.

Elle prenait une voix légèrement rauque. Ce qui augmentait probablement un peu les ventes auprès des hommes, et diminuait beaucoup plus les ventes auprès des femmes.

— Je m'appelle Owen McKenna. Pourrais-je parler au propriétaire, je vous prie ?

— Je suis désolée, le propriétaire n'est pas disponible. Je peux vous passer le répondeur de notre responsable des croisières, Darren Fritz.

— Si le propriétaire est absent, je parlerai au capitaine Richards.

— Désolée, le répondeur du capitaine Richards est saturé. Ces derniers jours ont été…

Elle s'interrompit, prenant soudain conscience que les raisons de l'emploi du temps soudain très chargé de Richards n'étaient pas un sujet dont elle devait parler.

— Puis-je parler à la personne actuellement responsable ?

— Comme je vous l'ai dit, je peux vous passer le répondeur de Darren Fritz. Sinon, la seule chose pour laquelle je puis vous aider, ce sont les ventes de billets.

J'avais conscience que son boulot consistait à empêcher les personnes comme moi de passer son barrage. Je n'aimais pas me montrer grossier, mais j'avais besoin de gagner du temps.

— Et vous êtes ? demandai-je.

— Je m'appelle Traylynn, monsieur, et j'ai des appels d'acheteurs auxquels il me faut répondre, je vais donc devoir vous mettre en attente pendant que vous décidez si vous voulez laisser un...

— Traylynn, l'interrompis-je, si vous me mettez en attente, vous recevrez une visite personnelle, à votre domicile, de la police locale. (Je suis aussi capable de mentir que n'importe qui.) Je suis le détective pour lequel votre preneur d'otage s'est livré à sa petite mise en scène. Deux hommes sont morts, ce qui ne représente pas un événement insignifiant sur votre bateau. Vous pouvez donc me passer le propriétaire du bateau, ou le capitaine Richards, ou me donner le numéro de portable personnel du propriétaire.

— Mais...

— Je comprends que vous avez ordre de ne faire ni l'un ni l'autre. Vous allez donc devoir prendre une décision responsable, Traylynn.

— Je vais m'attirer des tas d'ennuis. Si j'appelle son numéro, je perdrai mon emploi.

La voix rauque s'était évanouie. Elle s'exprimait maintenant par glapissements aigus. Si je la poussais, elle se mettrait à pleurer.

— Alors donnez-moi son numéro de portable. Je ne dirai pas comment je l'ai obtenu.

J'attendis. Son souffle s'entrecoupait de petits gémissements. J'entendis tourner des pages.

— Très bien. Le code régional est 316. (Elle me lut le numéro.) Et vous ne direz à personne qui vous l'a donné ? S'il vous plaît ?

Elle était suppliante.

— À personne. Merci.

Je raccrochai.

Je me renseignai sur le code régional. Wichita, Kansas. Je composai le numéro.

— Ford Georges à l'appareil.

Juste trois mots, et la voix douce me parut intelligente, bohème et légèrement prétentieuse. Comme un conservateur de musée ou un compositeur classique, avec une voix un peu traînante. Il prononçait Georges comme s'il disait « Gorge », mais en commençant par un G doux.

— Ford, je m'appelle Owen McKenna.

— Oh mon Dieu. Owen McKenna. Je n'avais jamais entendu parler de vous jusqu'à ces derniers jours, dit-il. Mais bien sûr, vous êtes maintenant une figure d'importance dans le monde du Tahoe Dreamscape. Je comptais vous appeler. J'espère que vous allez bien. C'était un drame terriblement éprouvant auquel vous avez été mêlé. Et vous vous en êtes bien sorti.

— Ça va.

— L'agent spécial Ramos m'a dit que ça irait. Il dit que vous êtes coriace, que vous avez vu pire. À propos, comment avez-vous obtenu ce numéro ?

— C'est mon boulot. Je suis détective.

— Oh. Bien sûr. Vous savez compromettre la base de données. Ou l'un de mes employés.

— J'aimerais vous parler. Quand serez-vous à Tahoe, et quand pouvons-nous nous rencontrer ?

— En fait, je suis à Tahoe en ce moment même, mais mon emploi du temps est affreusement chargé. Ce sera dur cette semaine parce que…

— Ford, l'interrompis-je, encore frustré après ma conversation avec sa vendeuse de billets. Je ne vais pas jouer au jeu des emplois du temps avec vous. Choisissez un horaire aujourd'hui ou demain. Annulez un rendez-vous. Ou passez-vous de dîner.

— Eh bien, je consulte Teri, normalement. Laissez-moi attraper le calendrier. (J'entendis du mouvement et des bruits de papiers remués.) Dans une heure, ça vous irait ? Nous venons de recevoir notre livraison d'alcool sur le bateau. Je pourrais ouvrir une bouteille de Moët. Ça ne vous remboursera pas des efforts que vous avez accomplis en notre nom. Mais je suis votre débiteur. Cela vous convient ?

— Très bien. Vous voulez que je vienne à bord du Dreamscape ?

— Je vous en prie. Vous savez où il est amarré ? Crystal Bay ?

— J'y serai.

J'étais sur la route, roulant vers le nord en direction du village d'Incline, quand mon téléphone sonna.

— Allô, dis-je.

C'était Anna.

— Je n'arrête pas de penser à mon agresseur, dit-elle.

— Moi aussi.

— Ça fait trois ans. Je vis avec la peur au ventre, dit-elle.

— Oui.

— Et d'après toutes les indications, c'est presque certainement le type qui s'est noyé, dit-elle.

— Probablement. Mais nous n'en avons pas la certitude.

Elle resta silencieuse un moment.

— Je me dis que je n'ai plus besoin de me cacher, reprit-elle.

— J'attendrais à votre place. Je ne comprends pas encore ce que tout ça veut dire. Et tant que je ne comprends pas, je crois que vous devriez garder profil bas.

— Vous ne comprenez pas vraiment ma situation, n'est-ce pas ? Vous ne pouvez pas savoir à quel point c'est dur de vivre caché. De ne pas pouvoir rentrer chez soi, marcher dans les rues, manger au restaurant, sortir avec de vieux amis.

— Anna, je sais…

Elle m'interrompit :

— Je leur envoie des e-mails, bien sûr. Et j'ai expliqué la situation à certains d'entre eux. Et certains comprennent. D'autres me croient folle. Mais ceux à qui je ne l'ai pas dit ? Ceux à qui je tiens beaucoup mais qui ne partagent pas avec moi un passé qui me permettrait de leur dire ce qui s'est produit ? Ils sont gentils, mais ils croient que je les ai juste écartés de ma vie. Que je ne les apprécie pas vraiment, mais que je continue de communiquer par culpabilité, ou je ne sais quoi. Vous savez ce que ça fait ? Avez-vous la moindre idée du genre de nœud qu'on a à à l'estomac quand on est prise au piège par des circonstances qu'on ne peut pas expliquer ? Et si vous sortiez de votre silence pour leur dire ce qui s'est passé, ils vous prendraient pour une schizophrène paranoïaque.

— Ce que je voulais dire, c'est…

— C'est si facile pour vous de me dire de garder profil bas, m'interrompit-elle. Mais c'est moi qui n'ai plus de vie. C'est moi qui dois regarder des deux côtés avant même de passer ma porte. Eh bien, je ne vais plus le faire ! Je ne vais pas vivre dans la peur, laisser quelqu'un d'autre contrôler ma vie ! Il y a des choses que je veux faire. Je peux faire un peu de bien dans ce monde merdique. Je peux lancer mon école technologique pour filles. Je peux changer les choses !

— Bien sûr que vous pouvez, Anna. Mais attendez encore un peu. Vous vous en sortez encore bien dans votre travail.

— Non ! Vous ne comprenez pas, Owen ! Tant que je vivrai dans une camisole de force, je ne pourrai rien faire de vraiment bien. Si je retourne dans le monde réel, je pourrai obtenir ces subventions. Je pourrai assister aux conseils d'administration de ces fondations éducatives. Si je peux faire mes présentations en personne, je sais que j'obtiendrai des fonds pour Visez les sommets. Mais si je reste cachée, savoir si j'ai quelque chose de spécial à offrir au monde importe peu. Je ne suis personne. Je suis comme un chat qui refuse de sortir de sous le lit. Une vie vécue dans la peur n'est pas une vie, Owen !

J'essayai de commenter, elle protesta, et nous nous saluâmes laconiquement.

Chapitre 22

Le port d'attache du Dreamscape était une jetée près de Stateline Point, à l'extrémité occidentale de Crystal Bay. Je longeai la rive est et traversai le village d'Incline. C'était un après-midi spectaculaire, une carte postale automnale. Les trembles arboraient leurs plus vives couleurs, et les jaunes dorés scintillaient sur la toile de fond du lac, d'un bleu étincelant.

La route décrivait une courbe, dans le sens inverse des aiguilles d'une montre, autour de Crystal Bay. À l'endroit où la route plongeait à proximité de l'eau, j'aperçus le Dreamscape flottant contre sa jetée, au bout de la pointe. La vue était jolie, et le yacht dégageait une impression de luxe. Deux kilomètres plus loin, la route remontait progressivement vers le petit bourg de Crystal Bay, où la ligne séparant la Californie du Nevada passait en descendant au beau milieu de la station de Cal Neva, et était peinte sur le sol de l'hôtel. Cet hôtel fastueux, autrefois propriété de Sinatra, avait été un lieu de rencontre pour des gens comme Marilyn Monroe et les frères Kennedy.

Deux pâtés de maisons avant le principal carrefour de ce bourg à l'unique feu rouge, je tournai à gauche pour suivre une route sinueuse qui, pensai-je, me ferait rejoindre la jetée du Tahoe Dreamscape en contrebas.

Je me retrouvai dans un petit parking près d'un marchand de plage dont la minuscule cahute arborait un panneau annonçant « Les hors-bord de Jackie ». À proximité s'alignaient plusieurs embarcations individuelles. Le Dreamscape n'était pas visible. J'étais au mauvais endroit.

Je descendis de voiture et trottai jusqu'à la cabane. Un homme potelé, dont le bronzage excessif était bien parti pour donner naissance à un mélanome, se leva de son haut tabouret et se pencha par la porte de la cabane. Ses cheveux blonds blanchis par le soleil étaient tirés en dreadlocks de rasta, qui avaient l'air d'avoir été mouillés de temps en temps mais pas lavés depuis au moins un an. Je ne voulais pas trop m'approcher, de peur que des créatures comme celles qu'étudie Street ne sautent sur l'occasion de trouver une nouvelle planète hôte dans une galaxie éloignée de leur domicile actuel.

— Salut, mon frère, lança l'homme aux dreadlocks. Il fera encore clair pendant une heure ou deux. Magnifique après-midi pour une balade à sensations fortes. Il fait doux, et les touristes sont rentrés chez eux. Vous aurez le lac pour vous tout seul.

— Sans doute. Vous êtes Jackie ?

L'homme eut un grand sourire.

— Le seul et l'unique. Vous voulez un bateau ? Je fais un tarif spécial de fin de saison sur la location.

— Merci, Jackie. Je ferai peut-être un tour. Mais pas aujourd'hui. J'ai un rendez-vous à bord du Tahoe Dreamscape. Je croyais que cette route y menait.

Jackie avait l'air très déçu. Il recula lentement de deux pas, rentra dans sa mini-cabane et s'assit sur le tabouret de bar. L'impact fit tressauter un petit présentoir placé sur le comptoir derrière lui. Ce qui ressemblait à un ensemble de clés de hors-bord se balança à l'unisson, comme un présentoir de pendentifs d'oreilles.

— Le Dreamscape, c'est la route suivante en descendant, dit-il en donnant des coups de pouce par-dessus son épaule.

— Merci, répondis-je, et je repartis.

Je remontai jusqu'à l'autoroute, roulai jusqu'au croisement suivant, et redescendis vers le lac.

Le Dreamscape flottait paisiblement à côté de sa jetée. Les bâtiments et maisons du village d'Incline parsemaient les bois de l'autre côté de Crystal Bay. Au-dessus, on voyait les pistes de ski de Diamond Peak, désertes et verdoyantes, attendant la neige et les skieurs qui arriveraient par hordes au moment de Thanksgiving. Le parking réservé au Tahoe Dreamscape était niché au milieu des arbres au-dessus de la jetée. Spot était resté un long moment sans bouger ; je décidai donc de l'amener avec moi.

Il est assez grand pour que je n'aie pas besoin de laisse. Je le tenais par le collier en suivant le chemin bituminé menant aux marches de bois, que nous descendîmes pour atteindre la jetée où le Dreamscape flottait, l'air plus récent et plus romantique, dans la chaude lumière du soleil couchant, que le bateau sur le pont strié de rouille duquel j'avais tenté de négocier avec le preneur d'otage cinq jours plus tôt.

Spot se dressait tel un premier de la classe, comme le font souvent les chiens quand on les maintient fermement par le collier. Nous traversâmes la jetée jusqu'à la rampe d'embarquement, une passerelle large de quatre-vingt-dix centimètres munie, sous son extrémité, d'un mécanisme à roulettes qui reposait sur la jetée. Le grand navire tanguant au rythme de la légère houle qui agitait le lac, la rampe oscillait d'avant en arrière sur le revêtement de bois de la jetée, ses roulettes polissant des sillons de longue date dans les planches de cette dernière. Spot tourna avec moi et monta la rampe comme s'il avait passé toute sa vie sur des passerelles.

J'ouvris le loquet de la petite barrière placée au sommet de la passerelle, et nous passâmes sur le pont avant.

Le navire me paraissait différent après le traumatisme de la prise d'otage. Sans la foule terrifiée et l'atmosphère pesante d'un drame dans lequel des vies sont en jeu, sa disposition paraissait plus confortable, les coursives et escaliers moins étroits, les ponts ouverts parfaits pour découvrir la vue sur le lac et les montagnes. Pourtant, le bastingage où Street avait été attachée, un mince tube de métal qui n'aurait auparavant rien eu de remarquable, semblait maintenant fragile et inadapté à sa fonction : empêcher les passagers de choir dans les profondeurs de l'eau glaciale. Et le bateau, que j'aurais autrefois admiré pour ses lignes intéressantes, paraissait massif et gauche.

Je frappai trois fois à la porte du salon, tournai le loquet, et conduisis Spot à l'intérieur.

— Il y a quelqu'un ? lançai-je.

Pas de réponse.

Je passai devant le box en arc de cercle où j'avais serré Street contre moi quelques jours plus tôt.

Au fond du salon, il y avait deux portes à double battant. Je me dirigeai vers la porte située à bâbord et la poussai, passant dans la salle à manger. C'était un petit restaurant luxueux. Dix tables en érable de conception scandinave, chacune entourée de six chaises assorties. J'appelai de nouveau, mais ne reçus pas de réponse.

Spot et moi traversâmes la cabine, slalomant entre les tables. De l'autre côté de la salle à manger, également à bâbord, des portes battantes donnaient sur la coquerie. J'y jetai un œil, mais les lumières étaient éteintes. Du côté tribord se trouvait la sortie vers le pont arrière inférieur, et au-delà, vers le pont des embarcations où un canot gonflable était arrimé. Spot et moi ressortîmes. Je parcourus du regard les deux coursives extérieures qui reliaient les ponts avant et arrière. Il n'y avait personne.

Le pont arrière comportait un large escalier qui montait et descendait. Nous montâmes, les griffes de Spot cliquetant sur les marches métalliques. Le vaste pont arrière supérieur se projetait vers l'arrière aussi loin que la poupe située au-dessous. Sur le périmètre du pont étaient disposées des lanternes décoratives en forme de torches, sur de longues tiges effilées. Les lanternes et leurs tiges étaient peintes d'audacieux dessins à rayures de zèbre. Avec les lanternes allumées, une croisière vespérale à bord du Dreamscape constituerait un événement mémorable.

À l'avant du pont supérieur, deux marches montaient vers la passerelle de commandement. Nous les gravîmes. Un homme était visible à travers la vitre arrière de la passerelle. Debout entre les sièges du capitaine, il était tourné vers l'avant, face à un large panneau de commandes muni de multiples rangées d'indicateurs, de deux petits écrans informatiques, d'un gros compas analogique à l'ancienne mode, d'un empilement de matériel électronique qui rappelait une chaîne stéréo démodée, et d'autres appareils que je ne reconnus pas. L'homme tenait un téléphone contre son oreille, et en parlant, faisait des gestes de sa main libre comme un chef d'orchestre dirigeant la philharmonie.

Je m'approchai de la porte arrière et tapai sur la vitre. Il se retourna et me fit signe d'entrer tout en continuant de parler. S'il était surpris par la présence de Spot, il n'en montra rien.

Je tirai la porte à moi et entrai.

L'homme referma son portable, le glissa dans sa poche.

Il s'approcha de Spot, tendant la main, décontracté, sans regarder directement le chien.

— Quelqu'un qui m'a parlé de vous a mentionné ce petit gars, dit-il tandis que Spot le reniflait. Je vois pourquoi on appelle cette race l'Apollon des chiens. Waou. Un chien de garde de cette taille n'a même pas besoin de dents.

— Mais vous n'hésitez pas à l'approcher, dis-je. Visiblement, vous connaissez les chiens.

— Quand on grandit dans un ranch de la région de Wichita, on apprend à connaître les animaux. Ils sont pratiquement tous pareils pour ce qui est de juger les autres êtres. Si vous voulez éviter l'agression, vous vous comportez avec indifférence. Bien sûr, il faut se sentir indifférent, être indifférent, s'approprier le concept de l'indifférence, sans quoi ils sentiront l'entourloupe. Mais si vous réussissez, des animaux potentiellement hostiles ne percevront, à juste titre, aucune menace et vous laisseront tranquille. Les taureaux, les coqs, les mères coyotes. Même les grizzlys et les professeurs de musique. (Ford contracta les lèvres dans un demi-sourire.) Enfin, si les professeurs de musique ne sont pas affamés, ha ha. (Il gratta Spot sous le menton.) Ce petit gars doit avoir été nourri récemment. (Sa main remonta pour tripoter le brillant que Spot porte à l'oreille. Il se pencha, de sorte que son visage était à quelques centimètres de la gueule de Spot.) J'adore la pierre, mon gros ! Tu es si mignon !

L'homme tendit le bras pour me serrer la main.

— Alors vous êtes Owen McKenna. Ford Georges. Ravi de vous rencontrer.

Il pressa doucement ma main. Tout en la serrant, il toucha mon épaule de la main gauche. Puis il me regarda dans les yeux.

— Merci beaucoup d'avoir sauvé notre bateau. Nous vous devons plus que je ne saurais dire.

— Je vous en prie.

Ford était un type costaud, grand et élancé, d'environ quarante-cinq ans, peut-être plus petit que moi de dix centimètres et plus léger de dix kilos. Il portait une chemise en soie violette et un pantalon de soie noire. Ses pieds sans chaussettes arboraient des chaussures en cuir tressé aux semelles très fines, comme celles que j'aurais imaginées sur un réalisateur de films italien. Ford avait une de ces coupes de cheveux branchées, les cheveux du dessus fixés au gel, peignés et divisés par une raie centrale. L'arrière et les côtés étaient coupés si court que l'on pouvait voir ses cicatrices d'enfance, ses pores d'adulte et une minuscule veine qui serpentait à travers le territoire situé au-dessus de son oreille gauche, comme les méandres d'un ruisseau à travers la prairie du Kansas. Cette même oreille arborait deux petits brillants semblables à celui de Spot, mais probablement faits de vrais diamants.

— Vous avez sans doute de nombreuses questions à propos de ce qui s'est passé, dit-il. Mais je ne pourrai pas vous aider beaucoup. Ma femme Teri et moi n'étions pas à bord. Nous avons des appartements sous le pont, mais nous travaillons surtout de chez nous, et il s'avère que gérer un bateau consiste en quatre-vingt-dix pour cent de gestion et seulement dix pour cent de navigation. Nous n'avons même jamais fait une de nos croisières en tant que passagers. Nous n'arrêtons pas de dire que nous devrions nous faire passer pour des clients, essayer le menu « Emerald Bay » qui nous a rendus célèbres, faire tout le circuit.

— Vous n'avez pas toujours été dans l'organisation de croisières ?

Il secoua la tête.

— Dans les assurances. J'ai pris ma retraite et acheté ce bateau. Le meilleur moyen que j'ai trouvé de quitter Wichita.

— Vous vous en êtes bien sorti dans les assurances.

— Quand mon père a enfin accepté qu'un master en musique ne conduirait pas son fils à reprendre le ranch, il m'a dit que si la musique ne marchait pas, je devrais choisir plutôt une carrière dans les services, de préférence une activité sans lumières, sans excitation, sans festivités pour me distraire, parce que c'est comme ça qu'on peut vraiment gagner de l'argent. Bien sûr, je voulais les lumières, l'excitation et les festivités. Je rêvais d'emporter ma clarinette dans une grande ville, et de finir par intégrer un des meilleurs orchestres, puis de faire une carrière de soliste et d'enregistrer. Mais au bout du compte, je n'étais pas taillé pour. J'ai donc suivi le conseil de mon père, et j'ai monté une petite agence d'assurances à Wichita. Il s'est avéré qu'il avait raison. Et au Kansas vous n'avez pas beaucoup d'occasions de gaspiller votre argent, de sorte que je me suis constitué un beau petit pécule. Et maintenant je travaille deux fois plus dur et j'arrive à peine à financer mes dépenses, mais je ne m'ennuie pas. Et la vue ici est au moins aussi bonne que des kilomètres de champs de blé à perte de vue.

Il sourit largement.

— Qui d'autre, à part le capitaine Richards, fait partie de l'équipage du bateau ?

— Le second, Allen Paul, et nos trois matelots, Joshua Tolman et les jumeaux Andy et Warren. Si vous voulez leur nom de famille, il faudra que je vérifie. Ils sont nouveaux sur le bateau, arrivés depuis moins d'un mois.

— Ces gens-là étaient-ils à bord pendant le détournement ?

— Oui, bien sûr. Paul est toujours à bord quand nous naviguons. Et ce jour-là, Joshua et Warren étaient nos matelots.

— Quel serait le meilleur moment pour que je leur montre une photo ?

— La police leur a déjà montré des fiches anthropométriques, si c'est ce que vous voulez dire. Malheureusement, ils n'ont pu identifier personne.

— Nous enquêtons sur une nouvelle personne, dis-je. J'aimerais que vous examiniez sa photo, vous aussi.

— Avec plaisir. Bien sûr, vous vous souvenez que je n'étais pas là. Mais vous vous dites que ce type était peut-être venu à d'autres moments.

— Exact. Ou en relation avec vous dans un autre rôle.

Je sortis le cliché de Nick O'Connell donné par l'agent Ramos et le tendis à Georges. Il le prit, l'approcha de son visage, fit la grimace.

— C'est une photo floue, difficile d'en dire grand-chose. Le type a beaucoup de cheveux, c'est sûr. Du coup, on a du mal à voir son visage. Je ne crois pas l'avoir jamais vu.

Il allait me rendre la photo, mais se ravisa brusquement et la contempla, sa grimace s'accentuant.

— Attendez. Je crois avoir vu ce type. Je ne sais pas où. Peut-être à la station-service. Ou peut-être était-il à bord l'un des rares jours où j'accomplis mon devoir maritime. Quelque chose dans son regard intense me paraît familier. Ça me rappelle quand j'étais en Norvège. Ces gens aux yeux bleus perçants.

Il me tendit la photo.

— Pas beaucoup de bleu dans cette photo, dis-je.

— C'est juste, dit Georges. Mais c'est le sentiment qu'elle me donne. Comme si je voyais cette intensité norvégienne dans ses yeux.

— Et vous n'avez aucune idée d'où vous l'avez vu.

Georges fronça les sourcils, contempla les montagnes de l'autre côté du lac, secoua la tête.

— Non. Je n'arrive pas à retrouver l'endroit. Ça aurait pu être n'importe où. À l'épicerie. À la banque. Peut-être cela me reviendra-t-il à trois heures du matin. Je vous tiendrai au courant si c'est le cas.

— J'aimerais la montrer à votre femme, dis-je.

— Certainement. (Il pressa un bouton d'interphone.) Teri ? Tu es à bord ?

Il y avait trop de craquements pour que je comprenne la réponse.

— Suivez-moi, dit Georges. Elle est en bas, dans la cabine de luxe à l'avant. Je peux vous faire visiter.

Nous redescendîmes par où j'étais venu vers le pont arrière inférieur.

— L'ancien propriétaire du Dreamscape était un homme d'affaires turc. Il avait fait fortune en exportant des articles turcs dans l'Union européenne, essentiellement, et en partie dans le reste du monde. Tapis et autres articles de mobilier. Il avait trouvé ce bateau en train de rouiller sur un chantier naval grec. Il l'avait acheté et reconstruit, assez pour qu'il convienne à Cléopâtre. Dix ans plus tard, il l'a vendu au comique Sammy Tuley. Ils l'ont fait venir de Méditerranée en Californie du Sud, et Sammy l'amarrait à Marina del Rey. Mais tout ça est arrivé juste avant le grand procès dans lequel Sammy a tout perdu. Vous vous en souvenez probablement. Quoi qu'il en soit, la perte de Sammy a été une aubaine pour moi. J'ai obtenu le bateau lors de la vente aux enchères de ses biens. Le chantier où il a été fabriqué avait conçu les cloisons de sorte que le yacht pouvait être divisé en sections multiples. L'une des divisions se trouvait ici même. (Georges agita le bras de droite à gauche au-dessus de sa tête, indiquant la structure d'acier.) Nous l'avons donc coupé en tranches, et mis les morceaux sur des camions pour qu'ils le livrent à Tahoe où nous l'avons fait réassembler sur le chantier naval de la rive ouest.

Georges fit un geste en direction de l'avant du bateau.

— Bien sûr, vous avez vu le salon principal, la salle à manger, et les divers ponts. Mais la meilleure partie du bateau se trouve en bas. Venez.

Georges nous fit descendre le grandiose escalier menant au niveau inférieur. En bas, il ouvrit un panneau dans un renfoncement au pied de l'escalier, et manipula plusieurs interrupteurs.

— Voici le grand salon, déclara Georges en décrivant de la main un grand arc de cercle.

La salle était décorée comme un bordel du XIXe siècle. Les murs étaient couverts de velours rouge. Chaque hublot était cerclé d'un large cadre circulaire doré, décoré dans un style renaissance italienne compliqué. Il y avait plusieurs groupes de fauteuils, tous couverts d'un tissu rouge, ayant chacun sa propre petite table. Sur les tables étaient placées des lampes à l'ancienne aux abat-jour de tissu rouge. Du périmètre de chaque abat-jour pendait un cercle de perles de verre qui scintillaient. Dans chaque coin de la pièce était installé un divan Récamier entouré de plusieurs fauteuils. Je visualisai l'Olympia de Manet et trois de ses sœurs comme points focaux dans les coins de la pièce, étendues, soutenues par des coussins de velours rouge, distrayant les clients quand le temps était trop inclément pour qu'ils s'installent sur les ponts, demandant aux hommes de leur offrir un autre verre de xérès vendu trois fois son prix.

— Je vous emmènerai à l'avant dans une minute. Mais laissez-moi d'abord vous montrer la salle des machines.

Ford Georges se dirigea vers le fond du salon et ouvrit une porte du côté tribord. La porte paraissait lourde, épaissie par une isolation de mousse.

— Regardez-moi ça, dit-il. C'était la partie la plus importante des remaniements effectués par le propriétaire turc.

Il actionna un interrupteur.

Georges entra dans une pièce qui était aussi ordonnée et propre que n'importe quelle salle des machines de la Marine américaine. Spot et moi enjambâmes le seuil de la cloison derrière lui. Deux énormes moteurs, chacun haut d'un mètre cinquante, occupaient le plus gros de l'espace, le reste étant rempli de tuyaux, de tubes, de gaines à câbles, de jauges, d'indicateurs, de générateurs et moteurs auxiliaires. Spot leva la truffe et renifla l'air, les narines dilatées. En dehors d'une unique tache d'huile sur le sol sous un appareil hydraulique, la salle des machines paraissait assez propre pour que l'on y exécute une opération chirurgicale.

— Diesels jumeaux Cummins, fanfaronna Georges. Construits pour être couplés. Mille cent chevaux-vapeur chacun. Le Dreamscape est peut-être grand, mais il peut filer à dix-neuf nœuds si le capitaine Richards met pleins gaz. L'ancien propriétaire a également installé des propulseurs à la proue, et ensuite Sammy Tuley lui a donné un système électronique tout neuf. Radar, GPS, pilote automatique, caméras infrarouges. Le Dreamscape est simplement le navire le plus moderne de tout le lac.

J'eus un hochement de tête admiratif, réalisant que s'il s'était agi de mon bateau, j'aurais probablement fait admirer le groupe moteur et les innovations électroniques, moi aussi.

Georges s'apprêta à sortir. Je remarquai une échelle et une écoutille dans le plafond qui menait à l'étage supérieur, mais je n'arrivai pas à situer où elle débouchait au niveau principal. Peut-être quelque part sur le pont arrière inférieur.

— Il y a des tas de passages sur ce vaisseau, dis-je en indiquant l'échelle.

George sourit comme un père fier de son enfant.

— On doit s'y attendre avec trois niveaux sur un bateau de trente mètres. Quatre niveaux, en comptant le pont des embarcations. Un jour, j'ai compté combien d'échelles, d'écoutilles et d'escaliers il y avait pour monter et descendre des différents niveaux. J'en ai dénombré plus d'une douzaine, et je ne suis toujours pas certain de les avoir tous trouvés.

Il nous fit retraverser le salon et passer dans un couloir aux multiples portes.

— Ce sont les cabines de luxe, six en tout. Nous n'avons pas encore décidé comment les utiliser correctement. Mais nous envisageons de lancer une croisière en circumnavigation. De deux ou trois jours. Avec un accent sur l'aspect culinaire. Nous pourrions faire escale dans les différents restaurants au bord du lac. Engager un chef réputé pour qu'il donne des cours de cuisine à bord.

Ford nous mena, Spot et moi, dans une petite salle de détente. Une échelle raide et étroite, munie de rampes, montait vers le salon situé au-dessus. La salle de détente comportait quatre portes, deux de chaque côté, menant sans doute dans les cabines de luxe. La porte devant nous était ouverte, et Georges passa dans la principale cabine. Il n'avait encore exprimé aucune réserve concernant Spot, de sorte que j'entrai avec lui sans demander la permission.

La cabine de luxe se trouvait sous le pont avant où j'avais discuté avec l'auteur du détournement. Bien que s'étrécissant en pointe à l'avant, elle était très grande, et plus proche dans ses dimensions et son style d'une luxueuse suite d'hôtel que de toutes les cabines de bateau dans lesquelles j'étais entré. Ses murs étaient revêtus de panneaux d'un bois foncé et luisant, elle était meublée d'un lit à baldaquin king size à bâbord, de deux chaises et d'une causeuse à tribord, d'un charmant poêle à bois et, à côté, d'un casier circulaire contenant des bûches. Il y avait trois autres portes, toutes fermées. L'une d'entre elles, sans doute, donnait sur les toilettes privées, l'autre peut-être sur un dressing, et la troisième ouvrait probablement sur un autre passage avec une échelle menant au pont avant.

Dans un coin, une femme était assise à un grand bureau, occupée à consulter un livre de comptes et à taper des chiffres sur une calculatrice. Elle avait l'air d'une pom-pom girl de lycée, intelligente et ayant passé la quarantaine. Des cheveux blonds courts et épais, un visage rond qui était plus mignon que joli, et une silhouette harmonieuse et soignée qui pouvait encore se permettre des pulls moulants sans la moindre gêne. Elle portait un sweat-shirt rose orné du slogan « Allez les Giants ». Sur le coin du bureau était étendu un gros chat tigré. Il avait une patte avant levée et retournée, et se léchait entre les griffes. En voyant Spot, il s'interrompit et le fixa, la patte toujours tournée vers sa gueule.

— Teri, je te présente Owen McKenna, annonça Ford.

— Ravie de vous…. (Elle leva les yeux, vit Spot, et prit une expression ravie.) Oh mon Dieu, quel chien magnifique ! (Elle se leva et contourna le bureau.) Comment s'appelle-t-il ?

Elle s'accroupit devant lui.

— Spot, répondis-je.

Entendant son nom, il leva la tête et me regarda.

— C'est parfait ! dit-elle. Spot !

Toujours accroupie, elle passa les mains partout sur la tête de Spot, et sur son poitrail. Il supporta ses attentions avec sa réaction habituelle, agitant régulièrement la queue, assez lentement. La femme se laissa tomber à genoux et le serra dans ses bras, le visage contre le cou de Spot, l'enlaçant de ses bras tendus. La tête de Spot s'inclina contre le dos de la femme. Sa langue haletante projeta de petites gouttes de salive sur l'arrière de son sweat-shirt rose.

Le chat, sur le bureau, n'avait pas bougé. Sa patte était toujours levée, figée, les griffes à hauteur de la truffe. Je vis la tête d'un autre chat sortir prudemment de derrière un classeur. Au-dessus du classeur, il y avait un petit renfoncement incurvé dans la paroi, avec en son centre un hublot. Dans le renfoncement était assis un autre chat, qui fixait Spot d'un air concentré.

Ford tendit la main vers un buffet qui renfermait un petit

réfrigérateur, et sur lequel étaient posées diverses bouteilles.

— Qu'est-ce que je vous sers ? J'ai diverses bières blondes, du Jameson, et comme je vous l'ai dit, du champagne Moët & Chandon.

— La même chose que vous.

Il prit la bouteille de Moët. Tout en détortillant le fil de fer, il indiqua d'un geste sa femme qui serrait toujours Spot.

— Est-ce que toutes les femmes réagissent à votre chien de cette manière ? me demanda Ford Georges.

— Non, dis-je. Je peux vous nommer au moins trois femmes qui ne se sont pas jetées sur lui.

— On aimerait avoir un peu de son charme, hein ? Les femmes se jetteraient sur nous.

Il fit sauter le bouchon et versa une bonne dose de champagne dans trois grandes flûtes qu'il avait sorties. Il en posa une sur le bureau de Teri, m'en tendit une et leva la sienne dans ma direction. Nous trinquâmes. La traînée de bulles montant du fond du verre étincelait dans la lumière des spots fixés au plafond. Dans le silence de la cabine bien isolée, j'entendais le sifflement des bulles qui éclataient.

Nous sirotâmes notre champagne pendant que sa femme continuait de tripoter mon chien. Elle finit par se relever et se mit à roucouler.

— Regardez ça ! Il est si grand que rien qu'en levant la tête, il peut me renifler le menton ! (Elle se pencha vers lui et se toucha le menton.) Et il a une boucle d'oreille ! Je ne l'avais même pas vue. Oh, espèce de grande brute magnifique ! Embrasse-moi.

Spot lui lécha le menton. La femme gloussa.

— Je n'ai jamais essayé de lécher le menton à une femme, dit Georges. C'est peut-être ça, le secret.

Finalement, la femme se tourna vers moi. Son sweat-shirt était parsemé de courts poils de chien, noirs et blancs. Elle me serra la main et annonça :

— Salut, je suis Teri Georges, assistante en chef de tous les membres de l'équipage. Vous connaissez déjà Ford, assistant de l'assistante en chef. Ravie de vous rencontrer, même si j'aurais préféré que ce soit à cause de circonstances différentes.

Je hochai la tête. L'un des chats, gros, orange et tigré, traversa bravement la pièce en direction de Spot. Même si Spot n'irait jamais faire de mal à un chat, je le saisis par le collier pour éviter tout mouvement susceptible d'effrayer un félin.

— Ne vous inquiétez pas pour Edgar, déclara Ford. Tout espoir pour moi d'être le mâle dominant dans le secteur s'est évanoui quand il a atteint l'âge d'un an et m'a découpé le menton en lambeaux, tout ça parce qu'un soir, j'ai essayé de le faire descendre de mes genoux. Il n'a peur d'aucun animal en dehors de l'aspirateur.

Edgar se dirigea vers Spot puis lui passa augustement sous le nez, à cinquante centimètres à peine, comme si Spot n'existait pas. Impressionnant.

— Quant à Rosalind et Celia, elles sont un peu plus typiques, continua Ford en indiquant les deux chats près du bureau de Teri. Elles vont rester à distance un moment, évaluer la situation et ensuite décider si elles veulent établir le contact ou non. Si elles considèrent Spot comme une source de chaleur acceptable, elles finiront par se lover contre lui.

— Trois chats, dont aucun n'a peur des chiens. Impressionnant.

— Oh, ce sont les plus sociables. Les autres ne vont même pas se montrer.

— Vous avez d'autres chats ? demandai-je.

— Ce n'est que le début de la liste, dit Teri. Il y a Portia, Jessica, Nerissa, Hortensio, Kent et Viola. (Elle se tourna vers Ford.) J'ai oublié quelqu'un ?

— Seulement Lucentio, mais il est oubliable.

— Des noms imaginatifs, remarquai-je.

— C'est l'œuvre de Teri, répondit Ford.

Teri leva les yeux des chats et de Spot, un petit sourire embarrassé sur les lèvres.

— Vous êtes là pour poser des questions concernant le détournement.

— Oui, dis-je. Les questions habituelles, en fait. Pouvez-vous me dire quoi que ce soit du détournement ou des deux hommes impliqués ?

Elle secoua la tête.

— Nous en avons parlé, mais rien ne m'a semblé sortir de l'ordinaire. Bien sûr, nous n'étions pas à bord ce jour-là. Nous n'y sommes pratiquement jamais. Mais rien d'inhabituel ne s'est présenté, si vous voyez ce que je veux dire.

— S'est-il produit quoi que ce soit d'inhabituel concernant votre entreprise ou votre vie privée, avant ou après le détournement ?

Ils secouèrent tous deux la tête, Ford Georges lentement et pensivement, Teri plus énergiquement.

— J'ai même consulté nos registres, dit-elle. À la recherche de choses comme : est-ce que les chiffres des ventes avaient changé, ou est-ce que nos créances avaient fait un bond dans un sens ou dans l'autre ? Évidemment, qu'est-ce que ça aurait à voir avec un détournement, mais je me suis dit : cherchons quelque chose de différent.

— Mais vous n'avez rien trouvé de différent, dis-je.

— Non. J'ai parcouru nos ordres d'achat, en me demandant si nous nous étions adressés à de nouveaux vendeurs. J'ai vérifié auprès de l'équipage pour voir si nous avions modifié une quelconque routine, acheté du carburant dans un nouvel endroit, changé de traiteur. Mais tout était comme d'habitude.

— La routine jusqu'au détournement, dis-je.

— La routine.

Je sortis la photo de Nick O'Connell.

— Je me demande si vous reconnaissez cet homme.

Elle prit la photo et fronça les sourcils de la même façon que Ford. Elle la contempla pendant quinze ou vingt secondes.

— Oui, je pense l'avoir déjà vu. Vous voyez comment son regard est… comment dirait-on… intense, j'imagine. Cette photo est délavée, mais on voit qu'il a des yeux vraiment clairs. C'est ce détail que je reconnais. Vous pensez que c'était le preneur d'otage ?

— Nous avons des raisons de le croire, oui.

— Mon Dieu, ça donne la chair de poule, n'est-ce pas ? Regarder son visage et réaliser qu'il a perpétré un tel crime. Ça paraît peut-être brutal, mais je suis contente qu'il soit tombé par-dessus bord.

— Quelque chose vous vient à l'esprit le concernant ?

Elle secoua la tête.

— Non. Mais plus je regarde ça, plus je me dis que j'ai déjà vu son visage, en particulier ces yeux. Mais je ne me souviens pas où. Vous connaissez ce sentiment, quand on a déjà rencontré quelqu'un et qu'on le voit en dehors du contexte ? Comme quand vous faites la queue au service des permis de conduire, par exemple, et que vous reconnaissez le type qui est devant vous, mais n'arrivez pas à le situer parce que vous le voyez habituellement derrière le stand de boucherie du supermarché ?

J'acquiesçai.

— Eh bien, c'est la même chose avec ce type, dit-elle. Je l'ai déjà vu. Je n'en jurerais pas au tribunal. Mais j'en suis à peu près sûre.

Elle me tendit la photo.

— Vous m'appellerez si vous retrouvez quand et où ? demandai-je.

— Oui, bien sûr. Et si je vous appelle, ça me vaudra plus de temps en tête à tête avec Spot ?

Spot la regarda.

— Absolument. (Je me tournai vers Ford.) Est-ce que l'un de vous a remarqué quoi que ce soit d'autre d'inhabituel, avant ou après le preneur d'otage ? Clients étranges, appels sortant de l'ordinaire, des signes de manipulation sur le bateau, quelque chose qui aurait disparu ou aurait été déplacé ?

— Rien ne me vient, dit Ford. Mais Teri, oui. (Il se tourna vers elle.) Qu'est-ce que tu as dit, chérie, à propos de la barrière ?

— Oh, juste qu'il y a quelques jours – je crois que c'était la veille de cette histoire d'otage – j'ai dû courir à la quincaillerie pour acheter de l'aérosol dégrippant. La porte de notre cambuse s'était mise à crisser horriblement en se refermant. C'était tôt le matin, et j'étais seule sur le bateau ; en partant, j'ai donc fermé à clé. Mais je n'ai pas verrouillé la barrière de la passerelle parce que c'est inutile quand tout le reste est fermé. Un peu comme laisser la clôture déverrouillée quand vous avez verrouillé la maison. Ce n'est pas comme si quelqu'un allait voler une vieille ancre de cent kilos sur le pont, pas vrai ? Quoi qu'il en soit, même si je n'avais pas verrouillé la barrière, je sais que je l'avais fermée. Mais en revenant de la quincaillerie, le loquet était défait, et la barrière ouverte. Ce n'est pas le genre de loquet qui peut s'ouvrir accidentellement. Je sais donc que quelqu'un l'a ouverte en mon absence. Rien ne manquait ou n'était endommagé. Tout allait bien. Mais je l'ai remarqué parce que, même si des gens sont occasionnellement montés à bord en dehors des heures de croisière, c'est rare. Encore plus rare de laisser la barrière ouverte. Les gens la referment naturellement derrière eux, surtout s'ils l'ont trouvée fermée à leur arrivée. J'ai cherché une carte de visite coincée dans une porte ou autre, mais je n'ai rien trouvé. Ce n'était pas grand-chose. Ça ne m'a pas effrayée ni inquiétée. Mais je l'ai remarqué, c'est tout. Vous croyez que ça pourrait avoir le moindre rapport avec ce qui s'est passé ?

— Difficile à dire. Peut-être le preneur d'otage est-il monté à bord pour repérer la disposition des lieux. Ou peut-être ne s'agissait-il que d'un gamin du voisinage. En plus des portes, aviez-vous verrouillé les fenêtres ?

Teri eut l'air alarmé, puis rosit.

— Eh bien non, je n'ai pas pensé à les vérifier. Mais elles se ferment avec un loquet. De sorte que si elles sont fermées, le loquet est mis. Sinon, on voit généralement un interstice autour. Un rai de lumière entrant par le côté. Je ne me rappelle pas avoir vu quoi que ce soit de ce genre. Mais non, je n'ai pas parcouru tout le bateau et vérifié chaque fenêtre. Mon Dieu, je ne sais même pas combien il y en a.

— Et les écoutilles ?

Le rose vira au rouge.

— Eh bien, je… j'imagine que c'est comme les fenêtres. Elles sont fermées au loquet la plupart du temps. Mais je n'ai pas vérifié que le loquet était mis sur toutes. Je ne pourrais jamais quitter le bateau si je devais vérifier toutes les ouvertures.

— Si le loquet d'une fenêtre est ouvert, peut-on passer par la fenêtre ?

— N'importe qui, sauf un type vraiment massif, dit Ford.

Le froncement de sourcils de Teri s'approfondit, et ses yeux s'agrandirent.

— Disons que le loquet n'était pas mis à une des fenêtres du salon, continuai-je. Si quelqu'un s'y introduisait, serait-il en mesure d'accéder à une autre partie intérieure du bateau ?

Teri acquiesça. Elle avait l'air nauséeuse.

— Quelle partie ?

— Les portes battantes de la coquerie et de la salle à manger n'ont pas de serrure. Au coin de la salle à manger, il y a une écoutille et une échelle qui descendent au grand salon. De là, on peut accéder à presque tout le niveau inférieur.

— Y compris à cette cabine, dans laquelle vous avez des dossiers professionnels et ce genre de choses, ajoutai-je.

— Mais je verrouille toujours la porte de cette cabine. Le seul autre accès est par l'échelle et l'écoutille menant au pont avant. Mais nous ne les utilisons jamais, de sorte que cette écoutille reste verrouillée. Il n'aurait pas pu entrer dans cette pièce.

— Mais un intrus aurait pu accéder à presque tout le reste du bateau. Enfin, si une fenêtre du salon était restée ouverte.

— Encore pire, déclara Ford, qui avait pâli. Le capitaine Richards ne verrouille jamais l'écoutille qui donne sur la passerelle de commande.

— Dans quelle pièce débouche-t-elle ?

— Dans le salon. L'échelle fixée au mur, au milieu de la pièce, du côté bâbord. (Ford avala sa salive.) Mince, le type aurait pu voler le bateau. Ce n'est pas qu'il aurait pu le cacher très longtemps sur le lac Tahoe. Mais quand même. Pensez au risque.

— Où rangez-vous la clé de contact ?

— Sur la passerelle. Elle est accrochée dans une cachette, juste au cas où un touriste aurait trop bu pendant une de nos soirées à quai.

— Soirée à quai ?

— En fait, c'est la meilleure idée commerciale que nous ayons eue jusqu'à présent, déclara Ford, un léger sourire revenant sur ses lèvres. Nous n'avons besoin que d'un matelot et du personnel du traiteur. Pas de capitaine, de second ni de débardeur. Pas de carburant ni de frais opérationnels en dehors d'un peu d'électricité. Il s'avère que les marins d'eau douce adorent traîner et faire la fête sur un bateau. Certains préfèrent même ça aux croisières, parce qu'il y a moins de vent et qu'on n'est pas obligé de rester sur le bateau pour une durée déterminée.

— Avec moins de membres d'équipage, un invité indiscipliné pourrait fouiner un peu partout sans attirer l'attention, dis-je.

Ford Georges me dévisagea attentivement.

— Ce que vous voulez dire, c'est que l'auteur du détournement aurait pu monter à bord pendant une soirée à quai, et étudier la disposition des lieux et tout ce dont il avait besoin pour préparer son agression.

— Oui. Y a-t-il eu une soirée à quai avant le détournement ?

— Bon Dieu de merde ! cria Georges.

Il sursauta en disant ces mots. Du champagne déborda de son verre et tomba sur la moquette. L'un des chats tourna vivement la tête en entendant le bruit et contempla la moquette comme s'il cherchait une souris.

— Trois jours avant. Une grande fête. Des tas de gens auraient pu se balader sur le Dreamscape sans vraiment attirer l'attention.

Georges pivota d'un quart de tour, les yeux fixés sur la porte de la cabine, les dents serrées.

Au bout d'une minute, il reprit la parole.

— Cette photo, dit-il en indiquant le cliché que je tenais à la main. Vous savez qui c'est ?

— Un homme du nom de Nick O'Connell.

— Avez-vous des informations le concernant ? Avait-il un passé criminel violent ?

— Pas officiellement, dis-je. Mais il avait la réputation d'être un type violent.

Ford hocha la tête.

— Ça collerait certainement avec ce que j'ai entendu dire de ses actes à bord de ce bateau. J'ai honte de le reconnaître, mais je suis plutôt content de ne pas m'être trouvé sur le yacht pendant ces événements. Je ne suis pas vraiment le genre de type sur qui on peut compter dans les situations exigeant du courage physique. Mais si j'avais été présent, je l'aurais peut-être chargé. C'est étrange d'être en coulisse pendant l'événement le plus significatif qui se soit jamais produit à bord. C'est le genre de choses qui m'enrage. (Une expression de découverte subite envahit le visage de Ford Georges.) Peut-être le preneur d'otage s'est-il livré à quelques recherches et a-t-il compris que nous ne serions pas à bord le jour où il a détourné le bateau. Peut-être cela figurait-il dans ses plans.

— Peut-être, dis-je. (Je sortis deux de mes cartes et en tendis une à Teri et une à Ford.) Tenez-moi au courant si quelque chose vous revient. Ou si vous vous rappelez où vous avez pu voir cet homme. Même si vous n'en êtes pas sûrs. Appelez-moi tout de suite.

— Je ne voudrais pas être obtus, dit Ford, mais si ce type était le preneur d'otage, alors pourquoi tant d'intérêt ? Quand le criminel meurt, j'aurais tendance à penser que les forces de l'ordre ne se démènent pas tant pour établir les détails des événements.

— Nous ne nous démenons sans doute pas tant que ça, dis-je. Mais il y a des circonstances qui font qu'il est d'une importance critique que nous comprenions exactement ce qui s'est passé et pourquoi.

Ford acquiesça.

— Je vois. Et vous ne pouvez pas me dire quelles sont exactement ces circonstances.

— Un jour, répondis-je. Dites-moi, je vous prie, où puis-je trouver le capitaine Richards, le second Allen Paul et les matelots ?

— Je vais vous chercher leurs coordonnées.

Ford s'approcha d'un classeur, l'ouvrit, trouva un dossier et prit des notes sur un bout de papier. Il me le tendit.

Je les remerciai et les saluai. Teri fit un dernier câlin agressif à Spot, et nous partîmes.

Chapitre 23

— Ce sont les liens qui nous unissent qui font que la vie vaut d'être vécue, déclara Street, affirmation qui semblait étrange venant d'une scientifique spécialiste des insectes. La journée avait été très longue. Enfin, j'étais seul avec ma chérie, sur ma terrasse où nous avions dîné de brochettes au barbecue, contemplant le lac en contrebas et le clair de lune au-dessus. L'air était d'un froid vif, annonciateur de l'hiver. Spot était assis à côté de nous, appuyé contre ma jambe.

— C'est certainement vrai concernant mes liens avec toi, dis-je. Qu'est-ce qui te fait penser ça ?

— J'étais sortie marcher, dit Street. Il y avait une famille qui venait vers moi sur le sentier. Les parents semblaient distants l'un de l'autre. Mais leurs deux petites filles couraient devant eux. Les gamines étaient très proches. Elles avaient ces petits dessins d'animaux sur le visage. « Tu es un âne », a crié l'une des filles en montrant du doigt le dessin sur le front de l'autre. « Tu es un cochon », a répliqué l'autre. Puis la fille au cochon a porté la main au dessin. En fait, c'étaient des autocollants. Elle l'a décollé, l'a mis sur l'autre gosse et s'est écriée : « Maintenant, c'est toi le cochon ! » C'était une chose si simple, à laquelle elles prenaient énormément de plaisir. Elles couraient dans les bois en poussant des cris de joie.

— Un lien dans ce qu'il a de plus fondamental, dis-je. Ça me rappelle ma conversation avec Anna. Elle m'a parlé d'une école qu'elle voulait lancer. Elle l'appelle « Visez les sommets, une école de technologie pour filles qui déchire ».

— Bonne idée, dit Street.

— Voilà une femme qui a subi toutes ces expériences traumatisantes. On s'attendrait à ce qu'elle ait l'attitude la plus morne qui soit. Mais quand elle commence à parler de ce qu'elle pourrait faire pour des filles défavorisées, elle s'éclaire.

— Elle établit un lien fondamental, commenta Street.

Les étoiles, au-dessus de nous, étaient stupéfiantes par leur brillance et leur nombre.

Debout derrière Street, je la serrais dans mes bras.

— Il y a probablement des tas de liens là-haut. J'ai oublié ce que tu m'as dit sur le nombre d'étoiles qui existent.

— Les astronomes ne le savent pas vraiment. (Elle appuya la tête contre ma poitrine.) Mais ils savent qu'il y en a un nombre tellement important qu'il dépasse la compréhension. Dans notre galaxie, la voie lactée, il y a des milliards d'étoiles. Et la voie lactée n'est qu'une galaxie parmi des milliards d'autres.

— Et chacune de ces innombrables étoiles est comme notre soleil.

— Plus ou moins. Il y en a des tas de sortes différentes. Et parce qu'elles sont de différentes tailles et que chacune présente une combinaison de gaz différente, elles émettent différentes longueurs d'onde énergétiques. Certaines sont plus jaunes, comme notre soleil. D'autres sont plus bleutées. Certaines brillent surtout dans le spectre qui est en dehors de notre vision. Il y a aussi beaucoup d'étoiles qui sortent de l'ordinaire, des étoiles à neutrons, des naines blanches, des supernovæ, des pulsars, et autres personnages étranges.

— Comme une communauté normale de gens pour la plupart normaux, mais avec l'assortiment habituel de marginaux et de tordus.

— Oui. Toutes les étoiles partagent les mêmes caractéristiques de base dans le sens où chaque étoile est une énorme collection de gaz (surtout d'hydrogène) qui sont compressés si fortement par l'énorme gravité de l'étoile que les atomes d'hydrogène fusionnent pour donner de l'hélium. Et s'il y a une taille suffisante avec la gravité que cela entraîne, les atomes d'hélium fusionnent pour donner d'autres atomes plus lourds. Et quand cela se produit, un peu de masse est perdue à chaque fusion. La masse est convertie en énergie, d'énormes quantités d'énergie.

— Le truc qu'Einstein avait découvert, dis-je.

— Il en avait découvert des parties importantes, oui. Sa fameuse équation $E = MC2$ décrit combien d'énergie on obtient à partir de cette conversion de la masse en énergie.

— Et c'est ce qui chauffe l'univers.

— C'est ce qui chauffe la zone entourant l'étoile, rectifia Street.

— Quelque chose m'échappe ?

— Juste que bien que les étoiles soient très chaudes, et entretiennent une chaleur d'enfer dans leur voisinage, l'univers en général est très froid et continue de se refroidir.

— Pourquoi ?

— L'entropie. C'est un principe de base de la physique. L'énergie se dissipe. Elle s'écoule toujours en s'éloignant des zones de concentration. En plus, l'univers s'étend très rapidement. Peut-être plus vite que la vitesse de la lumière. Et une autre loi de la physique veut qu'en s'étendant, la matière se refroidisse.

— S'il n'y a qu'une certaine quantité d'énergie, et si elle doit occuper un espace plus vaste, la température sera plus froide ?

— Exactement.

— Alors l'entropie signifie, au fond, que ce qui est chaud a toujours tendance à se refroidir.

— Eh bien, à peu près, oui.

Nous gardâmes le silence un moment, contemplant l'immensité du ciel, regardant des millions de pointes d'aiguilles lumineuses qui scintillaient à travers l'univers depuis le commencement des temps.

Street rompit le silence.

— Je pense profondément que les gens, comme la vie, ont tendance à se rapprocher par une sorte de réaction contre l'entropie. C'est comme si nos liens avec les autres, nos communautés, étaient des points de chaleur temporaires dans l'univers en refroidissement.

— Il y a, répliquai-je, certaines choses qui ne se refroidissent pas avec le temps.

Je traçai une ligne depuis sa tempe, le long de sa joue jusqu'à son cou.

— Et lesquelles ?

— La chaleur que tu engendres en moi.

Je fis courir mes mains sur les côtés de son corps. Malgré ses vêtements épais, ses courbes étaient manifestes. Street se retourna dans mes bras et leva les yeux vers mon visage.

— Eh bien, gloussa-t-elle, tu pourrais être l'exception à la deuxième loi de la thermodynamique.

— Je ne suis pas qu'un point chaud temporaire ? L'entropie ne s'applique pas à moi ?

— On ferait peut-être mieux de vérifier.

Elle saisit l'avant de ma chemise et m'attira dans le chalet.

Chapitre 24

Le lendemain matin, je me dirigeai vers le sud de la ville et m'engageai dans la montée de Kingsbury. Je passai devant le bâtiment où Street a son labo à insectes, et entrai sur le parking de mon bureau. Spot et moi descendîmes de la Jeep et pénétrâmes dans l'immeuble.

La poste avait fourré des factures et des prospectus dans la fente de la boîte aux lettres, mais le voyant du répondeur ne clignotait pas.

Je lançai ma veste sur le dossier de la chaise de bureau, chargeai la machine à café et l'allumai. Les détails de l'affaire étaient nombreux, mais ne conduisaient à aucune conclusion. Je devais peut-être me livrer à une sérieuse réflexion de détective.

Quand la machine cessa de gargouiller, je me servis un café, m'assis sur ma chaise et m'y adossai dans une cacophonie de grincements mécaniques.

Si le soleil entrant par la fenêtre ne dessine pas un rectangle sur le sol, Spot s'étend normalement près de la porte. Mais aujourd'hui, il s'approcha et s'assit à côté de moi, en tournant la tête de façon à me regarder directement, à environ quarante-cinq centimètres sur ma gauche. Chez lui, ça représente l'équivalent d'un caniche se dressant sur ses pattes arrière en face de vous : vous implorant de lui accorder votre attention, ou une gourmandise, ou les deux.

— Quoi ? demandai-je.

Spot continua de me fixer. Sa queue balaya le sol. Puis il dressa les oreilles et tourna la tête en direction de la porte. Ses oreilles se positionnaient selon la routine habituelle. Midi, puis une heure trente, puis la gauche pivota sur dix heures tandis que la droite restait aux alentours de deux heures.

Il souffla à travers ses bajoues.

Quelqu'un frappa deux fois.

— La porte est ouverte, entrez, dis-je.

Une femme entra. Elle avait environ trente-cinq ans, était plutôt grande, et plutôt forte.

Spot avait déjà bondi sur ses pattes et trotté vers elle pour la renifler.

Elle le caressa, se déplaçant avec une légèreté prononcée, comme un lutin moitié moins grand qu'elle. Elle portait un long manteau de laine bleu marine et des bottes noires à talons qui lui donnaient une certaine élégance, et faisaient paraître sa grande taille confortable. Avec ses mouvements, une bouffée d'air me parvint, portant une vague odeur de céleri fraîchement coupé. Elle avait de grandes mains, et un anneau d'or au petit doigt droit. Un visage carré, avec des traits épais. Une apparence d'actrice. De loin, ce serait une belle femme.

— Owen McKenna, je suis Anna Quinn.

Elle s'approcha, se pencha par-dessus mon bureau, me tendit la main et sourit.

Je me levai et me secouai.

— Sacrée surprise, dis-je.

Son sourire s'élargit. Ses dents n'étaient pas particulièrement bien alignées, et ses gencives plus substantielles qu'elle ne l'aurait sans doute souhaité. Mais elle rayonnait. Je n'avais jamais eu cette sensation de ressentir la chaleur du sourire de quelqu'un. Le sourire d'Anna était comme un rayon de soleil.

— Quand je me suis renseignée sur vous après votre premier contact, dit-elle, j'ai appris que vous aviez un grand chien.

Elle lui frotta les côtés de la tête.

Il remua la queue.

— Je vous présente Spot, dis-je.

— Oh, regardez, il a une boucle d'oreille, dit-elle. Eh bien, Spot, dit-elle en touchant le diamant fantaisie, on peut dire que tu as le clinquant assorti à ta taille.

Il remua la queue plus vigoureusement.

— Et qu'est-ce qui lui a fait un trou dans l'oreille ?

— Une rencontre avec de la dynamite destinée à contrôler les avalanches.

Anna me dévisagea, les yeux écarquillés.

— Il s'est trouvé dans une explosion ? (Elle se tourna vers Spot.) Pauvre bébé ! Tu devrais venir chez moi. Je te protégerai mieux que ça !

Spot poussa vers l'avant entre ses mains et se tourna de façon à se trouver à côté d'elle. Puis il s'appuya contre elle, agitant toujours la queue. Anna dut avancer un pied pour garder l'équilibre.

— Vous pensez probablement que je suis déraisonnable de revenir dans le monde réel, déclara Anna, mais je peux vous dire que je ne me suis pas sentie aussi libre depuis trois ans. C'est vraiment super !

Elle tendit les bras et pivota sur 360 degrés comme Audrey Hepburn dans *Vacances romaines*.

Je lui indiquai mon unique fauteuil pour visiteur.

— Je vous en prie.

— Est-ce que ce molosse voudra monter sur mes genoux si je m'assieds ?

— Oui. Mais il sait que ce n'est pas une pensée raisonnable. Il se contentera probablement de poser la tête dessus.

— Et de rajouter des poils blancs partout sur ce manteau, ajouta-t-elle en regardant le manteau qui n'était plus aussi bleu marine que quelques instants plus tôt.

— Désolé. J'ai une de ces brosses adhésives. Nous pourrons vous la passer avant votre départ.

Elle s'assit, regarda Spot, donna une tape sur ses genoux.

Spot s'avança immédiatement et se pencha encore contre elle. Anna lui prit la tête entre ses mains, le frotta autour des oreilles.

— Qu'est-ce qui a motivé votre apparition ? demandai-je.

— J'ai enfin pu réfléchir clairement à toute cette histoire. Il paraît tellement évident que l'homme qui a essayé de me tuer était l'auteur du détournement. Vous, bien sûr, la jouez super prudent, ne voulant pas que je prenne le moindre risque. Mais toute la vie consiste à prendre des risques. Et plus je réfléchissais à mes doutes, plus ils ressemblaient à des graines de pissenlit portées par le vent. Chaque fois que je les examinais d'un peu plus près, ils étaient trop peu convaincants pour persister. J'ai également décidé que j'en avais assez d'avoir peur. À quoi bon essayer de se montrer prudente et de protéger sa vie si ce n'est pas la vie qu'on veut vivre ?

J'acquiesçai.

— Vous me trouvez imprudente, dit-elle.

— Un peu. Mais je comprends votre raisonnement. Je ferais probablement la même chose.

— Vous sortiriez du bois ?

— Oui.

— Mais vous pensez que je n'aurais pas dû. Pourquoi ?

— Je veux savoir ce qui se passe. Quand je ne peux pas régler une affaire, quand je ne comprends pas ce qui se passe, j'ai une réaction protectrice. Mon instinct me dit de rassembler les personnes et objets importants, et de mettre tout ça à l'abri des intempéries. De clouer des planches sur l'entrée de la caverne, d'alimenter le feu et de me tenir à carreau tant que je n'ai pas déterminé exactement ce qui se passe dehors.

Anna m'adressa un regard neutre. Le plaisir qu'exprimait son visage à son entrée dans mon bureau avait disparu.

— Vous êtes d'accord que l'homme qui s'en est pris à moi était presque certainement l'auteur du détournement ? demanda-t-elle.

— Oui.

— Vous pensez donc que, presque certainement, je suis en sécurité ?

— Non.

— Pourquoi ?

Anna lâcha la tête de Spot et croisa les bras sur sa poitrine. Indignée. Spot leva la tête pour la regarder. Il posa son derrière au sol et baissa la tête, les yeux tombants. Puis il allongea lentement ses pattes avant jusqu'à ce que ses coudes touchent le sol et qu'il soit étendu. À présent, les genoux d'Anna étaient placés en hauteur.

Il leva le menton et le posa en travers de ses cuisses. Comme sans avoir conscience de ce qu'elle faisait, Anna posa les mains sur lui, une sur sa nuque, une sur sa tête. La main posée sur sa tête lui pliait une oreille et l'aplatissait. Ça paraissait douloureux, mais Spot inspirait déjà profondément, prêt à s'endormir.

— La raison pour laquelle je ne pense pas que vous soyez en sécurité est que l'auteur du détournement pourrait avoir parlé à d'autres de vous et du journal. Le journal, ou les informations qu'il contient, était suffisamment précieux à ses yeux pour qu'il vous tue en essayant de l'obtenir.

— Mais je ne savais rien de ce journal.

— Juste, mais il l'ignorait. Et nous savons qu'il ne travaillait pas seul. Il avait un complice pour le détournement, un homme auquel il pourrait avoir parlé de vous et du journal.

— L'homme qu'il a jeté par-dessus bord.

— Exact. Et il avait peut-être d'autres complices qui sont toujours en vie.

Anna avait l'air frustrée.

— Alors où cela vous mène-t-il ? Décrivez-moi quel genre de gros risque vous percevez dehors dans l'obscurité, demanda-t-elle.

— Simplement que si d'autres personnes apprenaient votre existence et celle du journal, elles pourraient s'en prendre à vous.

— Écoutez, dit-elle. L'auteur du détournement a tué son complice et pris un otage. Visiblement, il était complètement cinglé. Alors même s'il a raconté des histoires à d'autres à propos de moi et du journal, quelles chances y a-t-il pour qu'ils soient aussi cinglés que lui ?

— J'ai appris que l'auteur du détournement était en relation avec un groupe de miliciens, dis-je. Ces types ne sont pas des citoyens modèles. Vous avez dit vous-même qu'il pouvait appartenir à un gang dont le signe distinctif consisterait à faire tournoyer des couteaux.

— C'était ma paranoïa qui s'exprimait. La petite voix dans ma tête qui essayait de justifier le fait que je me cache depuis trois ans.

— Où habitez-vous ?

Elle hésita.

— J'imagine qu'il n'y a plus de raison de garder le secret là-dessus, maintenant que je suis sortie à découvert. À Fresno. C'est une petite ville géniale et somnolente dans la campagne agricole, près de l'extrémité sud de la Central Valley. Personne n'y va, à part les camionneurs transportant des fruits et légumes. Personne ne lui accorde la moindre attention. C'est probablement la ville la plus négligée de Californie. Parfaite pour s'y cacher.

— Qui sait que vous êtes ici, à Tahoe ?

— Juste mes amis Lacy Hampton et Ben Merrill. C'est dans la maison de vacances de la famille de Lacy que je séjourne. Elle est infirmière à Fresno et monte ici pendant deux semaines chaque automne. Elle est montée en voiture la semaine dernière. Je viens d'arriver, hier soir. Et Ben enseigne la conception de sites au centre universitaire de Fresno. Il me consulte à l'occasion sur l'aspect financier de la conception des projets. C'est un brave type. Il n'y a rien d'amoureux entre nous. Nous prenons juste le café ensemble. Ce sont les deux seules personne auxquelles je me suis vraiment confiée concernant ma situation.

Je hochai la tête. Je lui tendis un stylo et une feuille de papier.

— Pouvez-vous me donner l'adresse où vous êtes descendue ?

Anna la griffonna sur le papier et me le rendit.

Je connaissais le secteur.

— Dans ce que nous appelons le milieu de Kingsbury, dis-je. Pas très loin d'ici. Quel genre de voiture avez-vous ?

— Une Camry. Blanche. De 2007. (Elle caressa la tête de Spot.) Vous pensez vraiment que je pourrais encore être en danger.

Elle paraissait un peu inquiète et franchement exaspérée. J'avais visiblement gâché sa bonne humeur, ruiné ses espoirs.

— Oui. Maintenant plus qu'avant.

— Pourquoi ?

— Parce que vous êtes venue ici. Quiconque est impliqué dans cette affaire aurait des raisons de me surveiller, de surveiller mon chalet, mon bureau. Ils pourraient me percevoir, à tort ou à raison, comme la pire menace pour leurs objectifs. S'ils me surveillent, alors ils pourraient déjà vous avoir vue.

— Mais vous êtes du milieu. Vous remarqueriez certainement si quelqu'un vous espionnait.

Je secouai la tête.

— Ça n'arrive qu'à la télé. Dans le monde réel, il est très facile d'emporter son déjeuner dans un sac et de se poster dans la forêt. (J'indiquai la fenêtre.) Quelqu'un pourrait passer toute une journée au-dessus de ce promontoire rocheux et je ne le saurais jamais. Ou il pourrait rester assis dans un véhicule de l'autre côté de la rue, sur ce parking. S'il avait des vitres teintées, je ne le verrais jamais. Il pourrait encore se trouver dans un tas de bureaux différents, et regarder par une fenêtre. Il y a des tas de fenêtres qui donnent sur ce bâtiment.

— D'accord, j'ai compris. Que devrais-je faire, d'après vous ? Rentrer à Fresno ?

— Ce serait malin. Quelqu'un vous a peut-être déjà vue ici. Mais si ce n'est pas le cas, moins vous passerez de temps à Tahoe, mieux ça vaudra. Je peux vous suivre jusqu'à ce que nous soyons loin au sud, et que j'aie la conviction que personne n'est sur votre trace. Grace vous a appris à vous préparer, dis-je. Je pense que quitter Tahoe serait la meilleure façon de réagir.

— Et si je reste ? Je ne peux me préparer qu'à certaines situations précises. Quand cet homme est entré dans ma chambre, j'avais un plan de fuite. Mais à l'extérieur, il n'y a pas grand-chose que je puisse faire.

— Mais si. Il ne s'agit pas d'échafauder un plan pour fuir une chambre à coucher, mais de vous organiser pour faire face à quelque chose d'inattendu.

— Comment ?

— Prenez note de votre environnement. Regardez autour de vous avant d'aller à votre voiture ou d'en sortir. Regardez par les fenêtres avant de quitter n'importe quel bâtiment. Fermez vos portes à clé. Ne sortez pas la nuit. Ne vous rendez jamais seule quelque part.

— Eh bien, ce dernier point est impossible. Je suis venue ici seule. Et Lacy est à Reno pour faire du shopping aujourd'hui, après quoi elle retrouvera un ami pour dîner. Elle m'a dit qu'elle ne rentrerait que vers vingt-deux ou vingt-trois heures. Je serai donc seule jusque-là.

— Vous pourriez rester avec moi, dis-je.

— Quoi, vous vous prenez pour un baby-sitter ? Vous plaisantez.

— Non, pas du tout.

— Je suis sûre que rester avec vous serait une réaction excessive, dit-elle.

— Alors soyez prête à tout instant.

Anna secouait la tête.

— Écoutez, je ferai attention. Je suis naturellement prudente. Mais si quelqu'un me saute dessus, je ne pourrai pas faire grand-chose. D'ailleurs, je suis une fuyarde. Je fuis à la moindre petite chose. Comme quand cet homme est entré dans ma chambre. La parfaite petite souris timide. Si quelqu'un me saisissait, je mourrais d'une attaque cardiaque.

— Il y a des tas de choses à faire. Hurler, pour commencer. Vous seriez étonnée d'apprendre combien de femme ne hurlent pas quand on les attaque. L'une des choses que l'on vous apprend dans les cours d'autodéfense est à crier sur un agresseur potentiel et, s'il vous touche, à hurler. Ils vous entraînent à le faire. La plupart des femmes n'arrivent même pas à le faire en classe, au début. La tendance naturelle consiste à ne pas attirer l'attention sur soi. Ça demande de la pratique.

— Ce n'est pas comme si je pouvais me promener en m'entraînant à hurler.

— Vous pouvez répéter mentalement la scène. Comme une actrice récite intérieurement ses répliques sans vraiment parler. Vous visualisez quelqu'un qui se comporte de façon menaçante, et vous vous visualisez en train de lui crier : « ARRÊTEZ ! NE VOUS APPROCHEZ PAS. JE VAIS HURLER ! » Puis vous vous imaginez en train de hurler s'il vous attrape.

Anna paraissait dubitative.

— Et ensuite ? Si quelqu'un m'attrape, que je hurle et qu'il essaie de me fourrer dans le coffre de sa voiture ou je ne sais quoi ?

— Alors vous l'attaquez physiquement.

— C'est ridicule. Vous ne comprenez pas. Je ne suis pas une combattante. Je mourrais de peur. Je sens mes genoux flancher rien que d'y penser. Et même si je ne suis pas une femme fluette, n'importe quel homme est bien plus fort que moi.

— Même une femme fluette a de bonnes chances d'arrêter un agresseur si elle est concentrée et a de la pratique.

— De la pratique mentale, dit Anna.

Elle ne leva pas les yeux au ciel, mais son ton de voix suggérait la même chose.

— Oui. Bien sûr, la pratique physique est toujours ce qu'il y a de mieux. Mais la pratique mentale, c'est mieux que rien.

Anna se cala dans son fauteuil, irradiant le scepticisme.

— Très bien. Qu'est-ce que je fais ?

— La première chose à se rappeler est la suivante : si un homme vous attrape, partez du principe qu'il a l'intention de vous tuer. Ce n'est peut-être pas son intention, mais vous devez considérer que si. Peu importe qu'il ait une arme à feu ou un couteau. Défendez-vous toujours. Cela peut vous sauver la vie.

— Mais j'ai entendu parler de femmes qui s'étaient fait violer et menacer d'une arme, puis qu'on avait relâchées. Si elles s'étaient battues, elles auraient pu se faire tuer.

— Hypothétiquement, c'est vrai. Mais vous ne pouvez pas savoir qui a l'intention d'appuyer sur la détente et qui se sert juste d'une arme non chargée pour vous impressionner. Se battre peut empêcher que le viol se produise.

— Alors comment une femme comme moi pourrait-elle se battre ? Même si l'homme ne pressait pas la détente, il aurait quand même le dessus.

— Pas si vous ne lui en laissez pas l'occasion. Les hommes sont peut-être plus forts, mais une femme peut tuer avec ses mains et ses pieds si elle a suffisamment de présence d'esprit. Rappelez-vous les zones les plus vulnérables d'un corps d'homme. S'il est à une certaine distance, votre meilleure arme est un coup de pied. Les femmes ont de la force dans les jambes. Tenez, levez-vous et laissez-moi vous montrer comment donner un coup de pied frontal.

— Ne me faites pas rire. (Son ton était méprisant.) Vous voulez me faire essayer le karaté dans ce bureau ?

Elle paraissait révulsée par ma suggestion.

Je m'approchai d'elle.

— Allez. Levez-vous.

Elle resta assise, la tête de Spot toujours sur sa cuisse.

— Je suis une femme adulte. J'ai trente-cinq ans. Je n'ai jamais rien fait de sportif de toute ma vie. Je ne vais pas commencer maintenant, ici, dans cette petite pièce.

Je lui pris la main, la détachai de la tête de Spot et tirai.

— Debout.

— Owen, ça me met mal à l'aise. Je suis du genre intellectuelle. Je ne pourrais pas plus donner un coup de pied à quelqu'un que faire un saut de mains.

— Si un jour votre vie est en danger, vous ne regretterez pas que je vous aie montré.

Elle regarda le plafond et soupira.

Je tirai Spot pour l'écarter d'elle et la mis debout.

— Je n'arrive pas à croire que je suis en train de faire ça, dit-elle en se levant. Je suis à peine capable de monter à vélo. Je ne serai jamais une adepte du karaté.

— Ne voyez pas ça comme du karaté. Voyez-le comme un truc qui vous sauvera la vie.

Elle respirait bruyamment.

Je me plaçai à côté d'elle, à trente centimètres, face à la même direction.

— Vous êtes droitière ?

Elle acquiesça.

— Très bien. Un coup de pied frontal est exactement ça : il n'y a pas de préparation, pas d'intention communiquée. Vous levez simplement le genou droit au niveau de la taille et donnez un coup de pied vers le haut et l'extérieur, d'un seul mouvement régulier. Visez l'entrejambe. (Je me penchai, lui saisis le genou droit, et le levai.) Jusqu'à la taille. Voilà. Maintenant, lancez le pied d'un coup sec.

— Vous plaisantez.

Je lui tenais toujours le genou.

— Lancez le pied, répétai-je.

Elle le lança mollement, perdit l'équilibre et tomba vers la gauche, s'écartant de moi. Je la rattrapai, mais de justesse.

— C'était bien, dis-je. Encore une fois.

Elle le refit mollement, perdit encore l'équilibre et dut sautiller en arrière de deux pas pour éviter de tomber.

Je continuai de travailler avec elle, et elle s'entraîna à donner des coups de pied dans le vide devant nous. Elle s'arrêta.

— D'accord, j'ai compris, dit-elle.

— Non, pas encore. Continuez.

Avec un grand soupir de frustration, elle donna un nouveau coup de pied.

— Il est important de garder l'équilibre, et il est très important de lever les orteils pour frapper avec la partie inférieure, l'avant de la plante du pied. Sinon, vous pouvez vous casser les orteils.

Elle s'arrêta à plusieurs reprises, et je la poussai encore à continuer.

Dix fois. Quinze fois. Vingt fois.

— Vous pouvez vous entraîner n'importe quand, dis-je. Plus vous en aurez l'habitude, plus ce sera efficace.

— Comme disait Grace, répondit Anna. Être prête.

— Exactement. Bon, si votre coup de pied ne l'arrête pas et qu'il vous attrape, vous pouvez encore lui écraser le pied, tout en haut, là où les os montent vers la cheville.

J'ôtai ma chaussure, et nous répétâmes le geste d'écraser un pied, ma chaussure jouant le rôle du pied. Vingt fois.

Je continuai.

— La plupart des hommes s'attendent à ce que vous vous effondriez quand ils vous attrapent. Ils ont tendance à ne pas contrôler vos mains comme ils le devraient. Dans la plupart des situations, vous aurez de bonnes chances d'atteindre leur visage.

Anna ricana :

— Comme si les griffer allait arrêter une agression.

— Non, vous ne griffez pas. Vous leur mettez les pouces dans les yeux.

Elle fit la grimace.

— C'est dégoûtant.

— Pas aussi dégoûtant que ce qu'ils ont l'intention de vous faire.

— Je leur presse simplement les yeux avec mes pouces ?

— Non. Ne pensez pas à pousser. Pensez à quelque chose de plus explosif. Vous enfoncez les pouces, vous déchirez, vous creusez. Vous n'essayez pas d'appliquer une pression. Vous essayez de leur arracher les yeux. La plupart des femmes ont assez de force dans les pouces pour sortir l'œil d'un homme, et aucun homme ne continuera de vous agresser si vous le faites.

Anna frissonna.

— Si vous ne pouvez pas atteindre les yeux, vous pourrez peut-être leur cogner la gorge. Laissez-moi vous montrer comment donner un coup de coude.

Je levai son bras, le pliai, puis lui fis balancer le coude en arc de cercle vers le haut, d'avant en arrière. Nous répétâmes jusqu'à ce qu'elle sache faire un geste violent.

— Un coude dans la pomme d'Adam traumatisera votre agresseur. Si le coup est assez fort, il peut écraser le larynx et mettre sa vie en danger. Vous pouvez aussi frapper la gorge du plat de la main. Ou serrer le poing, les phalanges tendues, et le cogner à la gorge. Et si votre agresseur vous la fournit, ne manquez jamais l'occasion de lui donner un coup de pied à la gorge, au visage ou à la tempe. Le coup de pied d'une femme est une arme formidable.

— Et vous pensez qu'aucun de ces mouvements ne poussera un agresseur à me tirer dessus.

— Ils pousseront sans aucun doute quelques agresseurs à vous tirer dessus, ces mêmes agresseurs qui vous tireront dessus de toute façon après vous avoir violée.

Anna réfléchit un moment.

— Voyons si j'ai bien compris, dit-elle. Même si un agresseur a une arme, je n'en tiens pas compte. S'il s'approche trop mais ne m'a pas encore attrapée, je crie : « STOP ! NE VOUS APPROCHEZ PAS ! » S'il s'approche quand même, je lui donne un coup de pied à l'entrejambe ou au genou. S'il m'attrape, je hurle en essayant de lui arracher les yeux. Puis je lui donne un coup dans la gorge ou lui écrase le haut du pied.

— Vous êtes une bonne élève, déclarai-je en souriant.

— Il faut que je réfléchisse, dit-elle. Je crois que je vais y aller.

Et oui, je serai prudente et vigilante.

Elle marcha jusqu'à la porte, puis s'arrêta et revint.

— Owen ?

— Oui ?

— Je sais que je suis une élève difficile. Mais vous vous y prenez très bien en persévérant avec moi. Merci.

Elle se mit sur la pointe des pieds, m'embrassa sur la joue, et sortit.

Chapitre 25

Je trouvai l'immeuble où habitait le capitaine Ken Richards sur la rive nord, près de Carnelian Bay. Il faisait partie d'une résidence composée de deux immeubles de six appartements, sur une colline, à l'arrière des coûteuses maisons du rivage. Le promoteur l'avait conçue avec une allée d'entrée et un parking destiné aux visiteurs près des habitations, du côté du lac, afin qu'aucun arbre ne finisse, en poussant, par boucher la vue.

L'adresse rédigée par Ford Georges m'informa que le numéro de l'appartement de Richards était B-2.

Je m'engageai dans l'allée qui décrivait quelques courbes, agréables mais inutiles, autour de deux ou trois monticules artificiels couverts d'un épais gazon. Je me garai dans un espace intitulé « Visiteurs B-2 ». Je remontai un sentier de pavés en terre cuite. Il serpentait autour de quelques rochers qu'on avait empilés en un tas improbable. Puis il sinuait autour de parterres de fleurs surélevés, construits à l'aide de pierres paysagères empilables. Comme je m'approchais des bâtiments, le sentier se mit à décrire des virages de-ci de-là entre quelques petits arbres, qui remplaçaient sans doute de grands arbres arrachés.

Je m'arrêtai pour apprécier la vue spectaculaire des eaux bleues du lac et du Freel Peak, la plus haute montagne de Tahoe, qui se dressait à mille quatre cents mètres au-dessus de la rive sud, distante de quarante-cinq kilomètres.

L'immeuble où vivait Richards était le deuxième à partir de la droite. L'homme qui vint ouvrir quand je frappai était émacié et grisonnant, grand et maigre, avec de gros favoris bruns qui devaient le gratter. Il ressemblait vaguement à un grand écouvillon.

— Capitaine Richards ? demandai-je.

Il acquiesça.

— Ken, précisa-t-il.

— Owen McKenna. (Nous échangeâmes une poignée de mains.) J'étais l'homme qui...

— Je ne risque pas d'oublier votre nom, m'interrompit-il. La pire journée de ma vie. La PIRE. Et ma principale activité a consisté à vous faire monter à bord de mon bateau. Vous avez déterminé ce qui s'était réellement passé, ou pas encore ?

— J'y travaille, dis-je.

Je lui tendis ma carte.

Ken me fit signe d'entrer, et nous nous assîmes dans deux fauteuils placés face à la vue.

Ken montra sa bière.

— Vous voulez boire quelque chose ?

— Non merci.

— C'est mon jour de congé, dit-il en buvant une gorgée. Cette bière me fait du bien. (Il posa la bouteille.) Deux types morts. L'un d'eux assassiné. Votre petite amie a failli subir le même sort. J'en tremble encore quand j'y pense. Je ne peux pas dormir. (Il reprit une gorgée.) Tout ça alors que j'étais de service.

— Pas votre faute, dis-je.

— Le type m'a dit de couper mes moteurs. J'étais tellement choqué que ça m'a paralysé. Impossible de réfléchir. Et d'un seul coup, il s'est mis à me crier dessus au téléphone. J'ai fini par reprendre mes esprits et tirer les accélérateurs. Mais c'était trop tard. Le preneur d'otage a jeté ce type par-dessus bord rien que pour me donner une leçon. Un homme est mort, tout ça parce que je n'ai pas réfléchi assez rapidement.

Je secouai la tête.

— Ce n'est pas à cause de vous qu'il a balancé son complice dans le lac. Il avait prévu de le faire.

Ken me dévisagea.

— Vous le croyez vraiment ?

Ses yeux étaient rouges et gonflés comme à la suite de longues

Tahoe - L'Enlèvement

heures malheureuses. Sa lèvre inférieure tressautait.

— Je le sais. Le preneur d'otage avait apporté deux chaînes. Il avait prévu deux victimes. Vous pouvez vous considérer comme innocent.

Ken se tourna et regarda par la fenêtre.

— Qu'est-ce que je fais, maintenant ? Comment vais-je surmonter ça ?

— Accordez-vous du temps.

Il ne bougea pas. Au bout d'un moment, il répondit :

— Je vais essayer.

— Vous souvenez-vous d'avoir déjà vu cet homme ?

Je lui tendis la photo de Nick O'Connell.

Ken étudia la photo, puis secoua la tête.

— J'y ai réfléchi depuis. Je me suis demandé s'il avait été passager lors d'une précédente croisière. Mais le problème, c'est qu'une fois qu'on commence à se le demander, on ne tarde pas à penser que le type portait une perruque et une fausse barbe et si vous les lui enlevez mentalement, il pouvait s'agir de pratiquement n'importe qui.

Il l'examina encore un peu, puis me rendit la photo.

— Avez-vous remarqué quoi que ce soit d'inhabituel les jours qui ont précédé le détournement ?

— Comment ça ?

— N'importe quoi. Peut-être avez-vous trouvé un passager en train de fouiner dans un endroit où il n'aurait pas dû se trouver. Il peut s'agir de quelqu'un d'autre, qui n'avait rien à voir avec le preneur d'otage. Une femme. Un petit garçon.

— Un complice, dit-il.

— Oui.

Il réfléchit.

— Non. Les jours se suivaient et se ressemblaient. Mais Teri Georges – elle et son mari, Ford, sont les propriétaires – m'a demandé si j'étais venu sur le bateau un matin où nous n'avions pas de croisière prévue. Je crois qu'elle avait quitté le bord pour faire des courses, et à son retour, la barrière de la passerelle était ouverte.

— Et c'était le cas ?

— Non. J'étais parti à Reno pour acheter des choses qu'on ne trouve pas ici, au lac.

— Et vos matelots ? Quel genre de types sont-ils ?

Ken eut un léger haussement d'épaules.

— Ordinaires, j'imagine. Andy et Warren Wellesley sont des jumeaux qui ont terminé le lycée au printemps dernier et prennent une année sabbatique avant l'université. Quand nous aurons fermé boutique pour l'hiver, ils ont l'intention de travailler dans une des stations de ski.

— D'où viennent-ils ?

— De la région de la baie. Quelque part sur la péninsule.

Ken prit ma carte par les bords, la fit tourner d'une chiquenaude une fois, puis deux.

— De braves gars ? demandai-je.

— Droits comme des flèches. Je les ai entendus parler à Joshua une fois. C'est notre autre matelot. Joshua Tolman. Il est plutôt normal, comme gamin. Il s'est attiré quelques ennuis, j'imagine, mais rien de plus que moi quand j'étais gosse. Quoi qu'il en soit, Andy et Warren lui disaient qu'ils n'avaient jamais bu d'alcool et jamais fumé de hasch. Ça colle avec leurs personnalités. C'est le genre de gars dont rêvent les futures belles-mères.

— Pourriez-vous les imaginer en train de fournir des informations à qui que ce soit concernant le bateau ?

— Vous voulez dire, si quelqu'un les abordait et se mettait à poser des questions ?

— Oui.

Ken secoua la tête.

— Si quelqu'un essayait de compromettre Andy et Warren, ils seraient du genre à venir directement m'en parler. Si je n'étais pas dans le coin, ils en parleraient à Ford et Teri. Ça, j'en suis sûr.

— Et le troisième matelot, Joshua ?

— Eh bien, ce n'est pas un gamin franc et direct comme les deux autres. Mais malgré ça, il vit avec ses parents, et tout ce qui l'intéresse, ce sont les filles, le ski et le skateboard.

— Et si quelqu'un lui proposait de l'argent en échange

d'informations concernant le bateau ? Quelles portes sont verrouillées ? Combien de personne sont sur la passerelle quand vous naviguez ? Ce genre de choses.

Ken secoua la tête.

— Je ne vois pas Joshua faire ça. Il boit même du lait au déjeuner. Vous avez déjà vu quelqu'un de mauvais boire du lait au déjeuner ? Sérieusement, j'ai remarqué ça au fil des ans. Joshua a peut-être eu des contraventions et comparu pour avoir fumé de l'herbe, mais les gens à la moralité douteuse boivent toujours autre chose que du lait.

— Une dernière question. Votre second Allen Paul. Vous le connaissez bien ?

Ken réfléchit.

— Absolument. Nous ne nous étions jamais rencontrés avant de travailler ensemble, mais notre travail nous a rapprochés. Sans vouloir insister lourdement là-dessus, un capitaine et son second sont comme un chirurgien et sa principale infirmière dans la salle d'opérations. Vous devez pouvoir compter absolument sur votre second. Une confiance totale. Une compréhension totale. Vous savez ce que veut l'autre et vous le lui donnez avant même qu'il pose la question.

— Alors vous sauriez probablement aussi si Allen a vu ou remarqué quoi que ce soit d'inhabituel ces deux dernières semaines ?

— Probablement. Je dirais que jusqu'au détournement, c'était la routine habituelle pour nous tous. Écoutez, Owen. Laissez-moi vous dire un truc. De tout notre équipage, c'est probablement moi qui suis moins solide que les autres. Je ne dis pas que je suis un mauvais bougre. Je suis un brave type. Je dis simplement que c'est dans la nature humaine d'essayer autre chose. Plus que celle des autres, ma vie est un peu bordélique. Des ruptures avec les femmes. Un chapelet d'emplois différents, sans vraiment de rapport entre eux. J'ai toujours été une sorte de chien errant. Ce boulot, travailler pour Ford et Teri, c'est le meilleur que j'aie jamais eu. J'ai vraiment eu de la chance de l'obtenir. J'avais passé un peu de temps sur un remorqueur dans la baie, et j'ai rencontré Ford et Teri par hasard après qu'ils ont acheté ce bateau, mais avant qu'ils le fassent venir de Californie du Sud. Le timing était parfait et, franchement, ils ne connaissaient personne d'autre de suffisamment qualifié pour diriger un grand yacht. Un hasard vraiment heureux.

— Bref, continua Ken. Même si j'ai un passé un peu en dents de scie, je suis fiable et digne de confiance. Ce que je veux dire, c'est que nos autres membres d'équipage sont probablement encore plus fiables et dignes de confiance que moi.

Je remerciai Ken et partis.

Au cours des deux heures qui suivirent, je localisai et rencontrai le second Allen Paul à son domicile. J'interceptai également Joshua Tolman et Warren Wellesley ensemble, au moment même où ils quittaient la maison des Tolman pour aller chercher Andy Wellesley à la bibliothèque de l'université de Sierra Nevada, où Andy consultait les offres d'emploi pour les diverses stations de ski.

Après avoir parlé à tout le monde en dehors d'Andy, je découvris qu'ils étaient exactement tels que le capitaine Richards les avait décrits, apparemment solides et dignes de confiance. Tous étaient francs, et aucun d'entre eux ne fut en mesure d'ajouter quoi que ce soit à mon enquête.

J'étais revenu à mon point de départ.

Chapitre 26

Ce soir-là, alors que Spot et moi étions rentrés et avions dîné, le téléphone sonna.

— Allô ?

— C'est Anna. Très bien, je suis hyper-vigilante, comme vous me l'avez dit.

— Bien.

— Plus tôt, quand je suis rentrée chez Lacy, il y avait un véhicule plus loin dans la rue. Un type était debout derrière, penché à l'arrière, comme s'il regardait dans sa boîte à outils ou je ne sais quoi. Il avait de longs cheveux blancs et une grosse moustache blanche. Mais il n'était pas vraiment vieux. Peut-être cinquante-cinq ans. Mince et en bonne forme physique.

— Vous l'avez déjà vu ?

— Non. Bref, je suis sortie il y a quelques minutes pour prendre mon livre que j'avais laissé dans ma voiture. Le véhicule était toujours là, juste un peu plus loin. L'éclairage extérieur du voisin était allumé. Il était difficile d'y voir parce qu'il y avait des reflets dans le pare-brise. Mais ses cheveux et sa moustache blancs étaient flagrants. Il était juste assis dans sa voiture, dans l'obscurité.

— Les voisins sont chez eux ?

— Je ne pense pas. La maison est plongée dans le noir. Seul l'éclairage extérieur est allumé.

— Vous pensez que cet homme attend qu'ils rentrent ? demandai-je.

— Je dirais que non. Plus tôt, quand il faisait encore jour, j'ai vu des prospectus fourrés sous leur porte. Et sur le trottoir, il y avait un annuaire dans un emballage plastifié. On dirait qu'ils sont partis depuis un moment.

— La femme chez qui vous séjournez est-elle rentrée ?

— Non, pas encore, dit Anna. Lacy m'a appelée il y a dix minutes pour prendre des nouvelles et dire qu'elle quittait Reno. Mais je ne sais pas combien de temps ça veut dire qu'elle mettra.

— Vous êtes à Kingsbury centre. Encore une heure et dix minutes. Vous n'auriez pas vu la plaque d'immatriculation du véhicule, par hasard ?

— Non. Il fait noir et la voiture est un peu plus loin dans la rue. Je dois sans doute préciser que c'est la seule autre maison de la rue. Je suis donc pratiquement toute seule ici, à part cet inconnu.

— Dans quel genre de véhicule est-il ?

— Je ne sais pas. Une de ces vieilles voitures décapotables, comme celles qu'on utilise pour un safari. Mais je vous parle d'il y a cinquante ans. Soixante ans. Elle est rouillée et d'aspect disgracieux. Elle a une capote qui ne ferme pas correctement. Probablement bricolée. Des pneus tordus. Un jerrycan qui pend à l'arrière.

— Comme une vieille Land Cruiser ?

— Je n'ai aucune idée de ce que c'est.

— Vos portes et vos fenêtres sont fermées ?

— Oui. Enfin, je crois. Je n'ai qu'une unique clé, et j'ai verrouillé la porte derrière moi en entrant.

— Combien y a-t-il de salles de bains ?

— C'est une drôle de question. Deux, pourquoi ?

— Je veux que vous revérifiez les serrures des portes, puis que vous fermiez les rideaux et allumiez plusieurs lampes, dedans et dehors, y compris la lumière dans une seule salle de bains. Ouvrez le robinet de la douche et laissez couler l'eau. Puis bloquez la poignée de la porte et fermez-la de l'extérieur.

— Oh, bon sang, Owen. Vous me faites peur.

— Mettez votre portable sur vibreur uniquement, puis sortez discrètement par la porte de derrière. Éloignez-vous dans la forêt et attendez que j'arrive. Ne sortez pas du couvert avant de m'avoir vu et d'avoir vu Spot. Dépêchez-vous.

— Owen, vous n'êtes pas un peu alarmiste, là ?

— Anna, allez-y. Vite !

Je raccrochai.

Spot me regardait déjà, le front plissé et les oreilles dressées au ton de ma voix.

— Allons-y, ta grandeur.

Il bondit sur ses pattes, et nous sortîmes en courant du chalet.

Je longeai la rive est, poussant la Jeep à 120 km/h quand l'autoroute était vide et ralentissant à 90 là où il y avait de la circulation. En arrivant sur la rive sud, je m'engageai dans la montée de Kingsbury et fonçai dans les virages. À mi-pente de la montagne, je trouvai l'embranchement, suivis une route étroite et sinueuse et tournai à nouveau dans l'impasse où habitait l'amie d'Anna. Les deux maisons de ce petit quartier se trouvaient vers l'autre bout. L'une, à gauche, était obscure en dehors d'une unique lampe sous la pointe du toit du garage. Environ cinquante mètres plus loin, sur la droite, c'était la maison de l'amie d'Anna. La lumière brillait à plusieurs des fenêtres.

Je m'engageai dans l'allée à côté de la Camry d'Anna et m'immobilisai rapidement devant le garage ouvert, mes phares éclairant l'intérieur. Un côté du garage était dégagé pour une seule voiture. Le sol de l'autre côté était encombré d'une souffleuse, d'un jerrycan, de containers à recycler, de deux VTT, d'un kayak, et d'outils de jardin. Dans le coin, des tas de skis et de snowboards étaient appuyés au mur. À côté de ce coin, la porte de communication avec la maison. La porte était enfoncée.

À l'emplacement de la poignée et du pêne, il n'y avait plus que bois éclaté et vis pendantes. Un grand morceau de bois brisé pendait en travers de l'encadrement.

Je sautai de la Jeep, tirai la portière arrière pour ouvrir à Spot et traversai le garage au pas de course. La lumière inondait le sol à travers la porte cassée.

— Anna ! criai-je en écartant le morceau de bois. Anna !

Il n'y eut pas de réponse.

Spot passa la tête à côté de moi.

— Spot ! Trouve le suspect !

Je lui donnai une tape sur l'arrière-train. Il entra en courant dans la maison, la tête haute, reniflant l'air. Mais il s'arrêta, tourna la tête à gauche et à droite, se retourna et me regarda. Ce qui signifiait que personne ne se trouvait actuellement dans la maison.

La porte donnait sur la zone ouverte séparant la cuisine de l'entrée. La lumière était allumée dans la cuisine, mais l'entrée était obscure. Spot regardait vers la pièce éclairée. Un coup d'œil rapide me révéla qu'elle était vide. Sur la gauche, un couloir menait aux chambres. La lumière brillait derrière une porte au bout du couloir. Le bruit d'eau qui coulait résonnait dans la maison. Je traversai le couloir en courant et poussai la porte. La poignée et le loquet n'étaient pas cassés. La douche coulait, et le tapis était poussé en tas contre la baignoire comme si quelqu'un était sorti à toute vitesse de la salle de bains. Je fermai le robinet pour arrêter le bruit.

Je jetai un coup d'œil dans les chambres éteintes, mais elles paraissaient vides. Je retournai en courant dans la cuisine. Elle était ordonnée et propre. Le seul détail déplacé était le porte-couteaux en bois sur le plan de travail, près de la planche à découper. Il était à plat sur le flanc, et tous les couteaux s'étaient répandus. Plusieurs d'entre eux s'étalaient sur tout le plan de travail. Deux se trouvaient par terre. Je comptai les emplacements. Quatre fins, trois larges. Puis je comptai les couteaux. Quatre fins, deux larges. Si le porte-couteaux avait été plein, alors un des gros couteaux manquait.

Peut-être Anna s'en était-elle saisie pour se protéger dès qu'elle avait entendu l'intrus. Peut-être l'intrus lui avait-il pris le couteau.

Juste pour en avoir le cœur net, je ressortis en courant par la porte de derrière. Spot me suivit. J'appelai Anna par son nom tout en composant le 911. Elle ne répondit pas.

Quand le standard décrocha, je leur fis un bref rapport. La standardiste me dit qu'une patrouille arriverait bientôt.

Je raccrochai, courus à l'intérieur et regardai dans les chambres. Deux étaient dans le noir. Une était allumée. L'une des chambres éteintes était en désordre et semée d'un tas d'effets personnels. Le désordre provoqué par une fouille n'a rien à voir avec le désordre de quelqu'un qui ne range pas toutes ses affaires. Ce désordre-ci indiquait la propriétaire plutôt que l'invitée. Cette chambre était celle de Lacy.

La chambre allumée était bien rangée. Il y avait une petite valise à roulettes sur le sol. Je défis la fermeture éclair et ouvris le rabat. Je ne recherchais pas de vêtement récemment repassé. J'avais besoin d'un article porté par Anna. Sur le côté, il y avait un sac en tissu qui ne paraissait pas propre comme les autres vêtements. Il contenait un t-shirt et un jean. Je sortis le t-shirt, retournai à la porte de derrière, et appelai Spot.

Quand il arriva, je plaçai le t-shirt sous son nez.

— Sens le t-shirt ! lui dis-je d'un ton pressant.

Spot me regarda, comprenant ce que je voulais.

Je lui collai le t-shirt sur la truffe une deuxième fois.

— Sens-le et trouve la victime !

Je lui fis signe de sortir par la porte de derrière et lui donnai une petite tape.

Il alla trottiner derrière la maison pendant que je tenais la porte ouverte pour l'observer. Il décrivit une boucle autour d'un pin, passa devant un buisson de *manzanitas*, prit un grand virage à gauche, puis revint à la maison. Il me passa devant, entra et fila dans la chambre d'Anna. Je le félicitai pour son intelligence.

J'appelai Street et lui expliquai ce qui se passait.

— Une habitante de Fresno nommée Lacy Hampton rentre en voiture de Reno à sa maison de vacances, sur Kingsbury. Elle va découvrir que son invitée Anna Quinn a disparu, probablement enlevée, que sa maison est endommagée, et quand elle arrivera, ce sera plein de flics.

Comme je disais ces mots, une sirène retentit dans le lointain.

— Tu as besoin d'aide, me dit Street.

— Oui. S'il te plaît. Je ne sais pas si Lacy a des amis à Tahoe. Si oui, il pourrait s'agir d'autres vacanciers comme elle, qui ne seront probablement pas sur place.

— Il va me falloir un moment pour sortir d'ici.

— Merci mille fois, dis-je.

Je lui donnai l'adresse, puis sortis dans l'allée pour attendre la police.

Quelque chose scintillait dans la faible lumière près du virage.

Je m'en approchai et ramassai un téléphone portable. Il était sérieusement rayé et une des extrémités était écrasée, comme si quelqu'un avait marché dessus. Je l'ouvris. L'écran resta noir. Je poussai le bouton pour l'allumer. Rien ne se produisit. La batterie paraissait en place. Je me dis qu'il devait s'agir du téléphone d'Anna. Son agresseur l'avait trouvé et suffisamment écrasé pour le mettre hors d'usage.

Une heure plus tard, Diamond, un adjoint et deux techniciens spécialisés dans les scènes de crimes étaient dans la maison, tandis que Street était assise avec Lacy dans la cuisine à boire du café. Lacy faisait bonne figure, mais tremblait visiblement. Je savais qu'au départ de Street, Lacy s'effondrerait. Mais Street avait rendu une maison pleine de flics tolérable pour le moment.

J'appelai l'agent Ramos et l'informai des détails de ce qui s'était passé.

— Aucun signe de l'homme aux cheveux blancs ? demanda-t-il.

— Non.

— Le véhicule qu'elle vous a décrit est-il toujours là ?

— Non.

— Vous avez une idée de qui peut l'avoir enlevée ?

— En dehors de cet homme à cheveux blancs, non.

— Dites au sergent Martinez de m'appeler quand il aura fini.

Nous raccrochâmes.

Je trouvai Diamond et lui dis que Ramos voulait qu'il l'appelle. Diamond acquiesça et continua son travail.

Une heure plus tard, Diamond donna son accord pour que Lacy parte, et elle se rendit avec Street à l'appartement de cette dernière. Diamond et les adjoints de Douglas County restèrent sur place pour terminer ce qu'ils avaient à faire.

J'étais en train de partir au volant de ma Jeep quand mon téléphone sonna.

Chapitre 27

— Salut, chéri, me dit une femme quand je décrochai.

La voix, chaude et suave, avait les intonations travaillées et fluides d'une actrice professionnelle. Il s'agissait donc de Glenda Gorman, la journaliste vedette, qui n'était pas actrice, du *Herald*. Son ton désinvolte m'informa qu'elle n'avait pas écouté son radar depuis un moment, et n'était pas encore au courant des événements concernant Anna, Lacy et l'homme à la moustache et aux cheveux blancs.

— Glennie, répondis-je. (J'avais du mal à me sortir de l'enlèvement d'Anna. Mais si je ne voulais pas que Glennie surprenne mon stress, je devais parler d'une voix normale, employer des mots normaux.) Depuis quand m'appelles-tu « chéri » ?

— Nomenclature standard pour les hommes se trouvant à la fin de mon carnet noir.

— Je mérite d'être inclus dans le noir ?

Je sortis de la rue de Lacy et tournai dans la montée de Kingsbury.

— Les dernières pages sont réservées aux hommes qui sont pris mais auraient dû me rencontrer d'abord. J'appelle pour t'informer d'une chose que tu trouveras sans doute intéressante.

— D'accord, dis-je, sachant qu'avec Glennie chaque service était censé se payer de la même façon, par des informations. Je suis tout ouïe.

— Notre directeur de la publicité, au *Herald*, m'a montré une petite annonce inhabituelle qui est passée ce matin. Elle m'a fait penser à toi. Je vais te la lire, et tu comprendras. Elle dit : « Je détiens des informations concernant la fille de Grace Sun.

Retrouvez-moi sur la pelouse côté plage du Valhalla. Six heures du matin demain. »

— Qu'est-ce qui te fait croire que ça peut m'intéresser ?

— Allons, Owen. Tu crois que je n'ai pas de sources ? Je sais que le détournement concernait le meurtrier de Grace Sun.

Je me rendis compte qu'il était inutile de protester.

— Le Valhalla, c'est cette salle grandiose sur le site historique de Tallac, c'est bien ça ? demandai-je, essayant toujours d'avoir l'air décontracté et loquace. Où les gens se marient. Je me souviens que la cheminée de pierre est si grande qu'on peut tenir debout dans l'ouverture. Mais j'essaie de me rappeler où il faut tourner pour y accéder.

— Si tu contournes la rive sud et que tu te diriges vers Emerald Bay, il faut tourner juste après Camp Richardson.

— Pigé, dis-je. Une idée de qui a fait passer cette annonce ?

— Non. J'ai demandé à notre réceptionniste, et elle m'a dit qu'il y avait une enveloppe sous la porte quand elle était arrivée à son poste hier. L'enveloppe contenait l'annonce tapée à la machine et plus qu'assez de liquide pour payer la publication. Exactement comme dans un film d'espionnage. Comme il est inhabituel de recevoir une annonce anonyme, ils l'ont soumise au directeur de la publication, qui a déclaré qu'aucun règlement n'exigeait de la personne passant l'annonce qu'elle fournisse une pièce d'identité. Ils n'ont pas vu la moindre raison juridique de ne pas la publier. D'un côté, ils se sont dit qu'ils devraient contacter les forces de l'ordre. De l'autre, ils ne voulaient pas empiéter sur les droits civiques de qui que ce soit.

— Le journal prend ses responsabilités en tant que membre de la presse au sérieux, dis-je.

Je passai devant le bâtiment obscur où se trouve mon bureau, arrivai au bas de la pente et tournai vers le nord et mon domicile.

— Oui. En tout cas, maintenant tu peux enquêter et me faire savoir ce que tu découvriras.

— Tu es une femme audacieuse, Glennie. Le site historique de Tallac est hors des limites de la ville de South Lake Tahoe. Je vais contacter le sergent Bains à El Dorado County.

— Oh. (Elle marqua une pause.) Eh, dis-lui bonjour de ma

part, tu veux ?

La voix de Glennie semblait nostalgique. Je me rappelai leur brève et intense relation du printemps précédent.

— Je n'y manquerai pas.

— Tu penses aller au Valhalla demain matin ? demanda Glennie. Voir qui se présente ?

— Ça pourrait être une bonne idée. Mais je dois te demander de ne pas venir.

— Si je viens, je resterai en arrière. Ne t'inquiète pas. Je ne ficherai pas la pagaille.

Elle dit cela d'un ton enjoué.

— Glennie, j'entends ce ton de voix et j'ai peur que tu ne parles pas vraiment sérieusement. Je dois te dire que je pense que le type qui a passé l'annonce est sans doute dangereux. Toute personne qui voudrait venir le rencontrer pourrait être dangereuse elle aussi. Et il fait encore nuit à cette heure-là, à cette époque de l'année. Tu pourrais le regretter.

— D'accord, je promets de ne pas m'approcher. Ça te suffit ?

— Oui. Merci.

— Et tu récompenseras ma réserve en me disant tout ce que tu découvriras, ajouta-t-elle.

— Oui, si je ne pense pas qu'il y ait des répercussions dangereuses. Non si je pense que ça puisse te mettre en danger.

— Mais tu finiras par me le dire. Une fois que tout risque éventuel aura disparu.

— Oui, mais seulement parce que je comprends que c'est une condition pour que tu gardes tes distances demain matin.

— Tu lis en moi comme dans un livre ouvert. J'aime les hommes perceptifs.

— Merci du tuyau, Glennie.

— Bien sûr. Qu'est-ce que la fille a de particulier, au fait ? La plupart des femmes qu'on assassine ont sans doute des gosses, et la moitié de ces gosses sont des filles. Celle-ci est particulière ?

— Oui, répondis-je.

— Et c'est tout ce que tu vas en dire.

— Oui.

Nous nous saluâmes et je raccrochai.

Chapitre 28

Je ne trouvais pas le sommeil. J'avais dit à Anna de rester cachée. Mais malgré cela, je savais qu'elle était venue à Tahoe à cause d'une succession d'événements que j'avais mis en branle. Je me culpabilisai pendant des heures, luttant avec les draps, grinçant des dents. Je sortis du lit et fis les cent pas. Quand j'essayai à nouveau de dormir, j'eus l'impression que la pression montait dans ma tête. Je me levai finalement pour de bon à quatre heures et demie du matin. Je donnai à Spot un peu de croquettes à grignoter pendant que je buvais rapidement deux tasses de café. Spot examina sa nourriture avec suspicion, puis me regarda d'un air mélancolique.

— Je sais. Un misérable ersatz de nourriture. Si je devais vraiment chasser l'élan ou je ne sais quoi pour le petit-déjeuner, tu l'apprécierais un peu plus.

Il se détourna et baissa les yeux vers sa gamelle, puis se coucha et soupira.

Nous sortîmes alors qu'il faisait encore noir.

Bien que Spot soit habituellement un atout quand j'ai besoin de faire impression sur quelqu'un, il représente un inconvénient dans toute opération clandestine. Je savais que j'allais m'engager dans ce dernier type d'entreprise, mais selon la façon dont les choses tourneraient, je pourrais recourir à lui. Je l'emmenai donc avec moi.

Nous empruntâmes la 50 vers le sud et entrâmes dans South Lake Tahoe. Le reste de la région de Tahoe était peut-être endormi, mais les hôtels de la frontière de l'État étaient brillamment illuminés. Bien qu'on en soit encore à deux mois, deux d'entre eux arboraient des pancartes annonçant des concerts pour le week-end de Thanksgiving, début traditionnel de la saison du ski et du snowboard.

Je passai la frontière vers le côté californien, traversai South Lake Tahoe, tournai à droite à l'embranchement et me dirigeai vers Emerald Bay.

La rue menant au Valhalla se trouvait juste après Camp Richardson comme l'avait dit Glennie, mais je me dis qu'il vaudrait mieux approcher depuis une direction moins prévisible. Je continuai sur environ quatre cents mètres, et me garai près du Centre des visiteurs de Taylor Creek. Je fis descendre Spot, et nous nous engageâmes sur le sentier obscur, nous écartant de l'autoroute pour pénétrer dans la forêt d'un noir d'encre. Je maintins fermement le collier de Spot quand nous passâmes devant la salle vitrée donnant sur le cours d'eau, où l'on peut l'observer depuis le sous-sol et voir les saumons Kokanee et les truites arc-en-ciel passer en nageant au niveau du regard.

Spot avançait sans hésitation dans l'obscurité, son nez et ses oreilles prenant le relais de ses yeux. Je le suivis, pensant aveuglément qu'il ne m'attirerait pas d'ennuis. Mais je tendais mon bras libre, dans un effort pour détecter arbres et branches avant qu'ils ne m'assomment ou ne m'arrachent les yeux.

La forêt près du site historique de Tallac comporte de nombreux sentiers, amusants le jour à explorer pour les plagistes et les visiteurs venant admirer les grandes demeures, mais déroutants la nuit. À un moment, nous parvînmes à une vague trouée dans les bois, que je pris pour une fourche du sentier. J'étais perdu.

— OK, ta grandeur, murmurai-je. C'est toi qui décides.

Spot tira vers la gauche, je le suivis.

Nous décrivîmes des virages à gauche, à droite, encore à gauche. Bientôt, le monde s'ouvrit devant nous.

Par une trouée entre les arbres s'étendait le grand lac noir sous un ciel empli d'étoiles. Nous passâmes à travers des broussailles et descendîmes de plusieurs mètres sur le sable. La plage, sur cette partie du rivage, est une bande étroite quand l'eau est haute, au printemps. Mais à l'automne, juste avant l'arrivée de la neige, le lac est au plus bas, et il y a une grande étendue de sable au bord de l'eau glacée.

J'estimai qu'il devait être environ cinq heures et demie, une demi-heure avant l'événement prévu. Le lac n'était qu'une immense tache noire entourée d'une bande de vagues lumières scintillantes de cent vingt kilomètres de long, plus rares des côtés ouest et nord-est, où une grande part du rivage est constituée de parcs et de zones sauvages. Les quartiers situés au sud-est escaladaient la rampe de Kingsbury et les collines de Zephyr Heights comme une version américaine moderne de la Côte d'Azur française. De grandes maisons de vacances aux larges terrasses empilant leurs trois, quatre ou cinq niveaux s'accrochaient aux pentes escarpées. Au loin, sur le lointain côté nord du lac, une ligne continue de lumières en arc de cercle scintillait, émanant des maisons et bureaux distants de trente-cinq kilomètres, depuis le village d'Incline à droite jusqu'à Tahoe City, sur la gauche.

L'air du petit matin était froid. L'humidité du lac avait balayé la forêt et laissé sur les buissons et la plage une couche de gelée blanche qui était maintenant visible à la faible lueur des étoiles. Spot baissa la tête pour renifler le sol. J'écarquillai les yeux, essayant de voir si je pouvais déceler des empreintes de pas. Rien n'était visible en dehors de quelques vagues marques dans le givre, qui pouvaient être les traces d'un raton laveur ayant tranquillement traversé la plage.

Nous marchâmes vers l'est et vers la ville, vers le Valhalla. Je ne voulais pas trop m'approcher et faire fuir qui que ce soit. Mais il faisait si sombre, et nous étions encore suffisamment loin pour que je considère sans risque de rester encore un moment hors de la forêt.

Je surveillais les bois sur ma droite. Quand une trouée sombre apparaissait, j'ouvrais grand les yeux, espérant percevoir quelque chose. Il y avait quelques marches qui remontaient de la plage. Nous les gravîmes. Dans la pénombre se dessinait une autre vague ouverture entre les arbres. Je distinguais tout juste les contours d'un grand bâtiment. La propriété Baldwin, une maison massive en rondins et la première des trois demeures du début du XXe siècle qui constituaient le site historique de Tallac.

Spot et moi restions immobiles, attendant, guettant, écoutant. Et pour Spot, flairant. J'essayai de flairer aussi, mais tout ce que je pus détecter fut l'air froid et humide du lac se mêlant à des odeurs de pin et de sapin.

Rien n'apparut. Nous continuâmes en suivant un sentier.

Au bout de quelques minutes, nous parvînmes à une autre demeure, celle-ci plus grande et de conception plus moderne, mais toujours de la même période. La propriété Pope.

Nous suivîmes le chemin dans l'obscurité.

Il y eut une autre trouée dans la forêt. La propriété Heller, avec sa grande salle rustique nommée Valhalla. Le Valhalla est entouré de pins ponderosa anciens, des arbres géants qui, grâce à la prévoyance du fondateur du circuit de courses de Santa Anita, Lucky Baldwin, ont été épargnés lors du déboisement qui a emporté presque toutes les forêts de Tahoe et reconfiguré leur bois, le transformant en étais pour des centaines de kilomètres de tunnels de mine sous Virginia City.

Je tirai Spot derrière l'un de ces ponderosa, et nous attendîmes. Périodiquement, je jetais un œil derrière mon arbre, cherchant un mouvement sur l'imposante pelouse séparant le Valhalla du lac.

En dehors du vaste paysage obscur, il n'y avait rien d'autre à voir que quelques lumières distantes vacillant à travers les arbres de l'autre côté, vers les chalets de Camp Richardson.

Rien ne bougeait, et il n'y avait pas de bruit en dehors des vagues qui léchaient doucement le rivage dans le noir, un murmure doux comme la chanson que chantait la sirène Loreleï en attirant les marins vers leur mort sur le Rhin.

S'il y avait au Valhalla de beaux esprits féminins errant sur le domaine depuis les Années folles, je devrais compter sur Spot pour les détecter.

L'annonce ne donnait aucune précision de lieu, sinon la pelouse qui s'étendait devant moi. J'imaginais que des gens désireux de se rencontrer s'avanceraient au milieu de la pelouse, pour être plus faciles à distinguer dans la pénombre.

J'avais mis une veste sombre et un chapeau. En demeurant collé à l'arbre, je pensais rester invisible de qui que ce soit en dehors d'un autre chien. Et si quelqu'un amenait un chien à ce rendez-vous, Spot m'en avertirait à l'avance. Si un quidam restait à l'écart sous les arbres comme moi, je ne le verrais jamais. Mais la personne qui avait passé l'annonce non plus. Il était logique qu'un individu répondant à l'annonce parcoure le parc à la recherche de l'initiateur du rendez-vous, peut-être en lançant « Il y a quelqu'un ? ».

L'air était assez immobile et silencieux pour que j'aie de fortes chances d'entendre ce qu'une voix dirait malgré le bruit des vagues.

Je guettai attentivement tandis que six heures du matin approchaient. En dehors du bruit de quelques véhicules au loin, sur l'autoroute, il n'y eut aucun signe de vie.

À mon avis, la personne qui avait passé l'annonce attendrait probablement dans un lieu bien visible. Sinon, comment un acheteur potentiel d'informations saurait-il où aller ? Mais je ne vis personne.

Je ne vis pas non plus Glennie, mais je me dis qu'elle devait être là quelque part, probablement assise, frissonnant dans sa voiture.

À six heures vingt, je commençai à me demander si je ne devais pas sortir à découvert et me faire passer pour celui qui répondait à l'annonce. Les inconvénients étaient évidents. Cela pourrait être dangereux si quelqu'un rôdait, attendant pour bondir et attaquer quiconque se montrerait. Une autre possibilité était que je trouve l'inconnu ayant passé l'annonce et, en lui parlant, que je fasse fuir la personne que le message visait à attirer. Et je voulais tout autant savoir qui serait attiré que connaître l'identité de l'instigateur de cette rencontre.

J'attendis encore. Peut-être l'auteur de l'annonce attendait-il à l'intérieur d'un véhicule chauffé dans l'allée à l'arrière du Valhalla, surveillant les lieux à l'aide de jumelles, déçu que personne n'ait répondu à son « invitation ». Mais j'avais remarqué en passant sur l'autoroute que le portail du Service forestier à l'entrée du Valhalla était fermé et, sans doute, verrouillé.

À de nombreux égards, il était logique que personne ne soit

venu. Même si le *Herald* était le journal le plus important de Tahoe, il y avait des autochtones qui ne le lisaient pas, et de nombreux touristes ne le voyaient même sans doute jamais. Les chances pour que l'annonce soit vue par la personne à qui elle était destinée étaient, au mieux, minces. Je continuai d'attendre. Personne ne se montra jamais.

À six heures et demie, Spot et moi sortîmes de derrière l'arbre qui nous cachait. Au cas où le rédacteur de l'annonce attendrait toujours, je traversai la pelouse au vu et au su de tout le monde. Je prêtai attention à Spot, me demandant s'il allait subitement tourner la tête en direction d'une odeur. Mais il conserva simplement l'attitude habituelle qu'il manifeste dans l'obscurité, oreilles dressées vers l'avant, truffe reniflant agressivement, sa tête tournant régulièrement de gauche à droite.

Après avoir traversé la pelouse, je tournai pour descendre sur la plage. Le ciel rosissait à l'est, et projetait de fluctuants reflets magenta sur les vagues du rivage. Je parcourus le sable givré en direction du restaurant du Fanal, puis fis volte-face et retournai vers l'ouest, en direction de la plage de Kiva.

Je ne vis le corps que lorsque Spot regarda brusquement en direction de l'eau et me déséquilibra.

L'homme était étendu sur le dos dans l'eau, yeux ouverts, bras en croix, jambes tendues. Même dans la faible lueur de l'aube, je distinguai l'affreux trou au centre de sa poitrine, noire de sang.

Le corps dansait sur l'eau la tête près du rivage, juste au-dessous de la pelouse réservée aux pique-niques. Ses longs cheveux, ondulant dans les vagues, étaient d'un blanc spectral. Sa moustache de phoque, surdimensionnée, était également blanche. J'avais probablement devant moi l'homme qui avait surveillé Anna depuis la rue la veille au soir.

J'appelai le 911, et parce que Spot n'aime pas les cadavres, l'emmenai sur la pelouse et attendis.

Quand j'eus fini d'expliquer la situation à la standardiste du 911, j'appelai l'agent Ramos. Il paraissait réveillé et alerte malgré l'heure matinale.

— J'ai quelque chose qui pourrait être lié au détournement, dis-je.

Je lui décrivis l'annonce dans le journal et comment j'en étais venu à découvrir un corps sur la plage. Il me dit qu'il serait là dans environ une heure.

Deux adjoints au shérif d'El Dorado arrivèrent les premiers. Je leur montrai le corps et leur dis ce que je savais.

Le sergent Bains fit son apparition un peu plus tard, modèle de ce que devrait être un sergent. Avec un mélange efficace de jugeote, de savoir et de diplomatie, il prit le commandement sans la moindre parole dure, et les autres flics parurent ravis de faire exactement ce qu'il demandait comme s'ils n'avaient pas d'autre désir que de mériter son respect et ses louanges.

Je lui parlai de l'annonce et lui montrai où se trouvait le corps. Il mit ses hommes au travail, et je m'éloignai pour les laisser travailler. Dix minutes plus tard, il vint me rejoindre sur le talus où j'étais assis avec Spot, là où la pelouse du Valhalla s'interrompait et descendait vers la plage.

— Une annonce paraît un moyen peu fiable de trouver quelqu'un, déclara-t-il. Êtes-vous simplement tombé dessus par hasard ?

— Non. Glennie Gorman m'a appelé pour m'en parler.

— Oh. Comment va-t-elle ?

— Toujours la même Glennie, répondis-je.

Bains et elle s'étaient rencontrés au cours de l'affaire de l'avalanche et fréquentés assidûment un moment, mais s'étaient ensuite éloignés l'un de l'autre. Mon intuition me disait que Bains aurait aimé prolonger la relation. Mais Glennie était une femme nerveuse et énergique, et il faudrait un homme exceptionnel pour la rendre heureuse très longtemps.

— Elle me manque un peu, dit Bains.

— Elle manquerait à n'importe qui, répliquai-je.

Nous entendîmes quelqu'un approcher et nous tournâmes pour voir l'agent Ramos traverser la pelouse, plissant les yeux face au soleil du matin, soulevant soigneusement ses chaussures cirées pour minimiser les effets de l'humidité produite par la fonte du givre.

Nous échangeâmes des poignées de mains. Puis Bains expliqua ce qu'ils avaient découvert.

— La victime est un homme non identifié, d'environ cinquante-cinq à soixante ans, les poches vides. Il a subi un sérieux traumatisme à la poitrine. Il semble qu'un gros objet l'ait traversée d'avant en arrière, entrant par le sternum et sortant juste à gauche de l'épine dorsale.

— Abattu avec un fusil de chasse ? demanda Ramos.

— Probablement pas, répondit Bains. Le trou d'entrée a l'air large de trois centimètres ou plus. Plus grand qu'une balle de calibre 8, et d'ailleurs plus personne n'utilise de calibre 8. Et si la victime avait été tuée par une balle de fusil de chasse, la plaie de sortie aurait été plus large. Dans le cas présent, la blessure n'est pas beaucoup plus moche que celle du sternum. Je n'ai jamais rien vu de tel. Le corps était aussi dans l'eau, de sorte que la cause de la mort pourrait, techniquement parlant, être la noyade. Mais j'en doute. On dirait que ce qui a pénétré sa cage thoracique lui est passé directement à travers le cœur.

— Allons voir ça, déclara Ramos.

Il se pencha, essuya la rosée de ses chaussures, puis descendit sur la plage.

Les adjoints se tenaient à côté du cadavre, qu'ils avaient sorti de l'eau et tiré sur le sable. Le corps était sur le dos.

Ramos remonta les plis de son pantalon et s'accroupit pour l'examiner.

— Il pourrait s'agir de l'homme aux cheveux blancs qu'Anna Quinn a décrit avant d'être enlevée, dit Ramos en étudiant la blessure. Vous le roulez pour que je puisse voir son dos ? demanda-t-il, rechignant visiblement à mouiller et salir ses beaux vêtements.

Les adjoints se saisirent du corps, un à l'épaule et l'autre à hauteur de la hanche. Ils le soulevèrent sur le flanc.

Ramos examina la plaie et fronça les sourcils.

— Moi non plus, je n'ai jamais rien vu de tel, Bains.

— Remarquez comme la chair est repoussée à la fois vers l'arrière et vers l'avant, intervint Bains. Si un projectile était passé à travers le corps, elle ne serait repoussée que vers l'arrière.

— On dirait que quelqu'un l'a tué avec un pieu, dis-je. Et qu'il a voulu récupérer l'arme du crime. Peut-être ne ressortait-elle pas suffisamment dans le dos pour qu'il la saisisse de ce côté. Il l'a donc ressortie par-devant.

— Il faudrait de la force et du cran pour faire ça, dit Ramos. Il dessina un diagramme dans le sable avec son doigt. Je vis où il voulait en venir.

— Un pieu à travers le sternum s'accrocherait aux fragments d'os brisés, dit-il, tous inclinés vers l'arrière, ce qui rendrait pratiquement impossible de ressortir le pieu en le tirant par où il est entré.

Bains se tourna vers moi.

— Ce serait comme d'avoir un hameçon barbelé dans le corps. Il ne peut pas ressortir en sens inverse. Vous devez le pousser à travers la chair pour l'extraire.

J'acquiesçai.

— Mais, continua Ramos, s'il n'y avait pas de prise à l'arrière, le tueur n'avait pas d'autre choix que tirer de l'avant, peut-être en plaçant le pied sur la poitrine de la victime quand il l'a arraché. Ce qui expliquerait que la chair soit repoussée dans les deux sens.

Bains avait l'air vaguement nauséeux.

Ramos se leva, brossa son pantalon.

— Au moins, nous avons une idée d'où commencer nos recherches, déclara-t-il.

— Laquelle ? demandai-je.

— La victime est Davy Halstead, chef des Red Blood Patriots.

Je tendis la main et remontai la manche droite de la chemise du cadavre. Les lignes bleues ondulées étaient comparables à ce que je me rappelais du tatouage de Nick O'Connell. Comme deux symboles de l'infini, l'un par-dessus l'autre.

— Tatouage de milice, annonça Ramos. Il est probable que tous les Red Blood en portent un. (Il se tourna vers Bains.) Sergent, les Red Blood Patriots sont dans votre comté. Comparons nos notes sur le sujet, vous et moi.

Bains hocha la tête.

J'intervins :

— Ça donne l'impression que les Red Blood étaient impliqués dans l'enlèvement d'Anna Quinn.

Ramos acquiesça.

— Avez-vous suffisamment d'informations concernant l'univers des Red Blood Patriots pour savoir où la rechercher ? demandai-je.

— Si nous trouvons une raison suffisante de perquisitionner chez eux, oui. (Il baissa brièvement les yeux vers le corps de Davy Halstead.) Nous verrons si ce corps nous fournit le moindre indice. Je ne suis pas optimiste. (Ramos se retourna vers moi.) Et maintenant, qu'allez-vous faire ?

— Prendre mon petit-déjeuner.

La camionnette arriva pour emporter le corps.

— Gardons l'identité de la victime secrète, au moins jusqu'à demain, déclara Ramos. Techniquement parlant, nous ne l'avons pas identifiée avec certitude, de toute façon.

Bains regarda les adjoints, puis moi. Nous hochâmes tous la tête.

— Où êtes-vous garé ? me demanda Ramos.

— Là-bas, près du Centre des visiteurs de Taylor Creek.

Il regarda mon chien.

— Je n'ai pas besoin qu'on m'y emmène, dis-je. Marcher ne me dérange pas. Mais merci d'y avoir pensé.

Il acquiesça.

Glennie Gorman apparut près de la grande salle du Valhalla. Elle traversa la pelouse, adressa un signe de tête à l'agent Ramos et échangea quelques mots avec lui lorsqu'ils se croisèrent. J'allai à sa rencontre. Elle caressa Spot, puis désigna les hommes occupés à faire glisser dans la camionnette le brancard sur lequel le corps avait été placé.

— On dirait que j'ai raté quelque chose d'intéressant.

— Un cadavre. Personne d'autre n'est venu.

— Assassiné ?

— On le dirait bien. Il a un sacré trou dans la poitrine.

— Abattu par balle ?

Je secouai la tête.

— On dirait plutôt que quelqu'un lui a enfoncé un pieu dans le sternum.

Les yeux de Glennie s'écarquillèrent.

— Tu crois qu'il a été tué par la personne qui a passé l'annonce ?

— Peut-être. Peut-être pas. Peut-être est-ce lui qui a passé l'annonce. Je t'ai dit tout ce que je sais de la situation.

Bains nous rejoignit à cet instant.

— Salut Glennie. Ça fait longtemps.

Glennie sourit.

— Si longtemps que ça ? J'imagine que oui. J'ai des souvenirs tellement nets. (Légère pause.) On a passé de bons moments ensemble.

— Ouais.

Bains lui adressa un de ces sourires lugubres où la bouche exprime la joie en même temps que les yeux ont l'air légèrement embrumés.

— Si jamais tu... (Il s'interrompit, avala sa salive, sourit de nouveau.) Heureux de t'avoir vu, Glennie.

Elle hocha la tête.

— Il faut que j'y aille, dis-je.

Je saisis le collier de Spot, leur fis un petit signe de la main et repartis par la plage.

Je tournai en direction des pistes de ski sur le chemin du retour et entrai au nouveau Red Hut pour déjeuner d'une omelette d'Owen, de pommes de terre sautées et d'un café.

Je gardai un tiers de l'omelette et l'apportai dehors à Spot. Il était debout sur le siège arrière quand je sortis. Parce qu'il est trop grand pour sortir facilement la tête par la portière sans devoir la baisser, il le fait en posant les pattes droites sur le sol. Sa tête est alors à la bonne hauteur pour passer par la vitre, tandis que ses pattes gauches sont pliées sur le siège. Sa queue remuait à grande vitesse, balayant l'air entre le siège avant et le siège arrière, les fouettant assez fort pour que je l'entende de l'extérieur.

— J'ai une friandise, ta grandeur. Mais tu vas devoir te battre pour l'obtenir.

Je m'approchai et tins la boîte derrière mon dos. Il se servit de son museau contre ma taille et mes coudes pour me pousser vers la gauche puis vers la droite, essayant d'atteindre la boîte dans mon dos. Les grands danois ont été développés à l'époque médiévale pour chasser le sanglier. Ils étaient croisés pour devenir grands, afin de pouvoir saisir le gibier par au-dessus. Et pour avoir un cou incroyablement fort afin de pouvoir maintenir la bête jusqu'à l'arrivée des chasseurs. Mon jeu visait à ce que Spot se serve de son cou pour me déséquilibrer de force. J'écartai les jambes pour m'arc-bouter, et malgré cela il me poussa assez fort pour m'obliger à faire un pas de côté.

— Gagné, dis-je.

Je tirai l'omelette de derrière mon dos, ouvris la boîte, et Spot recourut à sa technique professionnelle d'aspiration d'omelette pour que l'œuf se mette à léviter et file d'un coup sec dans sa gueule, comme dans un dessin animé. Je n'eus même pas le temps de le voir avaler. Spot se lécha les babines, puis lécha la boîte en carton.

Je la retirai à temps pour l'empêcher de manger l'emballage.

Je ne vis pas le paysage en rentrant chez moi. Je ne pouvais penser qu'à Anna. Je me demandais qui la gardait prisonnière maintenant que l'homme qui l'avait surveillée la veille, l'homme que je prenais pour son kidnappeur, était mort.

Chapitre 29

En arrivant chez moi, j'appelai Diamond. Je tombai sur le répondeur à tous ses numéros. Je laissai des messages.

Je m'assis pour réfléchir et essayer de me faire une image mentale de la façon dont les morceaux du puzzle s'assemblaient. Mais ils refusaient de s'assembler.

Nick O'Connell avait organisé une mise en scène élaborée et tragique, dans une tentative visant à faire arrêter Thomas Watson pour le meurtre de Grace. Watson avait vendu des armes à Nick et à Davy Halstead, dirigeant des Red Blood Patriots. Tous trois avaient apparemment une raison, sous la forme d'un précieux journal, de s'en prendre à Anna. Davy, le seul qui était alors à la fois en vie et libre, avait surveillé Anna la veille au soir. Puis Anna s'était fait enlever et Davy s'était fait tuer, probablement, mais pas nécessairement, par la même personne. Des trois hommes impliqués, seul Watson était encore en vie, et il se trouvait en prison.

Je n'avais pas d'autre suspect.

Ce que je n'arrêtais pas de me dire, c'est que la milice appelée Red Blood Patriots était au centre de toute l'histoire. Davy l'avait fondée. Nick était impliqué, au moins dans la mesure où il les avait aidés à se procurer des armes. Et Thomas Watson, lui, était lié en tant que fournisseur d'armes.

Je devais en apprendre davantage à leur sujet.

Je fis des recherches en ligne et trouvai quelques références dans de vieux articles de journaux, mais rien d'autre. Pas de noms, d'adresses postales, électroniques ou de sites Internet. À une époque où tout était maintenant en ligne, cela constituait une façon remarquable de préserver son anonymat.

Diamond me rappela.

— Sur le point de déjeuner, dis-je. Vous gravissez la montagne pour vous joindre à moi ? Je pourrai vous mettre au courant de ce qui s'est passé ce matin.

— J'adorerais, *amigo*, mais le travail m'appelle. Je passerai plus tard.

J'appelai Street et lui posai la même question. Elle regrettait, mais devait terminer à temps un recensement d'insectes pour le Service des forêts.

— Des nouvelles concernant Anna ? demanda-t-elle.

— Malheureusement, non.

Je lui parlai de ma découverte du corps de Davy Halstead.

— Alors la disparition d'Anna pourrait être liée aux Red Blood Patriots, dit Street.

— Ça en a tout l'air, oui.

Nous nous dîmes au revoir, et je passai les deux heures qui suivirent à essayer de découvrir qui détenait Anna et où on l'avait emmenée. Ma frustration était extrême. Quand j'eus mal au crâne à force de stresser et de m'inquiéter pour elle, je tentai de me distraire avec de la paperasserie superflue, puis me livrai à un ménage inutile. J'essayais d'ignorer la pression qui montait, de me concentrer sur quelque chose de moins sombre que des hommes qui s'attaquent aux autres.

Spot et moi mangeâmes à la maison, cheeseburgers au barbecue et frites pour tous les deux, mais dans des proportions différentes. Comme toujours, je m'émerveillai de l'intense concentration de Spot pendant la cuisson des hamburgers. Si des chercheurs étudiant la science du désir avaient placé leurs électrodes sur la tête de ce chien quand j'avais allumé le charbon de bois, ils auraient considéré les travaux les plus célèbres de Pavlov comme relevant de la pure évidence. L'enthousiasme de Spot pour le cheeseburger était d'un ordre de grandeur dépassant toute force vitale connue jusque-là.

À cause de l'inclination de Spot à changer toute la nourriture en repas instantanés, je coupai sa part en morceaux pour l'obliger à en profiter plus longtemps. Il savait ce qui était en train de se passer et me regardait fixement, comme un lion affamé vous regarderait si vous preniez un morceau de bœuf frais et vous mettiez à le tailler en petites bouchées apéritives. Pour exacerber la situation, j'attrapai ses croquettes afin de les diluer et d'augmenter un peu la quantité.

Le front de Spot se plissa encore plus.

— Qu'est-ce qui ne va pas ? Tout ce que je fais, c'est prendre le sac de morceaux beiges, et tu as l'air malheureux.

Malgré les altérations que j'avais introduites, quand je donnai le feu vert, la performance de Spot s'avéra du niveau de quelqu'un qui détiendrait un doctorat en absorption instantanée de nourriture.

Diamond frappa à ma porte à vingt et une heures. Je sus avant d'ouvrir qu'il devait s'agir de Diamond ou de Street parce que Spot n'émit qu'un très faible « wouf » en entendant frapper, et se mit à remuer frénétiquement la queue en contemplant l'épaisse porte.

Je fis entrer Diamond. Il caressa Spot avec brusquerie, puis s'assit dans mon rocking-chair.

— Détendez vos poings, me dit-il.

Je baissai les yeux et vis que mes mains étaient serrées à mes côtés. J'étendis les doigts. Ils eurent du mal à se déplier.

— Inquiétude et stress ne vous aideront pas à la retrouver plus vite, remarqua-t-il.

Je parlai à Diamond de l'annonce, du corps, de l'identification par Ramos de la victime comme étant Davy Halstead, dirigeant des Red Blood Patriots.

— Ramos aimerait que nous gardions le silence sur son identité pour le moment, ajoutai-je.

Diamond acquiesça.

— J'ai une question sur les tatouages de gangs, déclarai-je en allant lui chercher une bière.

— Vous vous rappelez où je travaille ? Douglas County est un comté de ranchs, avec un coin plein de stations d'altitude ici, au lac. Pas beaucoup de gangs.

— En effet. (Je lui tendis une bière.) Mais vous êtes un type intelligent, et vous lisez les documents professionnels. Je me suis donc dit que vous en saviez davantage que moi sur les tatouages. Le preneur d'otage avait un tatouage sur le poignet qui ressemblait à deux symboles de l'infini, l'un sur l'autre.

— Je ne sais pas grand-chose, mais à mon avis, ce ne sont pas des symboles de l'infini. Probablement, si vous les regardez autrement, ce sont des huit stylisés. Si c'est le cas, les numéros tatoués ne sont pas ce que la plupart des gangs urbains utilisent de nos jours. Ça évoque plutôt des ploucs de la campagne. Les tatouages numérotés sont à la mode dans les mouvements de miliciens.

— Les Red Blood Patriots ne sont jamais parvenus jusqu'à Douglas County ? demandai-je.

— J'espère que non.

Diamond tendit la main vers Spot, étendu à côté de lui, et lui donna un petit coup de ses phalanges sur la tête. Spot leva la tête et ouvrit la bouche pour haleter. Il cogna le sol de sa queue, une fois.

— Les chiffres représentent généralement des lettres ou le nombre de mots dans un dicton, continua Diamond. Quatre-vingt-huit est un code signifiant « Heil Hitler », parce que H est la huitième lettre de l'alphabet.

— Comment savez-vous ça ?

— Ça vous reste en tête quand vous avez la peau brune, parce que la plupart de ces groupes de miliciens sont obsédés par les armes et la suprématie des Blancs. Les gens de couleur et les juifs sont l'ennemi. Les groupes en faveur du pouvoir des Blancs veulent nous éliminer parce que nous sommes bien sûr inférieurs, et que nous polluons progressivement leur race.

— Ça s'améliore, vous ne croyez pas ?

— Certains Blancs diraient cela. Et j'ai tendance à être d'accord. Mais tous les autres qui ont la peau brune ne le pensent pas.

Je haussai les sourcils.

— Certaines milices ne sont constituées que de gamins avec leurs armes. Mais davantage sont fondées sur la haine. Le genre de gars qui est attiré par ces groupes appréciait quand les Noirs n'étaient que des possessions et cueillaient le coton du patron. Mais quand Lincoln a légalisé l'émancipation et déclaré que les Noirs n'étaient plus des objets, ça les a contrariés. Et ensuite, quand le quatorzième amendement a annoncé que les Noirs pouvaient être des citoyens, eux aussi, c'est devenu trop. Ils essaient de les exterminer depuis lors.

— Vous êtes né à Mexico et avez été naturalisé américain. En quoi correspondez-vous à cette définition ?

— Peau brune. Pratiquement un frère noir, aux yeux des nazis.

— Peut-être les gars de ces milices sont-ils juste mal dans leur peau, dis-je.

Diamond hocha la tête.

— Depuis que Jesse Owens a battu ces Allemands blonds à plates coutures lors des Jeux olympiques de 36. (Il vida sa bouteille de bière et déglutit.) Bien entendu, il y a des gangs hispaniques et des gangs noirs qui utilisent aussi des tatouages à numéros, mais ils sont peu nombreux et bien moins puissants que le mouvement des milices.

— Vous êtes assez calé sur cette histoire d'amendement.

— Je devais le connaître pour réussir l'examen de citoyenneté, répondit Diamond.

— La plupart des Américains d'origine ne le connaissent pas.

Diamond poussa un grognement.

— Un vrai patriote connaîtrait et défendrait les principes sur lesquels ce pays s'est construit. Il est facile d'agiter un drapeau et de mettre des autocollants sur sa camionnette. Plus difficile de connaître et de soutenir la déclaration des droits, et les composantes majeures de la constitution et des amendements.

— J'ai essayé de me renseigner sur les Red Blood Patriots et je n'ai rien trouvé, dis-je. Ils doivent faire jurer le secret à leurs membres. Vous savez où je pourrais chercher pour obtenir plus de détails sur les groupes de miliciens en général ?

— Il y a un type à l'université du Nevada. Frank Stein. J'ai entendu parler de lui dans le *New York Times*. Ça a retenu mon attention, un prof de Reno dans la dame grise[6]. Quoi qu'il en soit, il est consultant pour la LAD. Il en sait probablement plus que quiconque sur les milices.

— La LAD, qu'est-ce que c'est ?

— Ligue anti-diffamation, répondit Diamond.

— Ça me dit quelque chose. Rappelez-moi ce qu'ils font ?

— Leur principal objectif est de combattre la discrimination contre les juifs.

— Pas une petite affaire.

— En effet. La plupart des gens de couleur ont subi des centaines d'années de discrimination. Mais les juifs sont pourchassés depuis des millénaires.

— Je vais chercher ses coordonnées. Merci.

Il était tard, et Spot et moi raccompagnâmes Diamond jusqu'à la « flamme verte », sa magnifique Karmann Ghia de collection.

— Pas en service, dis-je.

— Vous croyez que j'irais boire de la bière si j'étais en service ?

— Comment se fait-il que vous soyez ici, à la montagne, si vous n'êtes pas en service ?

— Un ami m'appelle et laisse un message. Je frappe à sa porte quand je ne suis pas en service. Qu'est-ce qui ne colle pas ?

— Rien, Diamond. Au contraire, c'est très sympa. Merci.

— De rien.

Diamond monta dans sa voiture. Baissa la vitre, son bras décrivant de petits cercles rapides avec la manivelle.

Spot fit un pas en avant, la tête au niveau du haut de la vitre.

— De toute façon, je suis juste venu rendre visite à votre chien, déclara Diamond en tendant la main pour caresser Spot.

— Je le savais, répliquai-je.

---

6 Surnom du *New York Times*. (*N.d.T.*)

Chapitre 30

Le lendemain matin, je trouvai les coordonnées de Frank Stein à l'université du Nevada, Reno. Il enseignait les sciences politiques. Je l'appelai et découvris qu'il venait de quitter son bureau pour traverser le campus afin de donner une conférence, et sortirait de son cours à dix heures cinquante. Juste assez de temps pour le rejoindre.

J'emmenai Spot, gravis le mont Spooner et passai de l'autre côté, descendis en douceur avec un vent arrière la pente sinueuse menant mille mètres plus bas dans la vallée, et rejoignis la nouvelle rocade qui contourne Carson City. Reno n'était qu'à trente minutes au nord par la 395. Un quelconque système climatique traversait la région et provoquait de fortes rafales de vent. Le service des autoroutes du Nevada avait allumé le panneau « Interdit aux caravanes et aux campeurs » au niveau de Washoe Valley. Je passai devant la sortie où les plus gros véhicules devaient bifurquer pour suivre la route à deux voies, protégée du vent, qui longeait les montagnes à l'ouest. J'abordai lentement l'autoroute, car le vent secouait la Jeep.

Lorsque je passai la montée au pied de Slide Mountain et de la station de ski de Mount Rose, Reno scintillait nettement dans la lumière du soleil automnal, toute trace de smog soufflée à l'est en direction du désert. Je tournai à l'ouest sur la 80, pris la sortie de North Virginia et parcourus au pas le campus de l'UNR à la recherche d'une place de parking. Tout était pris. Je trouvai finalement un parking où restait un seul espace, et me garai sous une pancarte bleue m'avertissant que si je n'avais pas l'autocollant approprié sur mon pare-brise, ma voiture serait enlevée.

Je descendis et me tournai vers Spot, qui avait passé la tête par la vitre arrière côté conducteur.

— Si la remorqueuse arrive, sois gentil, et peut-être que le chauffeur te donnera à une famille sympa.

Je coinçai sa tête sous mon bras et la lui frottai avec mes phalanges. Il remua la queue.

Je demandai à trois étudiants différents où était la salle où enseignait Stein. Tous trois durent baisser la musique qu'ils avaient dans les oreilles et me demandèrent de répéter la question. Chacun me donna une réponse différente. Je finis par trouver un panneau comportant un plan du campus. Un homme qui devait probablement être Stein était en train de sortir de la salle de conférence quand je m'en approchai.

Stein était un septuagénaire voûté. Il portait une casquette de gardien assez chic, faite d'un tissu en laine à carreaux assorti à sa veste de sport et à son pantalon en tweed. Sous la casquette, ses cheveux poivre et sel semblaient pousser par touffes éparses et ne pas avoir vu les ciseaux d'un coiffeur depuis longtemps. Ses sourcils étaient d'énormes chenilles grises qui semblaient sur le point de quitter son visage en rampant. D'autres créatures duveteuses, plus petites, rôdaient dans ses oreilles et ses narines.

Je me présentai et lui dis que je travaillais sur une affaire impliquant un suspect au tatouage distinctif.

— Votre nom m'a été donné, professeur Stein, par un officier de police qui m'a dit que vous étiez expert sur les tatouages de gangs et de milices.

Il eut un reniflement méprisant et continua de marcher.

— Expert, non. Personne âgée et scandalisée, oui.

Je reconnus qu'il correspondait à un certain type de personne, et jouai le jeu.

— Vous pensez que ce pays va à vau-l'eau ?

— Ce pays a décidé que les gosses n'étaient pas les importants dépositaires de l'avenir mais simplement un inconvénient qu'il fallait planter devant la télé, un jeu vidéo ou Facebook, et nourrir au fast-food.

Stein m'indiqua un groupe de gamins sur Virginia Street qui semblaient des candidats improbables au diplôme de fin d'études secondaires, sans même parler de cursus universitaire. Les garçons portaient des jeans qui leur tombaient des fesses, et dont le bas traînait dans la poussière. Les filles portaient des hauts moulants et courts qui laissaient voir beaucoup de poitrines et de nombrils, et des pantalons taille basse qui révélaient leur string.

Stein s'indigna.

— Et maintenant, nous récoltons les bénéfices de toute une génération pour qui la nutrition se réduit au sirop de maïs enrichi en fructose, pour qui la notion d'éducation se résume aux émissions de télé-réalité axées sur la survie, et pour qui le divertissement consiste à regarder sur YouTube des vidéos répulsives montrant des gens participant à des concours de bouffe, de pets et de vomissements. (Stein me donna un coup de coude dans le bras, au cas où je ne serais pas attentif.) Où sont passées l'alimentation végétale et la lecture de livres ? me demanda-t-il.

Il accélérait, sa dépense énergétique en relation directe avec sa température émotionnelle.

— Que sont devenues l'ambition, les aspirations et les activités intelligentes ? continua-t-il. Depuis des milliers d'années, les gens ont essayé de créer une société intelligente, de faire de nous une espèce meilleure. Nous célébrions l'enseignement des arts libéraux et étudiions les classiques de la littérature, de l'art, de la musique et de la philosophie. Et il n'a fallu que vingt ou trente ans pour sombrer dans une société d'ignorance militante. J'ai dans mon cours des gamins qui sont incapables d'écrire une seule phrase sensée. Ils utilisent ce nouveau langage texto où initiales et chiffres sont substitués aux mots entiers. Soit ils n'utilisent jamais de majuscules, soit ils n'emploient que ça. Auparavant, l'anglais en seconde servait juste à faire un peu de rattrapage. Maintenant, l'anglais en seconde, c'est de l'enseignement de CM1. Un gamin m'a rendu une dissertation l'autre jour. Chaque ligne était comme une liste. Rien que des noms. J'ai dit au gamin qu'une phrase complète devait comporter un verbe. Il m'a répondu : « C'est quoi, un verbe ? »

Stein était maintenant pratiquement au trot, et respirait par brefs halètements. Il tourna pour emprunter un escalier et passa dans un autre bâtiment. Je lui tins la porte.

— Ces gamins dans mon dernier cours... Est-ce que l'un d'entre eux ira jamais dans une bibliothèque ? Un musée d'art ? Un concert classique ? Si je mentionne Archimède, Pythagore, Newton, Shakespeare, Mozart ou Michel-Ange, ils n'ont aucune idée de qui je veux parler. Pareil pour Roosevelt, Churchill et Staline. Je devrais m'estimer heureux qu'ils sachent que Lincoln était un président. Mais ils ignorent ce qu'il a fait ou quand il l'a fait. Ils sont incapables de me citer les trois branches de notre gouvernement. Ils ne savent pas pourquoi les guerres ont été livrées dans notre passé. Ils sont incapables de trouver l'Allemagne, le Japon, la Corée, le Vietnam ou l'Irak sur une carte.

Stein ouvrit une porte annonçant Frank Stein, docteur en sciences politiques. Il entra dans un bureau encombré par des piles de livres, sur des étagères, sur son bureau, sur le sol. Il posa sa mallette en équilibre sur une des piles, s'assit dans un vieux fauteuil de bureau. Stein prit plusieurs inspirations profondes, exhalant à fond.

— Et maintenant vous vous demandez si je suis juste un vieux schnock frustré souffrant de démence sénile. Mais je râle à cause de votre question sur les tatouages des milices. Ces types-là sont l'inconscience personnifiée. Un chef charismatique qui a lu le guide de l'étudiant sur *Mein Kampf* dit à ses disciples de se graver sur le corps une expression raciste stupide ou un ensemble de chiffres arbitraires qui sont censés représenter cette phrase en code. Et ses sbires le font. Ils ne savent pas ce que ça veut dire. Ils ne comprennent pas l'histoire qu'il y a derrière. Ils n'ont pas la moindre idée des implications. Mais ils trouvent ça cool, et ça leur donne un sentiment de pouvoir et d'importance. À présent, ils ont une marque. Ils font partie d'un groupe. Ils adorent sentir qu'ils appartiennent au troupeau. Ils sont comme du bétail, avides de suivre quelqu'un, n'importe qui. Ils sont fiers de ne pas penser par eux-mêmes parce que penser, c'est un truc de premier de la classe boutonneux, pas cool du tout. Ils ne voient pas de fraternité dans la pensée. La fraternité vient de la tribu. Nous contre eux. Poignées de mains spéciales et symboles secrets. C'est la nouvelle mode. Et ça passe à la télé, qui consacre cette mode, lui donne de la valeur.

Il fit glisser un bloc de feuilles à carreaux dans ma direction, lança un stylo sur le bloc.

— Vous pouvez dessiner le tatouage ?

J'essayai et n'arrivai à rien, raturai mon dessin, essayai encore.

— Je ne me souviens pas des détails spécifiques, mais le tatouage ressemblait à deux symboles de l'infini, l'un sur l'autre. Un ami a pensé que c'était quatre-vingt-huit dessiné horizontalement, un code pour « Heil Hitler ».

Stein tourna le bloc vers lui et l'examina.

— Oui, je pense que votre ami a raison. Le même vieux truc qui revient sans cesse, ajouta-t-il, d'une voix soudain lasse. Au départ, c'était un symbole celtique, que des groupes de haine antisémite se sont appropriés. Nous étudions ça depuis si longtemps, et ça a moins de sens que jamais.

Stein ouvrit son tiroir à dossiers, en sortit une bouteille d'eau et but au goulot comme s'il était en train de mourir de soif.

— Vous savez qu'on a fait un sondage parmi les membres des groupes de milices antisémites, et qu'une majorité d'entre eux ne peuvent pas vous dire pourquoi ils détestent les juifs ? Vous arrivez à le croire ? (Stein me dévisagea.) Ils nous haïssent, mais sont incapables d'expliquer pourquoi. Ils ne donnent pas de raisons religieuses. Ils ne citent aucun précédent historique. Ils ne savent même pas ce qu'Hitler disait de nous. On s'attendrait pourtant à ce qu'ils essaient de trouver quelque chose pour légitimer leur haine.

— Mais ce serait impossible, n'est-ce pas ?

— Je ne veux pas dire qu'ils pourraient trouver une justification dans le sens rationnel du terme. Je veux dire qu'ils pourraient trouver d'augustes personnes et institutions qui ont promu l'antisémitisme. Alors les milices pourraient au moins les citer comme faisant partie de ce qui les motive à haïr les juifs.

— Quelle auguste personne ou institution, comme vous dites, promouvrait la haine des juifs ?

Stein me regarda et secoua la tête.

— Combien d'années en arrière dois-je remonter ? Bien sûr il y a la multitude d'événements évidents, situés entre la première croisade d'un côté et l'Holocauste de l'autre, des événements sanctionnés à la fois par l'Église et le gouvernement. Mais je pense davantage à des gens comme Martin Luther qui écrivait au XVIᵉ siècle que les juifs qui ne se convertissaient pas au christianisme devraient être assassinés. Je pense à l'Église catholique, qui, jusqu'au début du XXᵉ siècle, admettait que, bien que haïr les Juifs en tant que peuple constituât une mauvaise sorte d'antisémitisme, haïr les juifs en tant qu'hommes d'affaires prospères ne posait pas de problème. Ils appelaient ça une bonne sorte d'antisémitisme, et ils en faisaient la promotion, en parlaient dans des publications de l'Église.

Stein termina son eau, porta la bouteille en plastique au niveau de ses yeux et l'écrasa entre ses doigts.

— Mais les membres des milices se fichent comme d'une guigne des précédents historiques. Ils se contentent de haïr sans raison parce qu'ils sont programmés pour trouver quelqu'un qui serve de bouc émissaire pour tout ce qui va de travers dans le monde. Leur chef déclare que les juifs doivent être annihilés, et l'homme du commun demande : « Où est-ce qu'on s'enrôle ? » Cela satisfait leur besoin d'une vision du monde dans laquelle il y a deux camps. Alors ils déshumanisent et persécutent une autre tribu, ce qui les aide à définir leur propre tribu. La personne qui l'a fait le plus efficacement dans notre région est un homme nommé David Halstead. Il a créé un groupe appelé les Red Blood Patriots. Juste de l'autre côté de la crête de la Sierra, dans les contreforts entre Placerville et Auburn. Leur mission, comme celle de tant de milices, consiste à renverser notre gouvernement et, ce faisant, à rassembler toutes les personnes de couleur et tous les juifs. Ce que Davy Halstead a raconté à ses disciples est que les juifs sont le peuple responsable de la conspiration gouvernementale visant à retirer toutes les armes à feu et à saisir toute propriété privée. Halstead est un type vraiment haineux. Il devrait être…

Stein ne termina pas sa phrase et regarda par la fenêtre. Il y avait un groupe de jeunes femmes sur la pelouse, toutes tenant de vrais manuels scolaires, un groupe d'étude animé. Mais je ne pense pas que Stein le remarqua.

— Davy Halstead a été retrouvé mort hier matin, dis-je.

Stein retourna brusquement la tête dans ma direction.

— Comment est-il mort ?

— On l'a assassiné.

J'observai soigneusement Stein. Il n'était pas vraiment excessif de l'imaginer mettre en œuvre sa propre vision de la justice dans l'Ouest sauvage. Mais je ne le voyais pas faire ça, même s'il avait la force d'enfoncer un pieu dans la poitrine de Halstead.

— Probablement une mutinerie dans les rangs de la milice, déclara Stein. Ces gars-là vivent dans une atmosphère de violence. S'ils ont une dispute, leur règle, c'est la violence avant la discussion.

— Aviez-vous entendu parler d'un homme du nom de Nick O'Connell ? demandai-je.

— J'ai entendu récemment prononcer son nom par un type que je connais dans la police. O'Connell était une recrue récente dans le groupe de Halstead, il s'est noyé pendant ce détournement sur le lac. Apparemment, il était l'auteur de l'agression. J'ai effectué quelques recherches à son sujet pour me faire une idée de son influence dans le monde des milices et voir s'il méritait une étude approfondie.

— Vous semblez très méticuleux, dis-je.

— C'est le boulot que je me suis fixé. La Ligue anti-diffamation est une bonne organisation qui a des tas de scrupules à faire les choses de la bonne façon. J'apporte des contributions à leur travail, mais je le fais de mon côté. À ma façon. L'institut de recherches Frank Stein. Je ne veux pas que qui que ce soit – et à mon avis la LAD est d'accord – pense que je suis un porte-voix ou un porte-parole de la LAD. Alors j'étudie des types comme Nick O'Connell. Je lis leurs écrits, regarde leurs vidéos sur YouTube, m'introduis dans leur cerveau, m'informe de leur haine. J'ai beaucoup de ressources, et je me suis constitué un petit groupe d'informateurs. Vous seriez étonné d'apprendre ce que vous pouvez découvrir avec cent dollars. Je suis devenu un vrai professionnel de la recherche en ligne. Je connais les sites où ces gars-là publient leurs diatribes.

Stein prit une profonde inspiration et ses narines émirent un sifflement.

— Je pense que la meilleure défense consiste à comprendre l'étendue et la profondeur de ceux qui aimeraient nous renvoyer dans les fours. Un homme comme vous pense probablement que je devrais avoir une licence d'enquêteur privé. Mais je connais les conditions. Je m'arrête à une activité d'amateur. Et je rapporte tout ce que je découvre à l'agent spécial Ramos, au lac Tahoe. Vous savez sans doute qui c'est.

J'acquiesçai.

— Avez-vous vu des vidéos d'O'Connell ?

Stein secoua la tête.

— Mais j'ai vu des vidéos qui le mentionnaient. Il avait une réputation dans le milieu de la drogue et des milices. Il avait l'air d'être considéré comme le diable. C'était une espèce d'expert du couteau. Un commentaire que j'ai lu disait qu'il aimait entailler la chair. Mais ce n'était pas un leader. Plutôt un genre de second.

J'essayai de me rappeler qui d'autre avait dit cela à propos de Nick O'Connell, mais cela ne me revint pas.

— Qu'O'Connell soit mort n'est pas une grosse perte, reprit Stein. Les hommes qui suivent ces leaders et se gravent des tatouages haineux sur le corps sont méprisables. Mais les chefs, les Hitler en herbe qui forment ces groupes et façonnent leur haine, ils sont le mal incarné. David Halstead. Nick O'Connell. Je crois en notre système de jurisprudence et je le soutiens, mais ces gens-là, nous pouvons nous en passer.

Stein dit cela avec tant de venin dans la voix que je me demandai à nouveau s'il n'avait pas un peu l'âme d'un justicier solitaire.

— Savez-vous comment je peux entrer en contact avec les Red Blood Patriots ? demandai-je.

Stein plissa les yeux.

— Un numéro de téléphone ou une adresse e-mail ? Non. Ils sont bien trop cachottiers. Mais Halstead possède un lopin de terre dans les contreforts, où les Red Blood Patriots font leurs exercices militaires. Il y a là-bas quelques bâtiments sous les arbres. Ils sont bien cachés, on les distingue tout juste sur les photos satellite de

Google. Nous pensons que certains des Patriots vivent sur place. D'autres habitent dans la campagne environnante. Mais si vous y allez et si votre déguisement n'est pas très bon, vous risquez de vous faire tuer. Alors j'aurais cela sur la conscience.

— Docteur Stein, je suis un ancien flic. Vingt ans dans la police de San Francisco. Je suis expérimenté, prudent, raisonnable. Vous pouvez me donner son emplacement.

Il secoua la tête à mon adresse comme pour dire que j'étais un imbécile.

— Nous pensons que les Red Blood Patriots ont tué trois personnes qui avaient mis le nez dans leurs affaires. L'une était un agent de l'ATF qui a disparu il y a quelques mois. Il avait infiltré le circuit des foires aux armes dans le Nevada. La dernière fois qu'on a entendu parler de lui, il suivait plusieurs hommes dans une camionnette découverte. Ils venaient de quitter une foire à Reno et se dirigeaient vers l'ouest pour passer en Californie. Une autre victime probable était membre d'un groupe rival de miliciens dans l'Oregon. Nous pensons qu'il s'est introduit chez eux clandestinement comme pour se joindre aux Red Blood, mais avait en réalité un objectif plus sinistre. Nous ignorons quoi. Voler des armes ? Essayer de devenir membre, d'influencer les autres, et de renverser les chefs ? Tout ce que nous savons, c'est qu'on l'a vu entrer dans l'enceinte et qu'il n'est jamais ressorti. Les gars de l'est de l'Oregon, d'où il venait, parlent depuis un moment d'attaquer. Comme une fichue horde d'infidèles déferlant du nord. Incroyable.

— Qui était la troisième personne qu'ils ont pu tuer ?

Stein m'adressa un regard dur.

— Une reporter de Sacramento. Une journaliste indépendante qui a rédigé des articles pour le *Reno Gazette Journal*, le *Sacramento Bee*, le *Chronicle* et d'autres. Elle m'avait contacté pour obtenir des informations. Je ne lui ai pas parlé des Red Blood Patriots, Dieu merci. Elle a déniché cette information ailleurs. Bref, l'un des rédacteurs en chef – je ne dirai pas de quel journal – lui avait demandé d'écrire un article sur les milices. « Les milices sont parmi nous », c'était son titre de travail. On l'a vue dans la région en train de poser des questions sur les Patriots. Ensuite, on ne l'a jamais revue. Plus tard, un touriste de passage dans les contreforts a rapporté avoir entendu des types discuter dans un bar des collines. Ils parlaient de cette salope de journaliste et disaient qu'elle s'était vraiment bien défendue.

Stein baissa les yeux, la mine sombre.

— Si vous refusez de me dire où traînent les Red Blood Patriots, j'obtiendrai l'information de quelqu'un d'autre.

Stein plongea la main dans sa mallette et en tira un calepin. Il le feuilleta.

— Il y a un magasin automobile appelé « garage Good Fix » qui appartient à Halstead et à son frère Harmon. Harmon tient le garage. Il est un peu demeuré, et ce n'est pas une figure importante dans les Red Blood Patriots. D'une façon ou d'une autre, vous pouvez entrer en contact avec certains des Patriots par l'intermédiaire de Harmon. Je vous donne l'adresse du garage. (Il l'écrivit sur un post-it et me le tendit.) Le terrain des Patriots est une section d'un quart de mile, un lopin de soixante-cinq hectares situé à peu près au nord du garage et à l'ouest de l'autoroute, mais il n'est pas sur l'autoroute. Dans les archives publiques, il est décrit comme n'ayant aucune voie d'accès légale. Ce qui signifie que vous devrez explorer les pistes de bûcherons locales pour trouver un moyen d'y pénétrer en voiture.

— Merci.

Je me levai et lui serrai la main.

Stein me dévisagea.

— Le fait qu'ils aient attiré un requin de l'importance de Nick O'Connell donne une idée de la dangerosité de ces types-là. Vous vous rendez dans leur tanière malgré mon avertissement. Mieux vaut laisser des groupes comme le nôtre les surveiller de l'extérieur. Nous tenons le shérif informé, et il réagit selon ce qui lui paraît approprié.

— J'apprécie l'avertissement, dis-je en sortant, de sombres présages en tête tandis que je retraversais le campus.

Heureusement, ma voiture n'avait pas été emmenée à la fourrière. Spot était toujours dedans.

Chapitre 31

L'adresse écrite par le professeur Stein se trouvait dans une petite ville des collines à proximité de l'autoroute 49, entre Placerville et Auburn. Le pays de l'or. Habité par des dizaines de milliers de braves gens qui paient volontiers leurs impôts et respectent leur gouvernement et ses lois, même s'ils ne sont pas d'accord avec certaines d'entre elles. Et, apparemment, également choisi comme base par les Red Blood Patriots.

Je repris la 80 et sortis de Reno vers l'ouest, remontai le canyon jusqu'à Truckee, passai le Donner Summit et descendis la longue pente menant à Auburn. Je sortis de l'autoroute et trouvai un restaurant à tacos. Je commandai quatre tacos *jumbo* au bœuf.

— Vous avez déjà mangé ici ? me demanda la jolie jeune fille à peau brune dans l'anglais employé par les Américains de souche. Parce que dans le cas contraire, je dois vous avertir que nos tacos *jumbo* sont vraiment gros.

— Pas de problème. J'aurai une aide vraiment conséquente pour les manger. J'aimerais aussi deux verres de lait et un grand saladier d'eau.

— Je vous demande pardon, vous voulez de l'eau dans un saladier ?

— S'il vous plaît, dis-je. Un grand saladier. C'est pour mon chien.

Je fis un signe par-dessus mon épaule pour lui montrer Spot, qui passait la tête par la vitre de la portière, truffe et oreilles pointues dressées et orientées vers les odeurs de tacos.

La jeune fille eut un hoquet de surprise en voyant Spot, puis me fit un large sourire. Ses dents étaient mal alignées, mais très blanches.

— Mais nous ne vendons pas d'eau. Et nous n'avons pas de saladier. Je ne sais pas quoi dire. On m'a formée à prendre les commandes particulières, mais on ne m'a jamais parlé de chiens.

— Et un tuyau d'arrosage ? Vous en auriez un ?

— Non. Nous l'avons rentré pour l'hiver.

— Un robinet ?

— Bien sûr ! Il faut un robinet pour brancher le tuyau !

J'étais si obtus.

— Mon chien peut-il utiliser votre robinet ?

Le sourire revint.

— Oui, pas de problème !

Spot et moi nous sustentâmes donc, puis partîmes vers le sud sur l'autoroute du pays de l'or.

La petite ville délabrée était du genre ancien relais à chevaux et petit bled sans prétentions, et sans doute aucun cheval n'y vivait-il. Le bâtiment le plus sophistiqué était le garage Good Fix, une vieille station essence à la peinture écaillée qui ne vendait plus de carburant. Je me garai et entrai par une des deux portes de garage ouvertes.

L'endroit était poussiéreux et sentait le renfermé ; il y faisait chaud et il y régnait une odeur d'huile, de cigare, de bière et d'autre chose que je reconnus mais ne parvins pas à identifier. Je pivotai sur place, cherchant un membre du personnel. Sur la gauche, il y avait un Bronco de la fin des années 1970, auquel manquaient les deux roues arrière et qui était appuyé contre un grand coffre à outils rouge. De l'autre côté du coffre, une porte menait dans le bureau. J'enjambai une clé pneumatique avec tuyau et compresseur, et passai la tête dans l'encadrement de la porte du local.

C'était une petite pièce meublée d'un antique comptoir sur lequel reposaient un tiroir-caisse et un présentoir à tabac Skoal qui étaient probablement d'origine, remontant aux années 1950, époque glorieuse des stations essence.

Les murs avaient été tapissés d'affiches représentant des armes à feu, collées bord à bord partout où il n'y avait pas de fenêtre.

Fusils d'assaut, fusils de sniper gros calibre, et fusils de chasse. Mitrailleuses Gatling, fusils-mitrailleurs Tommy, Mac 10 et Uzi. Revolvers, pistolets, semi-automatiques. Armes bricolées, carabines à air comprimé. À côté de la porte, un poster montrait des images de balles et énumérait leurs caractéristiques, depuis les minuscules calibre 22 jusqu'aux cartouches de calibre 50, plus proches des obus d'artillerie que des balles. Balles explosives, balles perforantes, balles traçantes, balles incendiaires.

Je réalisai quelle était cette odeur qui m'avait semblé familière. Une odeur de poudre.

Sans doute les Red Blood Patriots aimaient-ils charger eux-mêmes leurs munitions.

Derrière le comptoir trônait un poster plus inquiétant. Il détaillait les caractéristiques des fusils lance-roquettes, de petits missiles à ailettes que l'on pouvait transporter dans un sac, mais qui avaient le pouvoir de transformer une maison en tas de petit bois.

Au fond de la pièce était placé un vieux bureau en métal vert. Assis derrière, parlant au téléphone, un bel homme aux traits rudes d'une cinquantaine d'années. Il avait d'épais cheveux gris qui évoquaient ceux d'une star de cinéma.

L'homme leva un doigt pour indiquer qu'il avait remarqué ma présence. Je hochai la tête. Il continua de parler des chocs subis par le Bronco.

Derrière l'homme était affiché le seul poster non violent du bureau, une carte des environs. C'était en partie une carte topographique avec les lignes indiquant l'élévation, et en partie une carte historique indiquant les anciens sites aurifères. On avait inscrit sur la carte des X noirs, des flèches et de petites notations que je ne pouvais pas lire de là où je me tenais. Je cherchai un carré intitulé « Pays des Red Blood Patriots », mais ils avaient oublié de le mettre sur la carte. Dans le coin de cette dernière étaient écrits deux chiffres.

88.

L'homme raccrocha le téléphone.

— Peux vous aider ?

— Oui. Je cherche un gars qui s'appelle Harmon.

— J'dois être le seul Harmon dans le coin, dit-il. J'en suis pas complètement sûr, mais à ma connaissance, si un type cherche quelqu'un qui s'appelle Harm, c'est moi qu'ce type cherche.

Je regardai autour de moi.

— C'est votre garage ? Cool. Me suis toujours demandé si j'aurais pu faire ça, réparer des voitures et tout ça. Permettre aux gens de continuer à rouler.

— C'est l'affaire de mon frère Davy. Mais il vient pas beaucoup. Il s'en est bien sorti avec son stock de Harley Davidson. Il a placé les cinq qu'on avait jusqu'ici. Maintenant il est en semi-retraite, et c'est moi qui tiens le garage la plupart du temps.

Harmon ne savait pas encore que son frère avait été tué la veille au matin. Je pris un instant pour réfléchir à comment j'allais jouer mon prochain coup.

— Impressionnant, dis-je. Voyez, j'étais en train de déjeuner dans ce resto à tacos sur la route, à Auburn. Et je m'suis mis à discuter avec ce type qu'était garé à côté de moi. Il vous connaît... un grand type dans un Dodge Ram rouge. Ça vous dit quelque chose ? Belle finition de peinture. Vous le connaissez sûrement. Il a la rayure bleue sur le côté. S'appelle Bob, je crois que c'est ce qu'il m'a dit. Bref, on chasse le cerf tous les deux, et il dit qu'il a abattu un douze cors dans ce secteur à l'automne dernier. Alors je lui dis que je n'irais jamais demander où il a descendu un tel trophée, mais que peut-être il pouvait juste me donner un tuyau sur les bons secteurs de chasse dans la région. Vous savez, les endroits, en gros, où on peut trouver du cerf.

Harmon fronça les sourcils, une expression inquiète assombrissant brièvement son visage. Je foulais un sol sacré.

— Alors Bob, continuai-je, il me dit que pratiquement n'importe où au pays de l'or, c'est fructueux. Ça m'a plutôt frappé, ce mot. Fructueux. Jamais entendu un chasseur parler comme ça. Mais c'est ce qu'il a dit. Peut-être que Bob lit des bouquins ou je ne sais quoi. Bref, Bob m'a dit que si moi et mon chien, on allait vers le sud sur la 49, je devais m'arrêter au garage Good Fix parce que le vieux Harm connaît ces bois mieux que tout le monde.

— Ben, c'est vrai, et j'peux vous dire franchement qu'y a pas de bon secteur de chasse dans le coin, répondit Harmon.

— Vous blaguez.

Harmon secoua la tête. Vraiment sérieux.

— Non. Nos chasseurs sont bons. Ils ont déjà eu tous les cerfs.

— Bon, écoutez-moi si vous avez une seconde.

Je passai sur le côté de son bureau et indiquai la carte derrière sa tête. Harmon fit pivoter son fauteuil de bureau pour voir ce que je montrais du doigt.

— Voyez cette zone, là, avec ce grand ravin qui la traverse, et tout ce côté, ici, c'est une pente orientée à l'ouest ? Eh bien, j'étudie les cerfs depuis en gros vingt ans, et j'ai une théorie là-dessus. Vous savez que le couguar s'installe dans les arbres et se laisse tomber sur les cerfs, mine de rien ? Les cerfs vont sous les arbres pour se cacher, mais en fait, c'est ce qu'ils peuvent faire de pire. Bam ! (Je frappai dans mes mains.) Ses mâchoires se referment sur votre nuque !

Harmon tressaillit de façon presque imperceptible.

— Bref, n'importe quel cerf qu'a des bois suffisamment gros a vécu longtemps et appris à éviter les mâchoires du couguar. Alors je me dis – c'est ce que j'appelle ma théorie des cerfs – je me dis que le grand cerf évite d'aller sous les arbres. Et où il va ? Sur la pente face à l'ouest où les arbres poussent pas, parce que le soleil est trop chaud et que le sol est trop sec. Un grand cerf restera juste dans les hautes herbes. Et si un couguar s'approche de lui, ce vieux cerf baissera sûrement ses cors et l'chargera ! Si j'étais un couguar, j'voudrais sûrement pas me retrouver en chiche-kebab sur les cors d'un cerf. Z'en pensez quoi ?

Harmon secoua lentement la tête et me dévisagea comme si j'étais cinglé.

Je continuai de parler.

— Alors je regarde cette pente à l'ouest.

Je suivis du doigt les lignes topographiques, couvrant une vaste zone de campagne non loin du garage où nous nous tenions.

Harmon ne réagit pas.

Je déplaçai mon doigt vers une nouvelle zone.

— Ou cette pente, dis-je. Ou celle-là.

— Non, pas celle-là, dit Harmon. Allez pas là-bas.

— Ah, vous avez chassé dans ce secteur ? Z'êtes revenu avec toutes vos munitions, pas vrai ?

J'indiquai une autre zone.

— Et là ? Vous avez déjà chassé là ?

Harmon réfléchit à la question. Il se leva et indiqua la carte.

— J'dirais que cette pente ou les deux premières que z'avez montrées, c'est là qu'vous auriez l'plus de chance. Mais celle-là ? Je connais ce pays. J'peux vous affirmer qu'j'ai jamais vu un cerf nulle part dans ce coin-là.

— Eh, v'là un bon tuyau, dis-je. M'évite de perdre mon temps. J'vous remercie. Maintenant, j'vais pouvoir tester ma théorie.

Je lui serrai la main, fis mine de partir, puis me retournai.

— Eh, voulez faire une pause ? J'aimerais vous payer une bière. Vous êtes mon genre de gars.

Harmon secoua la tête comme il l'aurait secouée si quelqu'un lui avait proposé de caresser un serpent.

— OK, Harm. Mais j'vous revaudrai ça. Si on s'retrouve un jour dans le même bar, je paie la tournée pour tous vos potes. Z'avez ma parole, et elle vaut mieux qu'celle du roi d'Espagne.

Je sortis et retournai à la Jeep. Spot avait passé la tête par la vitre. Je la lui frottai et déclarai :

— Bingo.

Chapitre 32

Je quittai la ville en direction de la zone qui, selon ce que Harmon affirmait catégoriquement, ne contenait aucun cerf. En approchant de la grande pente orientée à l'ouest que j'avais vue sur la carte, je sortis de l'autoroute et avançai dans une courte montée en cul-de-sac envahie de buissons et couverte par des branches de chênes noirs. Un jeune cerf sortit brusquement du couvert et monta en bondissant la pente au-dessus de moi. J'engageai la Jeep dans les buissons en faisant ronfler le moteur, les branches faisant de nouvelles éraflures par-dessus les vieilles rayures de ma peinture. Je m'arrêtai et mis le frein à main.

Je dus forcer pour ouvrir ma portière contre la pression des broussailles. J'écartai des brindilles de mon visage, contournai la Jeep pour aller du côté droit où il y avait un peu plus d'espace, et fis sortir Spot. Il courut immédiatement vers les buissons dans lesquels le cerf avait disparu.

— Spot ! criai-je d'une voix grave.

Il fonça sur la pente escarpée un moment, puis s'arrêta, non à cause de ma voix, mais parce que la pente était plus proche de la verticale que de l'horizontale. Comme de nombreux prédateurs, il se rendait instinctivement compte que les cerfs ont un dispositif anti-gravité qui leur permet de courir plus vite sur une pente très raide. Et il faisait chaud, le climat méditerranéen des contreforts se maintenant durant la saison automnale. Un temps plus propice à faire la sieste à l'ombre qu'à courir à flanc de colline.

Je sortis à pied du cul-de-sac et revins sur l'autoroute. Spot me suivit, restant dans les hautes herbes sèches du bas-côté, trottant la truffe baissée. Flairant probablement les membres de la milice. J'entendis le bruit d'un véhicule derrière un virage. Instinctivement, j'appelai Spot par son nom et m'écartai de la route en courant vers un bosquet de chênes. Spot bondit après moi, toujours excité quand je cours.

Nous étions à couvert quand le véhicule apparut. C'était une vieille Chevrolet Blazer, recouverte d'une peinture de camouflage, avec quatre types à l'intérieur, portant des tenues de treillis. Les vitres étaient baissées. Ils parlaient assez fort pour être entendus malgré le ronflement du tuyau d'échappement endommagé. D'après leurs gros rires, l'un d'entre eux devait être très drôle.

Quand ils furent passés, nous revînmes sur l'autoroute. Quatre cents mètres plus loin, je vis un sentier qui escaladait progressivement, en biais, la pente raide. Spot passa le premier, manifestant l'habituel enthousiasme canin pour les sentiers. S'il avait pu parler, il se serait exclamé : « Un chemin ! Voyons où il mène ! »

Je le suivis. En quelques minutes à peine, nous étions à trente mètres ou plus au-dessus de l'autoroute. Deux voitures et une camionnette découverte approchaient en provenance du nord. Juste au cas où l'un des occupants des véhicules serait penché en avant et pourrait voir en haut à travers le pare-brise, je retins Spot et nous nous accroupîmes dans les hautes herbes. Encore une minute ou deux, et nous étions montés assez haut pour éviter que quiconque puisse nous voir depuis l'autoroute.

Nous parvînmes à un plissement dans le paysage, qui fournissait une bonne vue de la pente au-dessus. Elle montait jusqu'à une crête. Le long du sommet, tout juste visible quand on plissait les yeux, s'étendait une clôture. Je ne distinguais pas les détails, sinon qu'elle paraissait haute. Je voulais voir ça de plus près.

Je quittai le sentier qui montait en douceur et escaladai directement la pente escarpée en direction de cette clôture. Après trente seconde, je me retournai. Spot se dressait sur le sentier en contrebas, levant la tête vers moi, se demandant quand j'allais revenir à la raison. Je continuai de monter. Par endroits, la pente était assez forte pour m'obliger à poser les mains sur le sol devant moi, afin d'éviter de glisser en arrière en dérapant sur l'herbe sèche. Un coup d'œil en arrière m'apprit que Spot avait décidé de se joindre à moi. Il montait péniblement la pente, son attitude exprimant son peu de goût pour l'exercice considéré comme une fin en soi.

L'air était brûlant et empli des bruits de la nature. Des sauterelles faisaient claquer leurs élytres en bondissant. Dans le lointain, le vacarme de scie circulaire des cigales faisait la publicité d'un grand événement, peut-être une orgie sexuelle ou leur prochaine prise du pouvoir sur terre et la fin de celui des êtres humains. L'herbe dorée et cassante émettait des bruits de froissement sous la pression d'une brise si chaude que plus elle soufflait, plus on avait chaud. Mes halètements étaient si sonores que des couguars, à des kilomètres à la ronde, devaient dresser l'oreille et calculer la quantité de nourriture qu'un grand animal mourant comme moi leur fournirait. Le seul bruit que je n'avais pas entendu était celui d'un serpent à sonnette agité, et je savais qu'ils étaient nombreux dans les contreforts, mais ils avaient sans doute le bon sens de rester à l'intérieur par un après-midi aussi chaud.

Quand je parvins à la clôture, je m'assis sur un rocher et me reposai, regrettant d'avoir négligé d'apporter une demi-douzaine de bouteilles d'eau.

La vue, derrière moi, était grandiose. La vallée était spectaculaire avec ses collines dorées, ses bosquets de chênes noirs, sa route sinueuse et l'American River dans le lointain, toujours pleine d'eau glacée rugissante originaire du lac Aloha, à deux mille cinq cents mètres du côté oriental de la chaîne de Crystal Range, au sud-ouest du lac Tahoe.

La vue en face de moi, par contre, était inquiétante. La clôture était faite d'un fil de fer si épais qu'il serait difficile à couper avec un coupe-boulons. Le grillage avait été peint à la bombe couleur camouflage. J'estimai la clôture haute de trois mètres. Le sommet présentait des boucles de barbelés comme ceux qu'on voit autour des prisons et des installations militaires. De l'autre côté, une route de terre battue courait parallèlement à la clôture. Il ne fallait pas beaucoup de créativité pour imaginer des types en tenue de treillis, patrouillant dans des Blazer camouflés, portant en bandoulière les fusils d'assaut camouflés qu'ils avaient achetés à Thomas Watson.

Stein m'avait dit que le terrain de Halstead était une section d'un quart de mile, autrement dit un carré de huit cents mètres de côté.

De hautes collines tordues et déformées, comme une roue de vélo sur laquelle un camion aurait roulé, s'étendaient en un vaste cercle. La bordure formée par les collines était surmontée de la clôture, qui ressemblait à un immense collier tremblotant et camouflé de huit cents mètres de diamètre, dont la plus grande partie était visible depuis mon poste d'observation, à sa limite orientale. Au centre du collier, deux dépressions creusaient le paysage, l'une à environ quatre-vingt-dix mètres au-dessous de moi, l'autre seulement à trente. Les dépressions étaient reliées par une vallée qui continuait à perte de vue vers le sud. Dans chaque dépression, des groupes de chênes, résultat naturel du drainage de l'eau.

Après avoir étudié les lieux quelque temps, je me rendis compte qu'il y avait plusieurs bâtiments dans chaque dépression, soigneusement cachés sous la couverture ombreuse des arbres. Si la clôture et la route de terre battue étaient aisément visibles en avion et même par satellite, les bâtiments et les véhicules seraient en grande partie cachés à la vue. Le redoutable gouvernement de Big Brother ne détecterait pas aisément les activités de ce groupe particulier de citoyens mécontents.

Spot souffla subitement entre ses bajoues. Il regardait fixement à travers la clôture en direction d'un des groupes de bâtiments. Il remua la queue.

Je ne savais pas ce qu'il avait vu, mais je l'attrapai et poussai sur sa nuque.

— Couché, Spot ! murmurai-je. Couche-toi.

Il se coucha lentement, remuant toujours la queue, regardant avec attention.

J'essayai de suivre son regard. D'abord, je ne vis rien. Puis j'aperçus des mouvements, un peu sur le côté. Un homme marchait comme s'il effectuait une patrouille. Il tenait un objet oblong, sans doute un fusil. Le chien qui marchait à ses côtés était plus intimidant. Même depuis une grande distance, il semblait s'agir d'un bouvier des Flandres, un chien qui devait peser quarante à soixante kilos. Le bouvier était initialement dressé comme berger, mais est devenu prisé pour ses capacités supérieures en tant que chien de garde. Bien que ces chiens n'aient pas l'air aussi coriaces que les bergers allemands et les dobermans, ce sont des animaux impressionnants. S'il était dressé comme chien de garde, celui-ci serait au moins aussi dangereux que n'importe quel milicien seulement armé d'un fusil. Même si l'animal n'était pas dressé, son instinct naturellement protecteur rendrait malgré tout difficile le franchissement du périmètre.

Je me demandai comment les gars de David Halstead entraient et sortaient de l'enceinte. Je ne pouvais pas voir la route de là où j'étais assis, mais il semblait que la voie d'accès logique soit la vallée située au sud. Il aurait été rationnel de placer la route dans cette vallée, sous les arbres. Il y aurait un portail gardé là où l'allée rejoignait la clôture d'enceinte. Je ne pouvais sans doute pas baratiner un garde armé pour entrer, et je ne pouvais certainement pas passer par-dessus une clôture surmontée de barbelés. À moins que… ?

Une question plus pertinente était de savoir s'il valait la peine de tenter quelque chose qui risquait de me faire tuer.

Il ne faisait aucun doute dans mon esprit que les Red Blood Patriots étaient au centre d'une grande part des événements. Et je commençais à penser que l'enceinte que j'avais sous les yeux était une candidate plus probable au titre de prison d'Anna que n'importe quel autre lieu.

Nick le Couteau avait été lié aux Red Blood Patriots, et Davy Halstead était occupé à surveiller Anna avant de mourir. Je ne connaissais pas l'identité de l'homme que Nick avait jeté à l'eau sur le Dreamscape, mais puisque personne n'avait signalé de personne disparue, il s'agissait sans doute d'un homme seul et sans famille. Et son association avec Nick suggérait que lui aussi avait pu être membre des Patriots.

La personne qui avait enlevé Anna pouvait être n'importe qui, mais des indices – tous fondés sur des présomptions – suggéraient que son kidnappeur pouvait bien être un Patriot, quelqu'un qui avait eu vent de l'héritage potentiel d'Anna par l'entremise de Davy, de Nick, de Thomas Watson ou même du complice de Nick dans le détournement. Quand il avait réalisé que tous excepté Davy ne représentaient plus une menace, il pouvait avoir organisé un coup, tué Davy et enlevé Anna.

Je n'avais aucune indication de l'endroit où Anna était détenue, et ne savais même pas si elle était en vie. Il était probable que son kidnappeur l'avait forcée à parler et à révéler ce qu'elle savait. Il était tout aussi probable qu'après avoir constaté qu'elle ne possédait rien d'intéressant, il la tuerait.

Rien ne semblait coller. C'était comme une version géante, mortellement réelle, des mots croisés du dimanche sur le sujet du meurtre, dans laquelle je ne tenais toujours rien d'autre que des indices impénétrables et n'avais pas encore trouvé le moindre mot.

Chapitre 33

La chaleur du soleil de plomb de cet après-midi, qui commençait à décliner, m'obligea à me lever de mon rocher. Le garde et son chien avaient disparu ; je longeai donc l'extérieur de la clôture vers un chêne lointain qui fournirait de l'ombre. Spot me suivit, ralenti par la chaleur. En atteignant l'arbre, Spot se dirigea immédiatement vers son ombre et s'y étendit. Il roula sur le flanc, et sa grande langue s'allongea sur la terre sèche et herbeuse.

Je m'assis par terre à côté de lui et m'essuyai le front de l'avant-bras, la sueur me coulant dans les yeux. Nous étions tous deux déshydratés et avions besoin d'eau, mais nous avions encore plus besoin d'une pause à l'ombre. Pendant que nous nous reposions, je méditai ce que je pourrais tirer de l'équipe de Davy Halstead. Il fut immédiatement évident que, si j'approchais directement ses disciples, la réponse serait : rien. Il y avait des tas de milices, et chacune avait un objectif différent, mais elles partageaient toutes une forte désaffection envers le gouvernement. Cette hostilité les poussait universellement à acquérir des armes, et que ces acquisitions soient légales ou non, elles ne toléreraient pas que qui que ce soit n'appartenant pas à leur groupe pose des questions sur leurs activités.

La seule action rationnelle consistait à partir de là. Je pouvais essayer de convaincre le shérif du comté ou l'agent Ramos que l'enlèvement d'Anna justifiait une fouille de l'enceinte des Patriots. Mais ce serait futile. Sans preuves, il n'y avait pas de raison valable, ce qui signifiait qu'aucun juge ne délivrerait de mandat.

Si Anna était en vie, elle pouvait être détenue n'importe où.

Mais l'endroit le plus probable, à ma connaissance, où elle pourrait être détenue à l'abri des regards et des oreilles d'autrui se situait quelque part à l'intérieur du lopin de terre clôturé qui s'étendait sous mes yeux.

Peu importait la façon dont je me présenterais à eux, je serais toujours une personne de l'extérieur essayant d'obtenir des informations concernant leurs membres et leurs activités. Il était impossible qu'ils réagissent autrement que par une forte méfiance à mon égard, et peut-être par la violence. Ce qui ne me laissait qu'une seule autre approche.

Je devais y entrer sans être vu. Une entrée non autorisée dans la cambrousse.

Je considérai brièvement l'idée d'un tunnel secret pénétrant dans l'enceinte et que je pourrais emprunter pour m'y introduire souterrainement. Peu probable. Je ne pouvais pas non plus louer sans risque un hélicoptère pour me larguer depuis les airs. Excitant dans les films, mais pas réaliste dans la vraie vie. J'avais déjà éliminé la possibilité de passer les gardes postés au portail. Même s'ils avaient un véhicule effectuant des livraisons régulières dans lequel je pourrais me dissimuler sous la cargaison, il me faudrait probablement des semaines de surveillance pour déterminer comment m'y prendre. Il ne me restait qu'à passer par-dessus la clôture, par-dessous ou à travers.

Elle ne paraissait pas électrifiée, mais peut-être était-elle commandée par des caméras de surveillance invisibles. Je pouvais l'escalader, mais enjamber les barbelés serait difficile. Les pointes avaient l'air assez coupantes pour trancher n'importe quelle toile ou couverture avec laquelle je pourrais essayer de couvrir le sommet. Et les barbelés étaient conçus pour ne pas être rigides. Ils s'affaisseraient, s'accrocheraient de façon déplaisante. Je pouvais revenir avec un coupe-boulons, mais je découvrirais sans doute que le grillage était durci. J'avais vu des coupe-boulons ne parvenir à couper que quelques fils avant qu'une clôture durcie les émousse, les rendant inutilisables. Je pouvais apporter une pelle et creuser un tunnel, mais la clôture était enfoncée dans le sol. Peut-être y avait-il même une bordure de ciment sous le grillage. Je donnai des coups de pied dans la terre, sortis mon canif et enfonçai la lame dans la terre sèche et dure. La lame s'enfonça de moins de cinq centimètres avant de refuser d'aller plus loin. Le sol cuit par le soleil paraissait plus dur que de l'asphalte.

Je levai les yeux vers le chêne au-dessus de ma tête, me demandant s'il pouvait y avoir un arbre quelque part dont les branches pendaient par-dessus la clôture, ce qui me permettrait de me laisser tomber à l'intérieur. Je trouvai la réponse sur l'une des branches du chêne, qui avait poussé en direction de la clôture et était sciée. Je me dis qu'ils devaient avoir taillé tous les arbres à proximité de l'enceinte.

Le soleil était descendu et touchait presque les collines distantes, mais sa température était toujours réglée sur grill. Je me rendis compte que je devais commencer à descendre de la montagne.

— Allez, Spot, on y va, dis-je.

Spot ne bougea pas.

Je commençai à m'éloigner. Je me retournai après avoir fait dix mètres. Spot avait levé la tête.

— Allez, mon gars, je m'en vais. Ça descend sur tout le parcours.

Il se hissa sur ses pattes. Bâilla. Baissa la tête comme si elle était trop lourde pour la tenir dressée. Se mit à marcher. En le regardant sortir de l'ombre du chêne, une idée me vint.

Le chêne avait été taillé de façon à ne pas pendre par-dessus la clôture. Mais il en était encore assez proche. Si je pouvais faire tomber le chêne et contrôler sa direction, il pourrait atterrir sur le grillage et l'écraser, après quoi il serait facile à quelqu'un qui gravirait en équilibre son tronc incliné de progresser à travers les branches, et de sauter de l'autre côté de la clôture. L'astuce consisterait à couper le chêne à la main, parce que le bruit d'une tronçonneuse attirerait l'attention. Une autre difficulté consisterait à contrôler sa chute. Contrairement au pin et au sapin, qui sont droits et peuvent être dirigés selon la forme et la taille du coin en forme de charnière que l'on insère dans le tronc avant la coupe finale, le chêne pousse souvent avec son centre de gravité substantiellement déporté sur un côté du tronc. Aucune précaution dans la taille ne peut modifier la façon dont un chêne de ce type tombera. Les arbres décentrés ne peuvent être dirigés qu'avec une pince hydraulique montée sur un camion, ou par des câbles attachés à d'autres arbres. Je ne disposais de rien de tout ça. Je retournai à l'arbre et décrivis un cercle autour, évaluant son centre de gravité. Les branches étaient irrégulières par leur taille et leur longueur. Le tronc décrivait un léger S vers le haut. Et présentait quelques vieilles cicatrices qui affaibliraient un côté. Malgré tout, je me dis qu'il serait possible de diriger sa chute sur la clôture. Bien sûr, je devais d'abord le couper. À la main. L'arbre faisait soixante centimètres de diamètre. Couper un chêne ressemble plus à couper de la roche qu'à tailler du bois tendre comme le pin ou le sapin.

Tandis que Spot et moi redescendions de la montagne, je me sortis cette idée de l'esprit comme déraisonnable au mieux, et impraticable au pire.

Je sortis la Jeep en marche arrière de sa cachette, roulai jusqu'à Placerville, me garai sur la rue principale de ce que les autochtones appellent Old Hangtown et pris mon téléphone.

Chapitre 34

Parfois, quand vous ne vous concentrez pas sur un sujet, il vous revient de lui-même à l'esprit.

Le sujet qui me vint spontanément était le commentaire de Thomas Watson quand je lui avais parlé à la prison.

— Je ne suis pas coupable, avait-il dit en référence au meurtre de Grace.

Ceux d'entre nous qui travaillons dans les forces de l'ordre entendent ça tout le temps. Cette phrase est un cliché, la première chose qui sort de la bouche de tous les escrocs, depuis les voleurs à la tire jusqu'aux cambrioleurs, requins et meurtriers. Même des criminels stupides en col blanc la prononcent quand ils cessent de se discipliner et d'obéir à leurs avocats en se taisant. Je l'avais entendue si souvent que, comme tous les flics, j'avais un sens encyclopédique de chacune de ses nuances.

Et depuis que Watson l'avait prononcée dans sa cellule, elle ne cessait de me revenir quand je travaillais sur autre chose.

La raison pour laquelle les paroles de Watson rendaient de si fréquentes visites à mon subconscient quand je ne m'y attendais pas était évidente. Contrairement à toutes les autres fois où j'avais entendu dire ça, cette fois, je le croyais.

Je n'aurais pas su dire exactement pourquoi. Quelque chose dans le ton de sa voix, ses inflexions. Une sorte de douleur. Le sentiment qu'il dégageait de la véracité dans le reste de ce qu'il m'avait dit, et qu'il y avait donc peut-être aussi du vrai dans cette affirmation.

J'y réfléchis donc. Une femme se fait tuer. Elle a votre peau sous les ongles. On identifie formellement votre ADN. Si vous savez que vous n'êtes pas coupable, alors réfléchissez aux explications possibles.

J'appelai Joe Breeze à la police de San Francisco, m'attendant à tomber sur son répondeur à dix-neuf heures trente.

Il décrocha.

— On travaille tard, inspecteur ? demandai-je.

— Juste en train de m'échauffer. Tu oublies déjà le dévouement des professionnels de la police de San Francisco ? Il est vrai que toi, incarnation du secteur privé, tu dois avoir un verre de cabernet à la main en ce moment même.

— C'est ça. Dis, je suis sur la piste d'un groupe de miliciens, et j'ai une question à te poser.

— Ça concerne le journal que j'ai subtilisé pour toi ?

— Plus ou moins. J'ai besoin du nom du labo et du technicien qui a travaillé sur l'ADN retrouvé sous les ongles de Grace Sun.

— Je devrais démissionner et devenir ton secrétaire, répliqua Breeze.

Il n'avait pas l'air content.

. — Je pourrais t'embaucher comme interne bénévole.

— Mon salaire étant la proximité du célèbre enquêteur, et l'opportunité d'observer la grandeur de près, ajouta Breeze. Ce genre de chose n'a pas de prix.

Il ne dit pas ça sur le ton de la plaisanterie.

— Oui. En tout cas, tout ce que tu as à faire est d'ouvrir un tiroir de classeurs. Si je me souviens bien, il se trouve à gauche de ton bureau. Le classeur gris, pas le marron. Deuxième tiroir en partant du bas.

Je l'entendis souffler bruyamment.

— Je t'envoie tes havanes favoris si ça peut t'aider, dis-je.

— J'ai arrêté de fumer ces merdes l'année dernière. Maintenant, je suis l'image même de la santé. Non fumeur, quatre-vingt-douze kilos pour une taille d'un mètre soixante-douze, et ce n'est pas fini.

Je n'aurais su dire dans quelle proportion la colère de Joe était due au fait que je repoussais les limites en lui demandant tant de services, ou concernait les difficultés liées au poids qu'il avait pris et à un emploi consistant surtout à rester assis devant un bureau pour traiter de la paperasse. J'entendis le bruit d'un classeur qu'on refermait violemment. Des pages qu'on tournait.

Je déclarai :

— Alors tout ce que je peux te proposer comme récompense, c'est que les informations que tu me donnes pourraient éviter à un innocent de connaître le grand sommeil.

— Ouais, ces exécutions injustifiées sont coûteuses. Heureusement pour l'État que toi et ton cheval blanc lui économisez de l'argent. Le voilà. Pour une raison ou une autre, on a sous-traité l'analyse. Peut-être que notre propre labo était trop occupé. Le labo qui a fait le boulot s'appelle Evidence Inquiries, Inc. Il y a une signature sur un de ces formulaires, mais je n'arrive pas à la déchiffrer. Tu as un stylo ?

— Oui.

Breeze me lut un numéro de téléphone, me donna la date et le numéro d'identification indiqués sur le rapport.

— Merci, je t'en suis vraiment reconnaissant.

— C'est ça, dit-il, et il raccrocha.

Je me retournai vers le siège arrière où Spot était prostré, haletant, la langue pendante, essayant encore d'évacuer la chaleur excessive.

— OK, ta grandeur, il serait temps qu'on se trouve un dîner.

Il ne réagit pas.

Je pris à l'ouest sur l'autoroute et me rendis au supermarché Bel Air de Cameron Park, où j'achetai un sandwich traiteur, un litre de lait et un sac de cinq kilos de croquettes pour Spot. Il ne durerait pas plus de vingt-quatre heures, mais je comptais être rentré chez moi d'ici là. Nous mangeâmes à l'arrière du magasin où je trouvai un autre robinet. Puis nous descendîmes au fond de la vallée, trouvâmes un des motels d'une chaîne bon marché où l'on vous laisse entrer avec un chien, moyennant un supplément.

— Nous n'autorisons que les petits chiens, me dit la femme de la réception avec une expression sévère.

J'acquiesçai solennellement.

— Tout juste. Mais il a une forte personnalité, déclarai-je.

— C'est toujours la même chose, n'est-ce pas ! s'exclama-t-elle. Les types les plus petits, ils se prennent toujours pour l'attraction vedette du cirque.

— Vous avez tout compris, répondis-je.

Une fois que j'eus déterminé où se trouvait ma chambre, j'y allai en voiture et fis entrer Spot par la porte au bout du bâtiment.

— Sois sage et comporte-toi comme si tu étais petit, dis-je en le faisant entrer.

Il partit en courant dans le long couloir.

— Spot ! Viens là !

Il m'ignora. Une porte s'ouvrit environ trente mètres plus loin. Une femme sortit à reculons, tirant une poussette. Elle fit pivoter la poussette de notre côté et ferma sa porte. Le bambin vit Spot foncer vers eux, leva les deux bras, les agita et poussa des cris d'excitation. La mère se mit à hurler.

Spot fit volte-face et fila dans ma direction. J'avais mis la carte qui servait de clé dans la fente de la porte. La lumière passa au vert, et je poussai la porte.

— Désolé, lançai-je à la femme tandis que nous disparaissions dans la chambre, espérant que nous étions suffisamment loin pour qu'elle ne puisse pas retrouver quelle chambre nous occupions.

Une minute plus tard, j'entendis le couinement de roues qui passaient devant ma chambre. Un gamin poussait des cris.

— Maman, je veux un grand chien. Maman, je veux un GRAND chien. Maman !

— Tais-toi ! cria-t-elle à son tour.

Le lendemain matin, je composai le numéro donné par Breeze.

— Evidence Inquiries. Une voix jeune, masculine, aiguë comme celle d'un jeune choriste.

— Ici le détective Owen McKenna, j'appelle à propos d'un

rapport que vous avez fourni à la police de San Francisco il y a trois ans. Le numéro d'identification du rapport est huit, sept, B, R, I, M comme Benjamin, Robert, Isaac, Mary. J'ai besoin de parler au technicien qui a travaillé dessus.

— Et le nom sur le rapport ?

— Il y a une signature illisible, rien d'autre.

— D'accord. Ne quittez pas, je vais vous passer le groupe quatre-vingt-sept.

J'attendis jusqu'à ce qu'une femme réponde :

— Sharon Wilsonette.

Une voix plus âgée. Pas aussi aiguë.

Je répétai mon introduction.

— Attendez que je vérifie. (Elle fredonna un air pendant que je patientais. Ça ressemblait à une mélodie de Sondheim.) Le voilà. Jonathon James était le principal technicien sur cette analyse.

— Puis-je lui parler ?

— Je regrette, il a quitté l'entreprise depuis.

— Avez-vous des coordonnées où on peut le joindre ?

— Allons, M. McKenna, faisant partie des forces de l'ordre, vous savez que les entreprises ne sont pas autorisées à fournir des informations personnelles concernant leurs employés.

— Juste. Mais vous êtes autorisée à discuter amicalement avec un vieil ami de Jonathon.

— Vieil ami ?

— Quand on travaille ensemble sur une affaire de meurtre, on forge un lien particulier, expliquai-je. Grace Sun était le nom de la victime. C'est une des rares bonnes choses qui soient sorties de cette enquête, apprendre à bien connaître Jonathon.

— Si vous le connaissiez bien, vous sauriez qu'il détestait le prénom Jonathon et se faisait appeler JJ.

— Bien sûr. JJ et moi en avons justement discuté autour d'une bière, un soir.

— Si vous le connaissiez bien, vous sauriez qu'il ne buvait jamais d'alcool.

— C'est exact. Il buvait de la O'Douls, une bière non alcoolisée. Alors est-ce que JJ a ouvert son propre labo comme il m'en avait parlé ?

Il y eut une longue pause.

— Comme n'importe qui ayant eu affaire à JJ le saurait, il n'avait aucunement l'intention d'ouvrir un labo. Cet emploi était juste un à-côté pour l'aider à se payer des études de médecine. Il a eu son diplôme il y a deux ans, et est maintenant interne dans un hôpital d'Oakland.

— Bien sûr, ça me revient maintenant. Mais j'ai oublié quel hôpital.

— Bien sûr que vous avez oublié, parce que ce n'est qu'un des plus connus. Je crains de devoir vous laisser, maintenant.

Elle raccrocha, et j'appelai divers hôpitaux d'Oakland. Leur système téléphonique automatisé me permettait de joindre directement la personne de mon choix en entrant ses initiales. Au premier hôpital, la voix de robot m'informa que c'était une saisie invalide. Au second, la voix de robot me demanda de choisir entre deux JJ différents.

Je fis mon choix, attendis, et l'on me proposa un autre menu. Je fis un autre choix. Répétai le processus une troisième fois. Puis on me mit en attente, et j'écoutai une voix enregistrée me dire que mon appel était très important à leurs yeux, et que du fait d'un volume d'appels exceptionnellement important, les temps d'attente étaient longs et que je pouvais toujours trouver la réponse à ma question en me rendant sur le site Internet de l'hôpital, que la voix enregistrée m'épela lentement et laborieusement deux fois. Puis le message se répéta, encore et encore.

Je m'interrogeai sur les rédacteurs qui écrivaient des textes téléphoniques contenant des mensonges aussi nombreux et aussi patents. Si mon appel avait vraiment été important pour eux, ils auraient mis une vraie personne pour répondre au téléphone. Si l'important volume d'appels avait réellement été exceptionnel, il n'y aurait pas eu d'enregistrement permanent pour l'affirmer. Et les chances pour que la réponse à ma question se trouve sur leur site étaient environ les mêmes que celles d'être traité rapidement par leur service d'urgences.

Comme des tas d'entreprises, l'hôpital considérait visiblement ses clients comme dénués d'importance, et voulait simplement que ses interlocuteurs abandonnent et cessent de l'importuner.

Finalement, une femme en chair et en os me répondit.

— Infirmière Frances, troisième étage, annonça-t-elle.

— Ici le détective Owen McKenna qui cherche à joindre le docteur Jonathon James, avec un bonus à la clé pour vous. Si vous me parlez pour de bon et ne me soumettez pas à la torture de l'attente, je vous promets de ne pas venir à votre poste d'infirmière pendant votre garde pour faire une crise psychiatrique embarrassante.

— Oh, mon chou, je suis complètement en phase avec vous là-dessus ! D'ailleurs, vous avez une belle voix, et votre proposition de bonus est très alléchante. Attendez que je regarde son emploi du temps. Vous avez de la chance, parce que le docteur James effectue encore une garde de trente-deux heures, de sorte que quelle que soit l'heure où vous appelez, il est toujours là. Non seulement ça, mais parce que nos médecins de garde dorment comme Equus, il sera ravi d'être interrompu.

— Qu'est-ce que ça veut dire, dormir comme Equus ?

— Ils apprennent à dormir debout. Mais contrairement aux chevaux, il leur arrive de perdre l'équilibre et de tomber. Très embarrassant. Surtout quand ils sont en train d'aider dans la salle d'opérations. Oups, je ne devrais sans doute pas dire ça. Donc, si vous m'écoutez, Big Brother, c'était juste une métaphore. Vous croyez que je devrais l'épeler, détective ? L'opérateur robot n'a pas une très bonne reconnaissance vocale. On pourrait confondre « métaphore » avec « tu y vas fort ».

— Je laisserais tomber, à votre place. Ils ne reconnaîtront pas ce mot-là non plus.

— Quoi qu'il en soit, être interrompu par un appel téléphonique est très bien accueilli. Sauf que nous avons un petit problème, vous et moi. Notre système de haut-parleurs est en panne, et je ne peux pas continuer à vous parler tout en allant chercher le docteur James. Vous savez quoi, je vais poser le combiné sans vous mettre en attente. Je mettrai peut-être un petit post-it dessus, disant que si quelqu'un raccroche ce téléphone, le patient au bout du fil va subir une combustion spontanée. Est-ce que ça vous paraît approprié ?

— Frances, la prochaine fois que je passe par Oakland, puis-je vous apporter une boîte de chocolats et une rose ?

— Ça me paraît approprié, oui.

Une minute plus tard, je m'entretenais avec le docteur James.

— Bien sûr, je me souviens de cette affaire, répondit James sans la moindre trace d'ensommeillement dans la voix. L'échantillon de peau que vos collègues nous avaient envoyé était très substantiel. Il comprenait également plusieurs follicules pilosébacés. Ce qui a rendu l'analyse de l'ADN bien plus aisée qu'elle n'aurait pu l'être.

— Était-ce une surprise, de recevoir des follicules pileux ?

— Comment cela ? demanda-t-il.

— Simplement que la peau provenait de sous les ongles d'une femme. D'après mon expérience, ça représentait beaucoup de peau. La plupart des femmes d'âge moyen n'égratigneraient pas leur agresseur aussi efficacement. D'après votre expérience, seriez-vous d'accord pour dire que c'était une quantité de peau inhabituelle ?

— Je suis d'accord. Même si j'ai connu des femmes plus âgées qui auraient pu battre Grace Sun sur ce terrain. Les femmes jeunes sont peut-être plus fortes, mais les femmes âgées brûlent parfois d'un feu plus intense.

— La peau aurait-elle pu provenir d'ailleurs ? demandai-je. Votre analyse verrait-elle cela de la même façon ?

— Vous pensez que votre service a falsifié la pièce à conviction ? Que la victime n'avait pas vraiment de peau sous les ongles ?

— Non. Grace avait réellement de la peau sous les ongles. Je le sais. Ce que je veux dire, c'est que quelqu'un aurait pu y placer cette peau.

— Vous n'avez pas une très haute opinion de vos confrères, déclara James.

— Non, ce n'est pas ce que je veux dire. Je me demande si son meurtrier a pu placer la peau sous ses ongles.

— Vous voulez dire, pour faire accuser quelqu'un d'autre ?

— Oui. Le tueur aurait pu arracher la peau de quelqu'un d'autre et l'introduire sous ses ongles. À votre avis, si c'était arrivé, cela aurait-il affecté les résultats de vos tests ?

James ne répondit pas tout de suite.

— Je suis en train de visualiser mentalement la procédure.

Du moment que la peau n'était pas contaminée par l'ADN de quelqu'un d'autre, je ne vois pas en quoi votre scénario changerait quoi que ce soit. Alors non, je ne pense pas que cela modifierait les résultats de nos tests.

— Et si la peau présente sous ses ongles venait d'une partie du corps qu'une victime ne grifferait pas normalement au cours d'une agression ?

— D'où, par exemple ?

— De la jambe de quelqu'un, par exemple. Cela affecterait-il vos tests par rapport à, disons, de la peau provenant du visage ?

Autre pause.

— C'est un territoire qui m'est peu familier, détective. En tant que scientifique, je rechigne à parler d'un sujet sur lequel je ne fais pas autorité.

— Alors donnez-moi juste votre impression instinctive. Au débotté.

— Au débotté, je dirais que la peau d'un tibia aurait bien sûr le même ADN, mais un aspect différent de celle d'un visage. Cependant, il ne serait probablement pas facile, ni même possible, d'identifier scientifiquement la différence. Habituellement, nous ne recevons que quelques cellules épidermiques. Si nous avions un morceau de peau suffisamment grand, il pourrait avoir l'air différent. Plus grossier. Et plus léger si le visage et les bras étaient plus colorés par le soleil que les jambes. Mais cela pourrait ne pas s'appliquer si la personne était afro-américaine.

— Et les follicules pilosébacés ? demandai-je.

— Les poils et les follicules provenant d'une jambe seraient probablement plus lourds et plus grossiers que s'ils provenaient d'un bras. Mais pas aussi lourds que ceux d'une barbe. Je ne me souviens pas assez bien de l'échantillon pour me rappeler ça.

— Encore une question. Si quelqu'un était accusé à tort par un échantillon de peau qu'on a introduit délibérément, y a-t-il quoi que ce soit dans les tests d'ADN qui le révélerait ?

— Pas à ma connaissance. À moins que la victime n'ait réellement écorché la peau de l'agresseur avant que ce dernier n'introduise une peau supplémentaire sous ses ongles. Alors nous aurions peut-être remarqué des tissus provenant de deux sources différentes. Je ne me rappelle rien de tel. Mais ce serait indiqué dans le rapport. Cela répond-il à votre question ? Parce que je suis en retard pour un rendez-vous.

— Oui. Merci beaucoup de m'avoir consacré votre temps. Et docteur ?

— Quoi ?

— Quand l'infirmière Frances passera son évaluation, glissez un mot en faveur d'une augmentation, si vous le pouvez. Vous allez vouloir la garder le plus longtemps possible.

— Vous aussi, vous avez remarqué, répondit-il. Ou, comme elle-même le dirait : « Oh mon chou, je suis totalement en phase avec vous. »

En raccrochant, mon sentiment que Thomas Watson n'avait pas tué Grace était encore plus net. Je ne pouvais pas le prouver. Mais je pouvais imaginer comment ça s'était produit.

Watson avait fait la grimace en se levant du banc de sa cellule. Il s'était frotté la jambe. Avait remonté son pantalon pour me montrer une affreuse blessure ancienne. Sans la moindre duplicité apparente, il m'avait simplement expliqué qu'il avait trébuché et s'était cogné le tibia contre un trottoir lorsqu'il était à San Francisco. Cela s'était produit vers l'époque du meurtre de Grace.

Un meurtrier opportuniste – dont j'étais maintenant convaincu qu'il s'agissait de Nick O'Connell – aurait aisément pu suivre Watson. Peut-être était-ce ainsi qu'O'Connell avait appris l'existence de Grace, en entendant Watson parler à Grace à la bibliothèque. O'Connell aurait pu voir Watson trébucher, puis recueillir un peu de la peau qui était restée collée au bord du trottoir.

Comment O'Connell en était venu à tuer Grace restait un mystère. Peut-être était-il entré par effraction dans l'appartement de Grace, la surprenant à son retour du travail. Mais cela n'expliquerait pas la présence du thé. Il était possible que Grace, calculant la meilleure façon de survivre, ait engagé la conversation avec l'intrus et lui ait même préparé du thé. Mais cela paraissait peu probable.

O'Connell était un as du couteau. Alors pourquoi avait-il frappé Grace avec la poêle à frire au lieu d'utiliser son couteau ? S'était-elle servi de la poêle pour lui faire sauter l'arme des mains ? Lui avait-il pris la poêle pour la frapper à la tête ? Il n'avait peut-être pas prévu de la tuer. Mais il était venu préparé, juste au cas où ce type d'événement se produirait. Il avait apporté les morceaux de peau de Watson et les avait fourrés sous les ongles de Grace, faisant ainsi accuser Watson du meurtre.

Trois ans plus tard, frustré que les autorités n'aient jamais arrêté Watson, Nick O'Connell avait détourné le bateau pour m'inciter à attraper Watson. À présent, avec Watson derrière les barreaux, O'Connell aurait été libre d'agir à partir des informations qu'il avait obtenues de Grace, sans s'inquiéter de voir Watson s'en mêler. Du moins, s'il n'était pas tombé du Tahoe Dreamscape.

*
**

Je passai un coup de fil au procureur général de San Francisco. Je dus me montrer persuasif pour obtenir qu'on me la passe.

— Madame le procureur, l'ancien inspecteur du SFPD Owen McKenna à l'appareil, déclarai-je quand elle répondit.

Nous nous étions déjà rencontrés, mais je ne m'attendais pas à ce qu'elle se souvienne de moi.

— Appelez-moi Roberta, Owen.

— Le pouvoir de votre fonction ne vous est pas monté à la tête.

— Ce n'est qu'un boulot, et un boulot enquiquinant, en plus. Qu'est-ce qui se passe ?

Je lui expliquai la raison de mon appel. Elle se montra polie et peu avare de son temps et, contrairement à ce que j'escomptais à force d'habitude, ne m'interrompit pas.

Quand j'eus terminé, elle déclara :

— Dans ce scénario que vous me présentez, quelle part représente vos souhaits par opposition à une conviction fondée sur des preuves ?

— En fait, je n'ai aucune preuve de cette théorie. Au départ, je souhaitais que Watson soit coupable, et le croyais. Et la seule preuve que nous détenons dans cette affaire l'incrimine. Mais j'ai changé de conviction à cause de tout ce que j'ai appris depuis.

— Donc, tout cela concerne une vague intuition qui réfute directement les preuves fournies par l'ADN ?

— Oui, dis-je. Mais avant que vous n'écartiez mon idée, songez à toutes les fois dans votre carrière où votre conviction concernant la culpabilité ou l'innocence de quelqu'un était en conflit avec les preuves disponibles sur le moment.

J'avais envie de développer, de lui vendre mon idée, mais je décidai de ne pas insister et de la laisser réfléchir à ma question.

— D'accord, dit-elle. Une seconde question. Quelle probabilité y a-t-il, à votre avis, pour que vous finissiez par obtenir des preuves à l'appui de votre idée ?

— Une forte probabilité. Si je devais la chiffrer ? Soixante-dix pour cent.

— Alors vous pouvez dire que je réexaminerai sérieusement la situation si le suspect coopère et que les informations qu'il fournit conduisent à des indices crédibles montrant qu'il n'est pas l'assassin.

— Merci, Roberta, dis-je.

Chapitre 35

Deux heures plus tard, Spot et moi étions coincés dans les embouteillages permanents de l'I-80 près de Berkeley. Finalement, nous franchîmes le péage et abordâmes le Bay Bridge. J'avais toujours éprouvé de la pitié pour Oakland à voir la manière dont elle devait jouer les seconds violons dans le classement des villes, tout comme San José, mais sans la prétention de San José au statut d'épicentre high-tech de la planète. Mais en voyant les collines et gratte-ciels de San Francisco encadrés par les tours du Bay Bridge, force est de concéder que la grande ville l'emporte haut la main, rien que par son aspect esthétique. Juste ou pas, les gens ne viennent pas en Californie des quatre coins de la planète pour envoyer au pays des cartes postales d'Oakland.

Je pris la sortie de Ninth Street, tournai trois fois à gauche sur la 8ᵉ, Bryant et la 7ᵉ, et trouvai une place de parking près de la prison centrale de San Francisco. Je dis à Spot d'être sage, entrai et dus parlementer un moment avant qu'on me laisse discuter avec Thomas Watson dans une salle d'interrogatoires.

Watson avait un livre à la main. Il le posa sur la table à côté de lui. « Langston Hughes » était écrit sur la couverture.

— Un poète, c'est bien ça ? demandai-je.

— En réalité, c'est une biographie.

Watson paraissait distant, comme si les intellectuels se livrant au trafic d'armes lisaient des biographies, et que les flics se contentaient de bandes dessinées. Ou ne lisaient pas du tout.

— Vous saviez que Langston Hughes a écrit cinquante livres ? me demanda-t-il. Et une pièce de théâtre qui s'est jouée à Broadway plus de trois cents fois ? Il était aussi chroniqueur dans les journaux, correspondant de guerre, romancier et auteur de livres pour enfants. Et il écrivait des poèmes magnifiques.

— Vous avez un préféré ?

Watson réfléchit à la question.

— Je n'arrête pas de revenir à celui qui parle de s'accrocher à ses rêves, dit-il, sachant sans doute que je n'aurais aucune idée du poème dont il s'agissait.

— Ce sentiment est adapté à la raison de ma visite, déclarai-je.

Watson me dévisagea longuement.

— Vous parlez de vos rêves, ou des miens ?

— Nous détenons des preuves accablantes contre vous dans le meurtre de Grace Sun. Si vous avez entretenu des idées d'acquittement, elles ne sembleraient pas constituer des espoirs raisonnables, mais plutôt des rêves. Je suis ici pour vous proposer un échange, quelque chose de bien plus concret que ce rêve.

— Je vous écoute.

Je décidai de forcer un peu la vérité.

— Le procureur général de San Francisco m'a laissé entendre que si vous étiez honnête avec moi, si vous me disiez tout ce que vous savez sur Grace Sun et Nick O'Connell, elle réfléchirait à abandonner l'inculpation pour meurtre à votre encontre.

Watson écarquilla légèrement les yeux.

— Ça veut dire que vous me croyez innocent, malgré la preuve par ADN ?

À l'entendre, on aurait dit qu'il se savait coupable.

— Innocent du meurtre de Grace ? Probablement. Mais si les informations que vous me donnez suggèrent que vous avez commis d'autres crimes, alors ce sera une autre affaire.

— Et vous faites ça parce que… ?

L'attitude distante s'était changée en suspicion. Peut-être en mépris.

— Toujours le même cliché. Je suis un représentant de la loi. Je veux que justice soit faite. Vous êtes peut-être quelqu'un de mauvais. Mais si quelqu'un d'autre a tué Grace, je veux qu'il ou elle soit arrêté.

— Et la décision du procureur d'abandonner l'inculpation se fondera sur ce que vous lui direz ? Sur votre jugement ?

Il ricanait.

— Je ne peux rien vous promettre, mais je peux lui donner mes recommandations. C'est tout ce dont vous disposez.

— Comment savoir si vous tiendrez votre promesse ?

— Vous ne le savez pas. C'est un risque que vous allez devoir prendre. Mais à moins que vos informations ne révèlent que vous êtes coupable d'autres crimes aussi sérieux que le meurtre de Grace, vous avez tout à y gagner. Si vous ne coopérez pas, vous risquez la prison à vie sans aucune chance de liberté conditionnelle, au mieux, et avec le couloir de la mort à la clé, au pire.

— D'accord. Que voulez-vous savoir ?

Il avait l'air méfiant.

Son attitude me mit immédiatement en rage.

— Je vous offre une possibilité incroyable et vous réagissez en jouant à un petit jeu ? Je viens de vous dire ce que je voulais savoir ! Tout ce qui a trait à cette affaire ! Comment vous connaissiez Nick ? Comment vous connaissez les Red Blood Patriots ? Pourquoi on a tué Grace ? Donnez-moi tous les détails, bon sang !

— Très bien, très bien !

Watson prit un moment pour retrouver son calme.

J'attendis.

Finalement, Watson parla.

— L'histoire concerne essentiellement Nick. Nick le Couteau O'Connell, l'homme le plus dangereux que j'aie jamais rencontré.

Chapitre 36

Thomas Watson était en sueur.

— Il y a plusieurs années, dit-il, j'ai rencontré Nick O'Connell dans une foire aux armes à Las Vegas. O'Connell m'a dit qu'il voulait acheter un paquet d'équipement pour un groupe paramilitaire. Des AK-47 complètement automatiques. Des munitions. Des cache-flammes. Des gilets pare-balles de Rangers. Des casques. De l'équipement infrarouge. J'ai été en mesure d'en acquérir la plupart. J'ai rencontré Nick plusieurs fois au cours de nos transactions. Il parlait beaucoup. Je sais écouter. Nous aimons tous deux les margaritas. Il m'a parlé des Red Blood Patriots et des membres qui payaient leur cotisation. Ces hommes sont, au fond, un tas de Blancs mécontents qui détestent les gens à peau brune, et haïssent vraiment les gens à peau brune qui ont de bons emplois. Et ils pensent aussi que les femmes sont des citoyens d'une classe inférieure aux chiens. Ils adorent appartenir aux Red Blood Patriots parce que le groupe leur donne un sentiment de puissance, et leur fournit un but. Il élève leur haine au statut de mission. Et mieux encore, le groupe les encourage à jouer aux soldats et à utiliser leurs armes. La plupart de ces hommes n'ont probablement pas pu entrer dans l'armée, mais s'ils avaient pu, ils auraient été irrités par la discipline et auraient sans doute déserté. Alors ils sont heureux de payer leur cotisation mensuelle à Davy Halstead en échange d'un sens à leur vie, aussi vil soit-il.

— Davy est le chef, dis-je, parlant au présent afin qu'il ne devine pas que Davy avait été assassiné.

Je ne voulais pas qu'il pense à autre chose qu'à raconter cette histoire.

— Exact. Davy est leur général, leur ministre du culte, leur figure paternelle, peut-être même leur ligne directe avec Dieu. Davy a créé les Red Blood Patriots à la manière d'une Église. Il est un peu comme de nombreux chefs religieux charismatiques ; il recourt à un mélange savamment dosé de commandements et de cajoleries pour obtenir ce qu'il veut. Et la fidélité de son troupeau est incontestée.

— Et Nick faisait partie de ce groupe, dis-je.

— Seulement de nom. Il était trop malin pour en être membre intellectuellement. Mais il était content de prendre leur argent et de leur servir d'agent pour leur procurer des armes.

— S'il ne croyait pas à la mission, est-ce qu'ils ne l'avaient pas percé à jour ?

— Je pense que Davy l'avait fait. Mais Davy est malin. Il voyait bien que Nick, avec ses compétences militaires et son passé de mercenaire, pouvait leur en apprendre beaucoup. Alors il l'avait engagé pour enseigner aux Patriots des compétences professionnelles dans le domaine de l'armement. Peut-être Nick leur a-t-il enseigné quelques tactiques, aussi. Nick m'a dit qu'il avait un passé militaire intensif, mais n'a pas voulu me donner de détails.

— Si Nick avait une expérience des Opérations spéciales, est-ce que traiter avec les Red Blood Patriots n'aurait pas été un véritable déclassement pour sa crédibilité ?

— Il y a dix ans, si. Mais nous vieillissons tous. Quand il avait vingt-huit ou trente ans, il pouvait probablement s'introduire où il voulait. Mais quand vous êtes un peu plus vieux, vous n'avez plus l'autorité physique correspondant à vos connaissances. Alors vous enchaînez en dirigeant une affaire de contrats privés et vendez vos services à l'armée ou aux grandes entreprises. Ou bien vous trouvez un emploi stable et vous oubliez votre passé, jusqu'au moment où il est temps d'écrire vos mémoires. Dans le cas de Nick, il était trop marginal pour faire l'un ou l'autre. Alors il prenait les boulots qu'il pouvait. Moins payés et moins respectés, peut-être. Mais ça correspondait à sa personnalité.

— C'est-à-dire ? demandai-je.

— Celle d'un psychopathe excessif, sous tension et intense.

— Comment Davy a-t-il trouvé l'argent pour engager Nick et vous acheter des armes coûteuses et autres pièces d'équipement ? Même avec des cotisations élevées, ça ne ferait toujours pas grand-chose au total.

— Les Red Blood Patriots, c'est juste une activité accessoire. Ça le passionne, il les dirige comme une secte, mais ce n'est malgré tout qu'un passe-temps. La principale affaire de Davy...

Watson s'interrompit.

— J'attends.

— Davy gagne de l'argent grâce à son labo de métamphétamine. Il fait ça intelligemment. Au lieu de vendre à des individus, dont chacun représente un risque pour la sécurité, il s'est fait un unique gros client, un gang de motards en Arizona. Lui est un pro, et eux aussi. Aucun des chefs ne se drogue. Ils font ça pour l'argent. Ils envoient un coursier prendre le produit tous les mois. Le paiement se fait par virement électronique.

— Et le labo se trouve dans l'enceinte des Red Blood Patriots ?

— Oui. Ça peut paraître illogique parce que si quelqu'un examinait les activités de Davy, son attention se porterait évidemment sur le terrain. On trouvera peut-être des armes détenues illégalement, mais on ne trouvera pas de drogue.

— Pourquoi pas ?

— Le labo est bien caché. Aucun des membres des Patriots ne connaît même son existence.

— C'est Nick qui vous l'a appris ?

— Oui. Davy l'a mis dans la confidence. Il mourait probablement d'envie de s'en vanter devant quelqu'un après toutes ces années. Davy a déguisé certains détails, mais Nick a été assez malin pour reconstituer la véritable histoire. Et elle est impressionnante.

— Il y a des années, continua Watson, Davy avait acheté l'un de ces lourds containers métalliques comme ceux qu'on utilise pour expédier des marchandises par bateau. Il avait demandé aux livreurs de le placer derrière un chalet qu'il possédait là-bas, sur sa grande parcelle de terrain. Il l'avait ensuite équipé de lampes et tout le reste, et ça faisait une belle boutique. C'était bien avant qu'il ne crée les Patriots. Finalement, Davy a voulu passer à une boutique plus grande. Alors il a acheté un entrepôt en kit et l'a monté lui-même. Il a creusé toutes les fondations lui-même. Il a loué une chargeuse avec la tractopelle à l'arrière, la bétonneuse, tout l'équipement. Il avait un peu travaillé dans le bâtiment des années plus tôt, et s'est si bien débrouillé avec ce tracteur et les fondations en béton qu'il a réussi à construire un mur de soutènement dans la grande colline qui s'élève à l'arrière de sa propriété. Le mur de soutènement est devenu le mur du fond de son entrepôt. Le résultat laissait assez d'espace à l'avant de l'entrepôt pour qu'il aménage un joli petit patio entre l'entrepôt et le chalet. Il y a même aménagé une fosse pour faire du feu et des parterres surélevés, et une loggia au-dessus. D'après ce que Nick a compris, Davy a fait tout le travail lui-même, et la zone n'est visible depuis aucune propriété du voisinage. Les seules personnes qui auraient donc pu voir ce qui s'y passait étaient les quelques ouvriers mexicains qu'il avait fait venir pour l'aider dans une partie des basses besognes. Quoi qu'il en soit, sans doute personne n'a-t-il remarqué quand le container métallique qui était là depuis des années a subitement disparu un beau matin. Il s'avère que pendant une longue nuit passée à creuser les fondations, Davy avait profondément encastré ce container dans la colline derrière le chalet, avait remblayé autour, puis avait construit le mur de soutènement devant. Il a même effectué des aménagements paysagers autour. Apparemment, on entre dans l'entrepôt, et il y a une authentique porte secrète dans le mur du fond.

— Et le labo de métamphétamine est derrière, dis-je.

— Exact. Caché comme une caverne. Avec l'éclairage et un système de ventilation professionnel.

— Est-ce que Davy fait lui-même le travail de labo ?

— Oui.

— Est-ce qu'il a une couverture ? Comment les gens croient-ils qu'il gagne sa vie ?

— Encore une idée géniale. Davy possède un vieux garage dans lequel il fait des réparations automobiles. Il a aussi un frère à moitié demeuré qui l'aide à faire tourner l'affaire et effectue quelques menus travaux, changer les filtres à huile, ce genre de choses. Mais là où le frère de Davy est vraiment bon, c'est pour raconter l'histoire que Davy lui a mise dans la tête. Il raconte donc que Davy était une sorte d'as de l'investissement dans les actions Harley Davidson. Cela collait exactement avec ce que Harmon m'avait dit la veille.

— Tous ceux qui veulent se renseigner sur Davy finiront par parler au frère et s'entendre raconter l'histoire selon laquelle Davy a plus ou moins pris sa retraite grâce à ses investissements, dis-je. Ce qui lui fournit la couverture idéale pour fabriquer de la drogue.

Watson hocha la tête.

— Et Nick vous a raconté tout ça.

— Je vous l'ai dit, Nick était bavard. Il était également très doué pour s'informer sur ce que faisaient les gens. Et je sais écouter. Savoir écouter consiste à savoir pousser les gens à continuer de parler.

— Nick vous a transmis autre chose concernant Davy Halstead ?

— Rien d'important. Juste des trucs du genre : la femme de Davy Halstead est une solitaire, si réticente à parler qu'elle pourrait aussi bien être muette. Et la maîtresse de Davy parle de son problème d'impuissance et de leurs engueulades. Tout le reste de ce que j'ai entendu est encore moins intéressant.

— Parlez-moi de Grace.

— J'ai entendu parler de Grace par Nick. Davy a entendu parler de Grace par Nick. Tous les trois, Nick, Davy et moi, avons essayé de tirer quelque chose de ce que nous avons appris. Nous avons tous échoué.

Watson prit une profonde inspiration, la retint comme s'il s'agissait d'un exercice de yoga, puis expira.

— Nick avait des aptitudes perceptives surprenantes. Il pouvait rencontrer quelqu'un, lui parler pendant moins d'une minute et connaître son passé, sa situation financière, ses espoirs, ses rêves, ses peurs et ses préoccupations.

— Et il avait rencontré Grace ?

— Pas dans le sens de lui avoir été présenté. Mais il l'avait vue à une séance de dédicaces. Il avait pris des billets pour la saison pour une série de conférences à Berkeley. Il disait que ça l'intéressait simplement d'entendre les auteurs parler. Mais je considère qu'il y allait en réalité en tant que chasseur/prédateur, afin d'étudier le public aisé qui assiste à ce type de manifestation. La vérité se situe probablement entre les deux. L'un des auteurs avait écrit un livre sur le rôle des ouvriers chinois dans la ruée vers l'or. Après la conférence, Nick a fait la queue pour acheter son livre. Il y avait une femme devant lui. Quand elle est arrivée devant la table de l'auteur, elle lui a posé plusieurs questions pour savoir s'il avait jamais entendu parler d'ouvriers chinois qui s'étaient enrichis au pays de l'or.

— Ce qui a piqué la curiosité de Nick, intervins-je.

— Oui. Alors il l'a observée et écoutée pendant qu'elle demandait à l'auteur de dédicacer le livre à Grace Sun.

— Vous connaissez le nom de l'auteur ?

— Aucune idée. Après ça, Nick est rentré chez lui et a commencé à se renseigner sur Grace Sun. Il a découvert un site sur l'histoire de la ruée vers l'or, où Grace avait publié plusieurs messages dans un fil de discussion concernant les mineurs chinois. Dans l'un de ses messages, Grace disait qu'elle avait un ancêtre lointain qui était venu de Chine. Dans un autre, elle parlait d'un journal que son ancêtre avait rédigé en mandarin, disant qu'il était en grande partie endommagé et les caractères trop brouillés pour être lisibles. Mais le ton de son message suggérait que le journal pourrait évoquer la découverte d'or. À partir de ça, Nick a élaboré un scénario selon lequel, en gros, Grace Sun pouvait avoir des raisons de soupçonner que son ancêtre s'était enrichi dans la ruée vers l'or et, dans ce cas, il pouvait y avoir de l'argent ou de l'or qui avait été perdu ou délibérément caché. L'or pouvait-il être retrouvé ? Le journal pouvait-il être examiné par des experts ? Y avait-il des indices que Grace ne comprendrait jamais mais qui pourraient avoir un sens aux yeux de Nick ?

— Ou aux vôtres, dis-je. Vous avez gardé le silence depuis le début sur le trésor potentiel de Grace parce que vous espériez pouvoir un jour découvrir ce que c'était et où il se trouvait. Et alors vous pourriez le récupérer vous-même.

— Oui, je le reconnais. Je me suis interrogé, moi aussi. Alors quand Nick m'en a parlé, j'ai conçu mon propre plan. J'ai découvert où habitait Grace et l'ai suivie de temps à autre. Elle se rendait souvent à la bibliothèque de San Francisco. Parfois, je pouvais l'observer de loin quand elle trouvait des livres dans les piles et les emportait à une table pour les lire. Je passais à côté, mine de rien, et repérais les titres et les auteurs. Je l'observais quand elle remettait les livres sur les étagères. Un jour, je l'ai vue mettre un post-it rose dans un livre pour marquer une page, et quand plus tard j'ai pris le bouquin sur son étagère, le post-it s'y trouvait toujours, et j'ai pu voir ce qu'elle avait lu. Après plusieurs visites, il est devenu évident, d'après les ouvrages qu'elle consultait, qu'elle était persuadée que son ancêtre avait caché quelque chose de très précieux. L'un des livres qu'elle avait examinés s'appelait même *Trésors cachés : comment trouver et récupérer des fortunes qui se sont perdues avec le temps ?*.

Watson se frotta le visage comme s'il venait de se réveiller et vérifiait que sa barbe n'avait pas besoin d'être rasée.

— C'est après cela que je suis allé voir la bibliothécaire spécialisée en histoire chinoise, et qu'elle m'a parlé de la femme qui venait faire des recherches sur le même sujet. Bien sûr, il s'agissait de Grace Sun, la personne que j'espionnais depuis longtemps. J'étais tellement sûr qu'elle ne m'avait jamais vu que je suis allé à sa rencontre et lui ai serré la main, exactement comme je vous l'ai déjà dit.

— Qu'elle ait cru qu'il y avait de l'argent, intervins-je, ne veut pas dire qu'il existe.

— Bien sûr que non. Non seulement il se pourrait qu'il n'existe pas, mais c'est probable. Et même s'il existe, il y a de fortes chances pour qu'on ne le retrouve jamais.

— Pourtant vous avez persisté, espérant vous approprier quelque chose qui, de droit, aurait appartenu à Grace.

Watson baissa les yeux vers le sol.

— Je ne suis pas plus un ange que la plupart des gens. Mais je ne l'ai pas tuée. Je n'ai jamais blessé personnellement, physiquement, qui que ce soit.

— Vous croyez que Nick O'Connell l'a tuée ? demandai-je.

— C'est assez probable. D'après ce que j'ai lu dans le journal, aucun objet de valeur n'a été pris dans son appartement, même si l'endroit a été retourné de fond en comble. On aurait dit que quelqu'un cherchait quelque chose et ne l'a pas trouvé. À mon avis, l'assassin de Grace était Nick, et elle l'a surpris alors qu'il cherchait le journal qu'elle avait mentionné dans son message en ligne.

— Quand nous avons trouvé le corps, dis-je, il y avait un journal caché sous la chemise de Grace.

Thomas Watson secoua brusquement et violemment la tête, comme si quelqu'un avait placé des électrodes sous ses oreilles et lui avait infligé un choc électrique à haute tension. Il lui fallut un moment pour se remettre.

— Le journal était-il écrit en chinois ? demanda-t-il finalement, les yeux écarquillés alors même qu'il fronçait les sourcils.

— En mandarin, oui.

— Qu'est-ce qu'il contenait ? Mais je suppose que vous ne me le direz pas.

— La plupart des caractères étaient brouillés comme si on avait laissé tomber le journal dans une flaque d'eau boueuse. Nous n'arrivons pratiquement à rien déchiffrer.

Les paupières de Watson se levèrent et se baissèrent, comme s'il manigançait quelque chose.

— Après tout ce temps, marmonna-t-il à voix basse, c'était donc vrai. Je n'y ai jamais vraiment cru.

— Est-ce que Davy Halstead est au courant du trésor potentiel ? demandai-je, employant toujours son nom au présent.

Watson acquiesça.

— Il nous en a parlé un soir quand je lui ai livré sa dernière commande, quelques casques, si je me souviens bien. Nous avons célébré notre transaction par un cognac en fin de soirée. Ce qui m'a surpris, parce que Nick et Davy me paraissaient plutôt des amateurs de bière. Bien sûr, je connaissais un peu le cognac du fait de mes voyages internationaux. Alors quand Davy a sorti trois grands verres ballon et une bouteille de Courvoisier, j'ai éprouvé une de ces petites secousses telluriques. Je me suis rendu compte que j'avais sous-estimé Davy.

— Le Courvoisier étant supérieur à la bière, ajoutai-je.

— Bien sûr, répondit Watson, auquel mon sarcasme échappait complètement. Alors nous sommes restés dans le bâtiment des dortoirs du complexe de Davy et avons fait une petite fête, et Nick nous a montré des tours de couteau, et nous avons discuté de la fortune mythique de Grace, qui attendait quelque part que nous la découvrions et nous l'appropriions comme un trésor perdu depuis longtemps, qui appartiendrait à celui qui le trouve.

— Y avait-il quelqu'un d'autre qui aurait pu vous entendre parler, tous les trois ?

— Non. Tout le complexe était désert. Davy reste toujours prudent. Nick était une sorte de confident pour lui. Et j'étais son fournisseur. Il ne voulait pas que le reste des gars se mêlent à nous. Il était comme un P.D.G. de corporation. On ne boit pas un verre après le travail avec le personnel du service courrier.

— Quand je suis venu vous parler la première fois, vous étiez disposé à dire que l'auteur du détournement était Nick, mais vous ne vouliez pas mentionner l'éventuel trésor de Grace. Pourquoi ?

— Parce que je ne croyais pas vraiment me retrouver en prison pour longtemps. C'est comme lorsque vous avez un secret précieux et un peu de produits de contrebande et que vos parents vous surprennent en train de faire quelque chose de mal. Vous n'êtes prêt à leur montrer que ce que vous avez dans les poches, ce qu'ils peuvent découvrir eux-mêmes. Vous gardez le secret pour vous.

— Vous m'avez parlé de la fille de Grace. En avez-vous également parlé à Nick et Davy ?

— Oui. Ma langue se délie sous l'effet de l'alcool, tout comme celle de n'importe qui. Je n'aurais pas dû. Il ne m'est pas venu à l'esprit qu'elle pourrait être importante. Mais peut-être qu'elle ne sait rien. Ce n'est pas comme si ça faisait une différence. Plus tard, Nick nous dit qu'il avait failli la coincer une fois. Mais Davy et lui ont tous deux essayé de la retrouver depuis, et n'y sont pas arrivés.

— Et la cousine de Grace, Melody ?

— C'était elle qui partageait l'appartement avec Grace ?

J'acquiesçai.

— Pour une raison ou une autre, je ne lui ai jamais accordé beaucoup d'attention. Après avoir suivi Grace quelques semaines, il m'a paru clair que l'autre femme n'était qu'une colocataire. Si elle avait été importante, je me serais attendu à les voir, Grace et elle, aller au salon de thé local, ou faire des courses ensemble, ou simplement rester ensemble le soir. Mais Grace était souvent seule le soir, alors que sa colocataire sortait.

Le regard de Watson se perdit dans le lointain comme s'il visualisait un souvenir.

— Vous vous rappelez quelque chose.

— Juste que la colocataire – ou la cousine de Grace, comme vous dites –, contrairement à Grace, était une femme très séduisante, et elle est sortie avec plusieurs hommes différents pendant le peu de temps où je les ai observées. J'ai eu l'impression que la colocataire ne cherchait pas tant à trouver un partenaire à long terme qu'à simplement avoir un homme à son bras. Là où Grace paraissait réfléchie et pleine de discernement et, peut-être, un peu mélancolique, la colocataire semblait heureuse, souriante et superficielle. J'étais davantage attiré par Grace. Elle me rappelait les paroles de cette chanson où le type veut la fille plus triste, mais plus sage.

— Vous n'avez jamais vu ou rencontré sa fille ?

Watson secoua la tête.

— Je n'aurais jamais su qu'elle existait si Grace n'avait pas fait ce commentaire au passage.

Je sortis la photo de Nick et la tendis à Watson.

— Est-ce que c'est Nick O'Connell ?

— Je ne pourrais pas l'affirmer avec tous ces cheveux et cette barbe, mais oui, ça lui ressemble certainement.

— Vous voulez dire que les cheveux et la barbe constituent un déguisement ?

Watson leva les yeux vers moi et m'adressa un nouveau regard de tolérance envers les déficients mentaux.

— Évidemment.

— Nick avait-il les yeux d'un bleu intense ? demandai-je.

— Ils étaient bleus. Mais je ne dirais pas d'un bleu intense.

— Un témoin qui l'a vu de près a employé ce terme.

— Je suppose que ça dépendait de l'éclairage. Mais je ne les décrirais pas autrement que comme simplement bleus. D'un bleu ordinaire. Bleu gris. Mais je ne me souviens pas si je l'ai jamais vu dans une lumière vive, au soleil. C'est peut-être ce qui fait la différence.

— Vous rappelez-vous si Nick avait les deux huit tatoués comme le reste des Red Blood Patriots ?

— Bien sûr. Au poignet. Quand je l'ai vu, ça m'a surpris. Il n'avait pas l'air du genre de type qui ferait ça.

— Quand avez-vous vu Nick pour la dernière fois ?

— Il y a environ un an. Mon avion avait atterri à Reno et je sortais de la zone des bagages à l'aéroport. L'une des navettes d'hôtel de Reno était en train de démarrer, chargée de passagers. Nick a crié mon nom par la fenêtre et m'a fait signe.

— Ce qui le situe près de Tahoe, mais pas dans le bassin de Tahoe. Quand lui avez-vous parlé pour la dernière fois ?

— Probablement ce soir-là, quand nous avons bu du Courvoisier avec Davy. Ça s'est également passé il y a environ un an.

— Savez-vous qui était le complice de Nick pour le détournement ?

— L'homme qu'il a jeté par-dessus bord ? Non. Si je devais deviner, je dirais qu'il pouvait s'agir d'un homme nommé Kyle. C'était un solitaire, avec quelque chose de sournois. Il surveillait Davy d'un peu trop près. Je ne lui faisais pas confiance. Nick et Davy avaient probablement passé un marché qui leur profitait à tous les deux. Nick obtenait de l'aide pour le détournement, de l'aide sans contrepartie parce que son complice allait mourir. Et Davy se débarrassait de quelqu'un qui posait un problème. Peut-être ce type avait-il appris quelque chose qu'il n'aurait pas dû savoir. Ou peut-être avait-il fait honte à Davy devant les autres. Ou peut-être s'était-il montré déloyal.

— Davy tuerait quelqu'un pour ce type de transgression ?

Watson me dévisagea comme si j'étais naïf.

— Davy est l'un des hommes les plus amoraux que j'aie jamais rencontrés. Exactement comme Nick, de ce point de vue là. Il fait ce qui lui permet d'obtenir ce qu'il veut. Il n'y a pas de bien ou de mal, seulement des considérations pragmatiques. Il n'a même pas mauvais caractère. C'est juste un homme d'affaires sans conscience.

— Alors il ne vous tuerait pas pour l'avoir insulté. Mais il vous tuerait si votre insulte incitait les autres à lui obéir moins aveuglément.

— Exactement.

— On dirait que Nick et Davy étaient de mèche, et essayaient de trouver le trésor avant vous.

— Je ne pense pas. Je pense que chacun dupait l'autre, essayait de faire croire à l'autre qu'ils étaient alliés dans la recherche du trésor, alors que chacun d'eux prévoyait de doubler l'autre et de prendre le trésor pour lui seul.

— Comme vous.

— Oui, j'imagine.

— Pourquoi ? demandai-je. Vous vous en êtes visiblement bien sorti avec votre affaire d'armes. Vous n'aviez pas besoin de davantage d'argent. Pourquoi un tel effort pour trouver ce trésor ?

— Simplement parce que c'est un trésor. Un trésor enfoui. Ce côté romanesque a captivé les gens à travers l'histoire. Ce n'est pas une question d'argent ou de richesse. Il s'agit de découvrir le secret. Est-ce que Gan Sun avait trouvé ou amassé un trésor ? Est-ce que son petit-fils Ming Sun l'a caché quelque part ? L'excitation de la découverte de cette éventuelle manne est bien plus grande que sa valeur monétaire. Le bénéfice financier est négligeable, comparé à l'exploit historique de réussir à ouvrir un coffre au trésor pour voir ce qu'il contient.

— Quelle est, à votre avis, la raison pour laquelle Nick a détourné le bateau ? demandai-je.

— La seule explication rationnelle est qu'il voulait me mettre hors course. Il pensait que j'étais près de trouver le trésor, le trésor qui n'est probablement qu'un rêve.

— Pourquoi ne vous a-t-il pas simplement tué ?

— Je suis difficile à tuer. Je fais attention où je vais et à la manière dont je gère mes affaires. En dehors de ce petit détour par la prison, je suis toujours armé. J'ai même un permis en Californie. Et j'ai deux gardes du corps. Le seul moyen, pour Nick, de me tuer était donc de m'abattre en public. Dans une épicerie ou je ne sais où. Et cela présentait un risque important de se faire prendre. (Watson marqua une pause.) Il est donc logique que Nick ait planifié toute cette histoire depuis le début.

Watson s'interrompit, regarda dans le vague.

— Mais je n'arrive toujours pas à comprendre comment il a obtenu mon ADN pour le mettre sous les ongles de Grace.

Je désignai sa jambe.

— Quoi ?

— Votre jambe. La blessure que vous avez au tibia.

Watson eut l'air sincèrement choqué.

— Mon Dieu ! Quand j'ai trébuché et cogné le trottoir ! (Sa main se porta inconsciemment à sa jambe, tâtant du bout des doigts la bosse de son tibia sous le pantalon.) Je me souviens que je portais un short ce jour-là. Nick devait me suivre ! Il m'a vu tomber, et une fois que je me suis secoué et suis parti en boitillant, il a prélevé le bout de chair que j'avais laissé sur le bord du trottoir ! Bon Dieu, c'était ingénieux.

— Voyez-vous quelqu'un d'autre qui pourrait représenter un danger pour la fille de Grace ?

Je ne voulais pas lui dire qu'elle s'était fait enlever.

— Vous voulez dire, quelqu'un qui la poursuivrait parce que Grace pourrait lui avoir donné des informations précieuses ?

— Oui.

— Eh bien, en dehors de Davy, non, je ne vois personne d'autre. Même si je sortais de prison, je ne représenterais pas un danger physique pour elle. Ce n'est pas mon genre. Et avec Nick au fond du lac, ça ne laisse que Davy et lui seul. À moins que lui ou Nick n'ait parlé à quelqu'un d'autre de la possibilité de trouver de l'or, mais je ne les vois pas faire ça. Nous le voulions tous pour nous seuls.

Je réfléchis, décidai qu'il n'y avait plus rien à tirer de Watson, et appelai pour qu'on me fasse sortir.

— Eh, et pour le procureur ? demanda Watson en me voyant partir. Vous allez l'appeler ? Lui parler en ma faveur ?

Watson s'était montré très loquace. Mais son désir de voler le trésor de Grace – s'il y avait un trésor – me dégoûtait.

— Je vais y réfléchir, dis-je, et je sortis.

Chapitre 37

Il faisait encore jour quand Spot et moi arrivâmes à la maison. Je me souvins de la récente matinée obscure où nous nous étions promenés sur le sentier qui serpente dans la montagne, au nord de mon chalet. Je ramenai Spot sur le sentier jusqu'au point de vue où il avait reniflé avec tant d'intérêt. Quand nous y parvînmes, ce fut la même chose. Spot était très intéressé par le pin de Jeffrey et la zone qui l'entourait.

Après avoir examiné les environs et n'avoir rien trouvé, je décidai de me livrer à une fouille quadrillée, plus consciencieuse, de cette zone. Je traçai un rectangle imaginaire incluant l'arbre et le terrain jusqu'à trois mètres de chaque côté, ainsi que les environs jusqu'à deux mètres au-dessus et en contrebas de cet arbre. En commençant par un coin, j'en longeai lentement un des bords, en étudiant le sol. À l'autre bout de mon rectangle, je fis volte-face et revins sur mes pas, étudiant cette fois le sol à trente centimètres de la bordure imaginaire. Une fois revenu de l'autre côté, je me déplaçai encore de trente centimètres et retraversai le rectangle. Je n'avais aucune idée de ce que je pourrais trouver, ni si je trouverais quelque chose. Mais une fouille quadrillée est la façon la plus efficace de s'obliger à examiner toute une zone, même les endroits qui n'ont rien pour attirer le regard.

L'arbre poussait sur la pente à un point de transition. Sur les côtés de l'arbre longés par le sentier, le sol était plat. Au-dessus de l'arbre s'étendait une pente douce, couverte de bois mort et de broussailles. Sous l'arbre, le sol formait une pente plus raide. Quelqu'un qui observerait mon chalet de cette distance ferait probablement les cent pas de temps à autre pour se dégourdir les jambes. Mais il rechignerait à passer au-dessous de l'arbre, parce qu'il déraperait certainement sur la terre escarpée. Si l'on ne faisait pas attention, on risquait de ne pas s'arrêter avant un bosquet de petits pins Lodgepole, dix mètres plus bas.

Je fouillai toute la zone au-dessus de l'arbre ainsi que sur les côtés, et ne trouvai rien. Je ne voulais pas passer sous l'arbre, tomber sur les fesses et dévaler la montagne. Je descendis donc le sentier jusqu'à un point où la descente était moins raide. Je sortis prudemment du sentier et, m'accrochant à un arbuste, me laissai glisser environ trois mètres plus bas, dans une zone un peu moins abrupte et présentant un peu plus de prises pour les mains, deux ou trois jeunes arbres, des broussailles, et une racine apparente du grand pin de Jeffrey. En me déplaçant latéralement, j'étudiai la pente située juste au-dessous du sentier et maintenant à peu près au niveau de mes yeux. À mon second passage sous l'arbre, j'aperçus un objet de couleur claire. Je le ramassai.

C'était un coin déchiré d'une feuille de papier mince comme du journal. Il avait la forme d'un triangle rectangle, la déchirure représentant l'hypoténuse et les bords coupés les deux autres côtés, comme s'il provenait du coin inférieur d'un catalogue. Un côté était vierge. L'autre côté portait des caractères imprimés commençant au milieu d'un mot qui avait été déchiré en deux. Le texte imprimé se terminait par un point. Cela disait : « tassin constitutionnel. »

Je l'empochai.

Quand Spot et moi fûmes rentrés au chalet, j'appelai le professeur Stein et le lui décrivis.

— Je me demande si ça vous évoque quelque chose, dis-je.

— Bien sûr, répondit-il. L'expression est « fantassin constitutionnel ». C'est le verbiage standard utilisé par les milices pour justifier leurs actions radicales. Il est particulièrement utile pour recruter. Vous ne vous joignez pas à un groupe de timbrés qui amassent illégalement des explosifs et des armes automatiques, et vomissent des diatribes sur la suprématie de la race blanche. Vous allez devenir un fantassin constitutionnel et défendre les droits du deuxième amendement de notre nation contre les efforts entrepris par le gouvernement socialiste pour les éradiquer. Vous devenez un allié essentiel des pères fondateurs, et sans vous, la plus grande démocratie du monde est condamnée à un cauchemar dystopique de contrôle mental et à l'hégémonie culturelle des avorteurs, athées, gens à peau brune, intellectuels juifs et barons de la finance.

— Y aurait-il, à votre connaissance, un groupe autre que milicien, ou une entreprise, qui pourrait être à l'origine d'une publication employant ces termes dans un autre contexte et avec une signification différente ?

— Pourquoi vous montrez-vous aussi ennuyeux ? Vous m'appelez pour me poser une question. Je prends du temps sur ma soirée pour vous donner la réponse. Le sujet laisse peu de place à l'équivoque. Vous avez trouvé une expression qui soit sort d'un article de journal décrivant une milice d'extrême droite ou son équivalent, soit provient de quelque chose qui a été publié par une milice d'extrême droite ou son équivalent. Aucune personne un tant soit peu importante, aujourd'hui, ne parle de fantassins constitutionnels dans un autre contexte. Et maintenant, je crois qu'il est temps pour moi de retourner à mon vin et à mon livre.

— Merci, monsieur, de m'avoir consacré votre temps.

Il me grogna dessus et raccrocha.

Ce n'était pas un lien vraiment concret avec les Patriots, mais c'était très suggestif. De tous côtés, je ne cessais de tomber sur des indications supplémentaires de leur implication. Nick O'Connell, Thomas Watson et Davy Halstead étaient les seules personnes, à ma connaissance, au courant de l'existence d'Anna et pouvant présumer qu'elle avait appris de sa mère biologique quelque chose de précieux. Les trois hommes étaient impliqués dans les activités des Red Blood Patriots. Le texte sur le fantassin constitutionnel venait d'un endroit de la montagne d'où quelqu'un surveillait certainement mon chalet. Spot avait été alerté par une forte odeur là où j'avais trouvé le bout de papier, et avait récemment exercé une concentration olfactive similaire sur mon bureau et l'extérieur de la porte de mon chalet. Et avant de disparaître, Anna m'avait appelé pour me dire qu'elle avait vu Davy Halstead dans sa rue.

À présent, les trois hommes étaient soit morts, soit sous les verrous.

Je passai plusieurs appels. À l'agent Ramos, au sergent Bains, à Santiago et à Diamond. Je leur posai à tous les mêmes questions. Avaient-ils appris quoi que ce soit concernant l'enlèvement d'Anna Quinn ? En savaient-ils plus sur Nick le Couteau O'Connell, Thomas Watson ou Davy Halstead ? Tous me suggérèrent des idées et avancèrent des hypothèses. Mais aucun d'entre eux n'avait eu de révélation. Quand nous eûmes fini de parler, rien n'avait changé.

Mes réflexions précédentes suggéraient toutes qu'un autre Red Blood Patriot avait surpris une conversation entre Nick, Thomas et Davy. Une fois Nick et Thomas éliminés, cet homme avait compris que s'il se débarrassait de Davy Halstead, lui seul connaîtrait l'existence de l'hypothétique trésor qui, même s'il existait, ne représentait sans doute pas une grosse somme. Mais un homme écoutant la conversation d'autres hommes qui parlaient d'or pourrait bien imaginer quelque chose de beaucoup plus grandiose que ce que le bon sens suggérait.

Je visualisai cet autre Red Blood Patriot inconnu suivant Davy Halstead, et découvrant en prime que Halstead avait retrouvé Anna. Ou peut-être Halstead l'avait-il recruté, et ensemble ils avaient enlevé Anna. Alors la nouvelle recrue avait trouvé l'occasion d'enfoncer un pieu dans la poitrine de Halstead et de continuer en solo.

Tout cela me ramenait à la question : où était Anna ? Était-elle morte, son corps abandonné dans la forêt ? Ou quelqu'un l'avait-il interrogée et avait-il décidé qu'elle cachait des informations précieuses ? Dans ce cas, il voudrait la retenir quelque part où il pourrait l'avoir à l'usure. L'affamer, la priver de sommeil, peut-être la torturer afin de découvrir ce qu'elle savait.

En admettant que quelqu'un avait pu surprendre les informations concernant le journal et le trésor, il était logique que cette même personne soit capable de découvrir d'autres secrets.

Comme l'existence du labo secret enterré sous la colline,

derrière l'entrepôt, dans l'enceinte des Patriots.

Il était temps de rendre visite aux Red Blood Patriots, de nuit, sans me faire annoncer, selon mes propres termes.

Je rappelai Diamond.

— Avez-vous, ou connaissez-vous quelqu'un qui aurait un coupe-boulons ?

— Non, mais j'en ai vu au magasin Home Depot.

— Il m'en faut un ce soir.

— Je vais appeler Ron. Nous l'appelons Ronald McQuincaillerie. Ce type a plus de bordel dans son garage qu'un centre de distribution de matériel. Je pourrais lui en emprunter un.

— Les magasins de bricolage sont tous fermés, ici au lac. Si Ron n'en a pas, pourriez-vous en acheter un et gravir la montagne pour me l'apporter ?

— Écoutez un peu, répliqua Diamond avec irritation. Je ne vais pas tout laisser tomber, y compris cette bouteille de Tecate, pour devenir votre coursier personnel.

— S'il vous plaît. Ça pourrait sauver une vie. Je vous serai redevable, ainsi que la personne qui survivra. Si elle survit.

— Et vous ne prononcez pas le nom d'Anna parce que…

— Parce qu'alors vous pourriez vous sentir obligé d'informer le shérif du comté en question de mes activités, afin qu'il puisse contribuer à lui sauver la vie.

— Vous jouez les héros, et vous y allez seul, remarqua-t-il d'une voix sarcastique.

— Non. Je fais preuve de bon sens. Un seul gars peut probablement pénétrer sur les lieux sans attirer l'attention. Ce serait beaucoup plus difficile avec deux gars ou plus.

— Vous contredire ne sert à rien de toute façon, déclara Diamond. Je sais comment vous êtes.

Il y eut un silence.

— Je serai là dès que je pourrai, m'annonça Diamond.

À peine avais-je raccroché qu'on frappa à la porte.

J'envisageai des miliciens fondamentalistes armés d'AK-47 entièrement automatiques. Mais Spot contemplait la porte en remuant la queue. Même à l'église, on ne voit pas plus fervent.

J'ouvris la porte.

Street entra, me serra dans ses bras, puis recula un peu et posa les mains sur ma poitrine. Elle remonta pour longer le bord du col de ma chemise. Spot fourra sa truffe entre nous deux.

— Qu'est-ce qui ne va pas ? demanda-t-elle.

— Pourquoi cette question ?

— Je le vois. Tu es distrait. Inquiet.

— J'ai une idée d'où pourrait se trouver Anna.

Le visage de Street s'assombrit.

— Non, ne fais pas ça. Je t'en prie.

Elle secoua la tête.

— Tu ne sais même pas à quoi je pense.

— Mais si. Tu vas partir à sa recherche. Et tu y vas seul. J'ai déjà vu et ressenti ça trop de fois. Je vois le danger dans ton expression.

Une intense inquiétude lui plissait le front.

— Il te faudrait de l'aide, ajouta-t-elle. Et des renforts. Mais tu n'en veux pas parce que tu crois que ça compromettra ta mission. Owen, cette entreprise me terrifie.

Elle tourna la tête contre ma poitrine et me serra, sa peur se transmettant de son corps au mien. Spot poussa en avant de sorte qu'il nous séparait complètement au niveau de la taille de Street et de mes hanches. Nous dûmes nous pencher en avant pour continuer à nous tenir.

— Je suis désolé, chérie. Oui, des renforts comprometttraient absolument ma mission. Et je sais que c'est effrayant. Mais je t'en prie, pense à quel point Anna doit être terrifiée. Si elle est encore en vie.

Street se tourna et leva les yeux vers moi, des yeux brouillés par de grosses larmes.

— Bien sûr que je sais à quel point elle doit être terrifiée ! Ce n'est pas une affaire simple, Owen. Ce n'est pas comme une équation dans laquelle je peux faire peser sa peur contre la mienne et dire « bien sûr, chéri, fonce dans le tas ».

Elle reposa sa tête contre mon torse.

— Je regrette, dit-elle. Je n'aurais pas dû dire ça.

Je pris sa tête entre mes mains, le bout de mes doigts touchant son visage. Je baissai le menton jusqu'à ce que mon nez touche ses cheveux. J'inhalai son parfum.

— Tu ne vas pas me dire où tu vas, n'est-ce pas ?

— Mieux vaut que tu ne le saches pas, dis-je. Moins risqué pour toi.

— Et tu ne le diras pas non plus à Diamond.

— Diamond prend toujours soin de moi. À cause de cet instinct, il a toujours du mal à se retenir, dis-je.

— Quand reviendras-tu ? Quand aurai-je de tes nouvelles ?

— À un moment entre demain matin tôt et demain soir.

— Pourquoi un intervalle aussi long ? Tu ne sais pas où tu vas ?

— Je sais où je vais. Mais je devrai peut-être attendre que certaines personnes s'en aillent.

— Pour pouvoir intervenir sans prendre trop de risques, dit-elle en reniflant.

— Oui.

Street ferma les yeux. Je vis saillir les muscles de sa mâchoire.

— Et si tu n'es pas revenu en fin de matinée ? Qu'est-ce que je fais ?

— Il y a de bonnes chances pour que je sois revenu.

Elle ouvrit les yeux, les leva vers moi, son regard allant de gauche à droite, cherchant le mien.

— Mais si quelque chose se passe mal ?

Sa voix était tendue, haut perchée, inquiète.

— D'accord. Si tu n'as pas de mes nouvelles à dix-huit heures demain, appelle Diamond. Dis-lui de contacter le professeur Frank Stein à l'université de Reno. Ensemble, ils trouveront où je suis allé.

— Tu emmènes Spot ? demanda-t-elle.

Il leva la tête et la regarda.

— Oui. Mais je ne le mettrai pas en danger, a priori.

— Pas a priori, répéta-t-elle. Il peut quand même se faire tuer. Tu peux quand même te faire tuer.

Je ne répondis pas.

— J'ai raison ? Ça va être très dangereux, n'est-ce pas ? Ce n'est pas comme si Anna était ligotée quelque part seule, sans personne autour. Ou bien si ? Dis-moi la vérité.

— C'est bien ça, Street. Elle pourrait être seule dans un endroit confiné, mais cet endroit sera certainement surveillé par au moins un homme.

— Et il sera armé, ajouta-t-elle.

— Je ne vais pas te mentir. Oui, ce sera dangereux. (Nous respirions tous deux péniblement.) Je prendrai toutes les précautions possibles.

Street se mit à pleurer plus fort.

— Et à quoi serviront-elles quand je recevrai un appel de Diamond ou d'un autre flic me disant ce qui t'est arrivé ?

— Peut-être à rien, dis-je.

Je la serrai de toutes mes forces.

Street me retint une longue minute. Puis elle s'écarta, évacua ses larmes en clignant des yeux, et les essuya du bout des doigts. Elle me dévisagea, les yeux rouges. Elle prit plusieurs inspirations profondes, se stabilisa.

— D'accord, dit-elle d'une voix si douce que je l'entendis à peine. Je t'aime.

Elle embrassa son doigt, le pressa contre mes lèvres, et tourna les talons pour sortir.

— Je t'aime aussi, lui lançai-je.

Chapitre 38

Je fouillai dans mes vêtements et mis mon jean noir, un pull à col roulé noir, des chaussures de sport marron foncé, un bonnet en tricot noir. Au fond du placard pendait un vieux coupe-vent bleu marine que je porte rarement, mais que je conserve pour ce genre d'opération nocturne. Dans mon tiroir fourre-tout, je trouvai ma ceinture à poche noire. Une petite boîte de sacs à sandwiches trônait sur le réfrigérateur. J'ouvris le poêle à bois, trouvai un morceau de bois brûlé qui s'effritait et s'était changé en charbon noir, et le mis dans le sac. Le charbon alla dans ma poche de ceinture avec ma torche moyenne et mon outil multifonction Leatherman pliant. Mon canif et mon stylo-torche, plus petits, allèrent dans ma poche.

Restait le carburant. Nous pourrions rester longtemps dehors exposés aux intempéries ; je préparai donc un copieux repas pour Spot et moi-même.

Nous venions de terminer quand Diamond arriva et me tendit un des plus grands coupe-boulons que j'eus jamais vus.

— Merci bien, dis-je.

— Je vous ai apporté du fil, aussi, déclara-t-il en indiquant un rouleau de fil de nylon haute résistance qu'il avait scotché à la poignée du coupe-boulons.

— Pour ?

— Si vous voulez franchir une porte fermée par un cadenas en le découpant, vous pourriez avoir besoin d'attacher la porte en position ouverte pour qu'elle ne claque pas. (Il me dévisagea en plissant les yeux, comme s'il me trouvait toujours stupide de me lancer dans cette expédition.) Ou une clôture. Particulièrement utile pour attacher les barbelés une fois écartés.

Il me tendit un sac en plastique.

— Il y a d'autres trucs là-dedans qui pourront vous servir.

Je pris le sac et le soupesai.

— Par exemple ?

— Du ruban adhésif. Un jeu de tournevis à lame amovible. Une scie à métaux pliante. Des barres de céréales. La lampe frontale à led est particulièrement utile.

Je posai les mains sur ses épaules.

— Qu'est-ce que je peux dire ?

— Rien, répondit Diamond. Contentez-vous d'être discret. J'aimerais vous voir revenir en un seul morceau.

Il donna une caresse à Spot et partit.

Cinq minutes plus tard, Spot et moi descendions mon allée sinueuse vers la nationale 50. Je contournai l'extrémité sud du lac, passai l'Echo Summit et m'engageai dans le canyon de l'American River.

Mon portable sonna alors que la route émergeait de la zone sans couverture, au fond du canyon de l'American River, pour rejoindre la petite ville de Pollock Pines sur la crête, à mille deux cents mètres.

— Allô ?

J'étais pressé et ne voulais pas m'arrêter ; j'espérai donc que cette conversation illégale serait de courte durée.

— M. McKenna ?

— Owen, oui.

— Je m'appelle Tania Kadlec. Je suis assistante du conservateur pour la photographie au musée d'Oakland. J'ai reçu un e-mail de Robert Calibre, du musée Crocker. Il m'a dit que vous vous demandiez si des photographes du début du xxe siècle avaient pris des photos d'ouvriers chinois. Et en particulier, il y avait une référence à quelque chose qui s'appellerait le Palais céleste ?

Tania avait l'accent tchèque, et sa belle voix manquait visiblement de confiance en soi.

— Merci beaucoup d'avoir appelé, dis-je. Je vous en suis reconnaissant.

— Eh bien, je ne sais pas si je peux vous être utile. Robert m'a parlé d'une affaire de meurtre, et... eh bien, je vous appelle juste à propos d'un obscur cliché.

— J'adorerais en savoir plus sur cet obscur cliché. Racontez-moi ça, dis-je.

— D'accord. Nous avons un mécène qui est extrêmement riche et a donné de nombreuses pièces à notre musée au fil des ans. À présent, il se fait vieux, et il nous a demandé d'effectuer un inventaire de ses œuvres d'art en préparation d'une éventuelle donation de toute sa collection au musée. C'est une opportunité incroyable pour nous, et j'ai reçu pour tâche de superviser la photographie et... (Elle s'interrompit.) Ça paraît vraiment, comment dire, sans gêne, n'est-ce pas ? reprit-elle. Comme si nous ne faisions que profiter d'un riche mécène...

— Tania, pas de problème. Je comprends. Les musées ont besoin de gens riches pour leur fournir des œuvres d'art, et il est courant chez ces gens d'attendre d'être vieux ou morts avant de donner leurs œuvres au musée. En échange, ils savent que le musée offrira à ces œuvres un excellent environnement d'exposition. Ce que vous faites pour les riches est tout aussi précieux que ce qu'ils font pour vous.

— Oh, merci. Je... c'est juste que la plupart des gens n'ont pas une façon aussi raisonnable d'envisager la chose.

— Parlez-moi de votre photo.

— Oui, bien sûr, dit-elle. Notre mécène possède de nombreuses œuvres magnifiques, mais celle-ci sort du lot. Dites-moi, connaîtriez-vous par hasard les photographes qu'on appelle Groupe F-64 ?

— Non, je regrette, ça ne me dit rien.

— C'était un groupe de photographes réputés qui s'est formé à la fin des années 1920. Ansel Adams, Imogen Cunningham, Willard Van Dyke, et quelques autres. Leur objectif était de montrer au monde entier que Stieglitz et ses amis de New York n'étaient pas le centre de l'univers photographique. Le style des photos du groupe F-64 était des images très nettes, magnifiquement cadrées, pour la plupart des paysages de l'Ouest, mais comprenant aussi des portraits, des nus et des plans rapprochés d'objets naturels. Ils avaient souvent le sentiment que l'ouverture f64 était la meilleure pour créer leurs œuvres.

J'étais parvenu au sommet de la crête de Pollock Pines. La route sinueuse s'était changée en autoroute à grande vitesse et j'étais à 110 km/h, descendant comme une flèche vers Placerville.

— Quoi qu'il en soit, continua Tania, notre mécène possède une magnifique épreuve argentique en noir et blanc, au format 8 ′ 10. Très nette, très précise. Un emploi spectaculaire de l'éclairage et des ombres. L'éventail des valeurs à lui seul est remarquable. Au verso, elle est datée de 1928 et porte l'inscription : « Épreuve pour l'exposition de Young, 1931. » Elle est signée d'Edward Weston. Une exposition lui a été consacrée au musée de Young en 1931. Vous en avez entendu parler ?

— Bien sûr. L'un des trois ou quatre photographes américains les plus célèbres du xxe siècle. Quel en est le sujet ?

— La photo montre plusieurs hommes travaillant avec de gros blocs de pierre et les empilant pour construire un mur. Trois des hommes sont blancs et deux semblent être chinois. Elle n'a pas été authentifiée, mais ressemble beaucoup aux autres travaux de Weston et correspond clairement à son œuvre. Je pense qu'il s'agit d'un authentique Weston, ce qui veut dire qu'elle doit avoir une grande valeur.

— Tania, ce que vous me dites m'aide beaucoup. Je vous en suis vraiment reconnaissant.

— Vraiment. Oh, j'en suis ravie. Je craignais de vous importuner en appelant.

— Non, absolument pas. Dites-moi, y a-t-il quoi que ce soit dans la photo qui pourrait fournir un indice de l'endroit où elle a été prise ?

— Non. Je l'ai examinée de près avec ma loupe. Je n'ai trouvé aucune caractéristique spécifique permettant d'identifier le lieu.

— Et des choses qui ne seraient pas spécifiques ?

— Comment ça ?

— Que vous dit votre instinct ? Quand vous regardez ce bâtiment sur lequel ils travaillent, est-ce qu'il ressemble à quelque chose que vous connaissez ? Un building en construction à San Francisco ? Un barrage ou une digue ? Une villa à Los Angeles ? Pourraient-ils être en train de réparer un mur dans une des missions californiennes ?

— Oh, je vois ce que vous voulez dire. Non, rien de tout ça. Mais ce que je pourrais penser serait impossible à soutenir par des preuves scientifiques. Ce serait... Quel est le mot juste ? Fantaisiste.

— C'est exactement ce que je veux, Tania. Je veux connaître votre estimation fantaisiste. À quoi pensez-vous en regardant la photo ?

— Eh bien, ce serait vraiment fantaisiste.

— Parfait, dis-je.

— L'été dernier, dit-elle, deux de mes amis et moi sommes montés au lac Tahoe pour les vacances. Nous avons fait tout le tour du lac et admiré les vues époustouflantes. Un jour, nous sommes descendus à pied par le long sentier menant à Emerald Bay et avons visité le château de Vikingsholm.

— Et c'est à ça que ressemble la photo, d'après vous ?

— Oui. On dirait que ces ouvriers sont en train de construire un des murs du Vikingsholm. (Elle marqua une pause.) Et cela correspondrait au nom que vous avez donné à Robert Calibre.

Je ne compris pas tout de suite ce qu'elle voulait dire.

— Quel nom ?

— Vous avez dit que ça s'appelait le Palais céleste. Ça correspondrait, n'est-ce pas ?

— Oui, Tania. Mieux que vous ne pensez.

Je la remerciai et raccrochai.

Chapitre 39

Il faisait très sombre quand je parvins à l'embranchement de la nationale 49 à Placerville, la nationale du pays de l'or. Je roulai vers le nord, passant les endroits où de l'or avait été découvert, la bifurcation vers le ranch Three Bar, où habitait Ellie Ibsen, le plus grand expert mondial du dressage de chiens, dont les chiens policiers m'avaient aidé dans plusieurs affaires. Je continuai plusieurs kilomètres vers le nord et vers l'endroit où Spot et moi nous étions trouvés deux jours plus tôt. Je cachai ma Jeep dans les broussailles que j'avais déjà utilisées.

Je sortis le petit sac de charbon de ma poche de ceinture et m'en frottai le visage et les mains. Spot était très intéressé par ce nouveau maquillage et me colla sa truffe froide et humide à plusieurs endroits du visage.

— OK, ta grandeur. C'est l'heure de ta sieste.

Je me retournai face à Spot assis sur le siège arrière, la tête collée au revêtement de toit de la Jeep.

— Je ne veux pas te mettre tout de suite face à des hommes armés. Et je pourrais avoir besoin de ton aide plus tard, alors dors bien.

Je glissai mon portefeuille sous le rebord du tapis de sol, là où il remontait vers la pédale du frein, et bouclai ma ceinture à poche. J'y fourrai les cadeaux que m'avait apportés Diamond, sauf le gros rouleau de ruban adhésif. Je pris mon coupe-vent et mon coupe-boulons, caressai Spot et descendis, l'enfermant dans la Jeep obscure.

J'avais besoin de ma clé pour rentrer dans la Jeep, mais je ne voulais pas faciliter la tâche aux Patriots, au cas où tout irait de travers.

Dix mètres plus loin, il y avait un chêne noir. En m'éclairant de ma torche, je tournai autour à la recherche d'une petite crevasse ou d'un trou dans l'écorce, et en trouvai un à la fourche de deux grosses branches. Je coinçai ma clé de Jeep dans le creux, pressant le métal dans l'écorce avec force afin qu'il soit impossible à un écureuil de s'enfuir avec.

Sans papier ni clé sur moi, j'entamai l'ascension du sentier, le coupe-boulons à la main et me servant de ma torche par intermittence.

La marche me parut longue dans l'obscurité avant que j'atteigne la clôture. J'étais pleinement visible des environs obscurs, mais je n'avais pas trop le choix. Je m'équipai de la lampe frontale apportée par Diamond et, m'agenouillant dans la poussière, me servis du coupe-boulons pour tailler un petit trou dans le grillage. Ce dernier devait être durci, parce qu'il était très difficile à couper. Le fil de fer durci commença immédiatement à émousser mon outil. Chaque coup de cisaille successif devenait de plus en plus difficile. Je craignis que le coupe-boulons ne s'émousse trop pour que je puisse tailler une ouverture. Je réduisis la taille de mon cercle. Après avoir décrit à peu près un demi-cercle, je dus faire levier sur le coupe-boulons, à chaque fois, tordant et tournant pour couper le grillage. Finalement, l'outil s'émoussa au point de devenir inutilisable.

Je pliai le demi-cercle de grillage du mieux que je pus à mains nues, puis me levai et lui donnai des coups de pied, essayant de l'enfoncer un peu plus. Je coupai un morceau du fil de nylon donné par Diamond et en passai une boucle dans le demi-cercle de clôture découpée. Je le fis passer à travers les mailles du treillis trente centimètres plus haut. En tirant et en assurant le fil, je ramenai le lourd morceau de grillage contre la clôture et attachai le fil pour le maintenir en place.

L'ouverture paraissait encore bien trop petite pour que je rampe à travers. Mais je n'avais pas le choix.

Je m'aplatis au sol, levai le bras droit, le passai dans le trou, puis passai la tête à travers la clôture. J'entrepris de la traverser en me tortillant. Des bouts de fil de fer coupés s'accrochèrent à mes oreilles et mes cheveux, et tracèrent des égratignures sanglantes sur le côté gauche de mon cou. J'inclinai les épaules le plus possible. Des barbelés déchirèrent ma chemise. Je passai l'épaule droite dans le trou, mais un fil s'enfonça près de ma carotide gauche, et je me demandai un instant si j'allais me la percer et mourir en une minute, le sang qui en jaillirait teignant mon cadavre de rouge alors que j'étais coincé dans une clôture.

Je changeai de position, de sorte que les fils de fer du côté opposé m'embrochèrent l'aisselle droite, afin de soulager la pression sur le côté gauche de mon cou.

Faire passer mon épaule gauche fut le pire. Des pointes de fer efficacement aiguisées par mes coups de cisailles creusèrent des sillons parallèles dans mon deltoïde gauche et sur l'extérieur de mon bras gauche et, de l'autre côté, déchirèrent la chair de mon aisselle droite. Mon coude gauche sembla rester accroché sur un fil coupant, et en le dégageant, je visualisai les os se séparant comme des os de poulet cuit.

Finalement, je réussis à passer le haut du corps jusqu'à la taille, et à partir de là ce ne furent plus que de simples égratignures partout sur mon corps, tandis que je faisais passer mes fesses et traînais mes cuisses et mes jambes de l'autre côté.

Je me relevai, le sang coulant d'innombrables petites blessures, et pensai au bouvier que Spot et moi avions vu de loin la dernière fois que nous étions montés jusqu'à la clôture. Avec un peu de chance, le chien serait enfermé. Mais à moins de se trouver sous le vent par rapport à moi, il sentirait mon sang en même temps que mon odeur, ce qui exacerberait sa réaction. Il aboierait jusqu'à ce qu'on le laisse sortir.

Si on en venait à la confrontation, je devrais me fier à mon expérience du combat.

Je ne pouvais pas faire de mal à un chien qui ne faisait que son travail. Aucun gourdin, caillou ou autre arme n'était acceptable. Décision imprudente à de nombreux égards, mais c'était le handicap de connaître les chiens aussi bien que je connais les gens.

J'avais pensé à porter des gants épais pour me protéger. Mais je savais, pour avoir lutté pendant des heures avec Spot, qu'aucun gant, pas même une cotte de mailles, ne pouvait fournir de véritable protection contre un animal dont la morsure est capable de briser des os. Je savais aussi qu'il existe un moyen – même s'il n'est pas très fiable – de contrôler un chien qui attaque, qui exige d'avoir les mains nues pour le maîtriser au maximum. J'espérais avoir la présence d'esprit de l'employer, si cela s'avérait nécessaire. J'entrai donc dans l'enceinte sans gants.

Des deux dépressions et de leurs groupes de bâtiments, seule la plus au nord était éclairée. J'éteignis ma lampe frontale et me dirigeai vers le groupe de constructions obscures au sud, utilisant à nouveau ma torche le moins possible.

Peut-être les bâtiments situés au sud étaient-ils vacants, tous les soldats occupant le groupe nord, mangeant leur dîner et buvant du whisky. Ou peut-être les occupants des bâtiments sud suivaient-ils une formation exigeant d'eux qu'ils se couchent tôt. Dans les deux cas, j'avais une chance d'y pénétrer sans éveiller l'attention.

Il faisait très sombre, seule la faible lueur des étoiles permettant d'y voir. J'avançai lentement, prenant soin de ne pas trébucher, conscient que je pouvais marcher dans un trou invisible et me casser la cheville.

Je décrivis une spirale depuis la clôture vers les bâtisses placées au sud, les étudiant en quête d'éventuelles lumières ou de mouvements. Malgré l'obscurité sans lune, je discernai progressivement des points d'accès, des routes pour les véhicules, les emplacements probables des portes, et les endroits où pouvaient être postées des sentinelles si les Patriots se montraient vraiment paranoïaques.

Je me trouvais à présent au sud des bâtiments que je venais de contourner. Je continuai de chercher un chalet avec, à l'arrière, un entrepôt, puis une colline. Si je les repérais, je saurais qu'enterré dans les profondeurs de la terre se trouvait le container secret avec son labo et, espérais-je, une femme très effrayée, ligotée et bâillonnée, attendant sa mort probable.

Mais je ne vis rien qui ressemblât à ce que je cherchais.

Il y avait deux bâtiments ordinaires percés de plusieurs fenêtres à intervalles réguliers. Ils paraissaient construits sur une charpente standard avec des toits de bardeaux synthétiques, des avant-toits de soixante centimètres et un revêtement extérieur en bois. Il y avait un grand entrepôt en métal sans fenêtre ni avant-toit, mais muni de nombreuses lucarnes. Aucune lumière ne provenait de l'intérieur. L'absence de fenêtre suggérait une activité qu'on voulait mettre à l'abri des regards indiscrets.

Je m'approchai d'abord de l'entrepôt métallique. À son extrémité apparut une porte de garage surdimensionnée, assez grande pour y faire passer un camping-car de la taille d'un bus. Elle était verrouillée de l'extérieur par une barre munie d'un gros cadenas. J'aurais besoin d'un chalumeau pour entrer. Je passai au premier des bâtiments à charpente de bois.

Il avait une porte en bois ordinaire, percée d'un carreau. En scrutant l'intérieur, je ne vis rien d'autre qu'une distante lueur rouge. Je tournai la poignée. Elle n'était pas verrouillée. Je me plaçai contre le mur à côté, poussai la porte, et attendis. Il n'y eut pas de réaction.

J'entrai dans l'obscurité, me déplaçant avec lenteur, touchant le mur d'une main. La lueur rouge se changea en pendule. 22h47. Plus loin, il y avait une autre pendule. 22h51. Je me déportai vers le côté, tendis les mains, trouvai une plate-forme, m'assis.

C'était un lit. J'étais dans un dortoir.

Je songeai à fouiller dans les effets personnels. Mais je devrais utiliser l'une de mes lampes. Je risquais d'être découvert par quiconque passerait à l'extérieur.

Je sortis et me rendis au deuxième bâtiment. Il était également ouvert. Je me glissai dans l'encadrement de la porte, progressai lentement dans le noir, et découvris que j'étais dans une cuisine-réfectoire. Il y régnait une forte odeur d'ail mêlée à de l'eau de javel. Là encore, je pourrais peut-être en apprendre plus sur les miliciens si je prenais le risque d'allumer une lampe, mais je voulais explorer les lieux davantage avant de prendre ce risque.

Je ressortis et trouvai la piste qui sortait de la petite ravine en direction de l'autre dépression, moins profonde, dans le terrain clôturé, et du deuxième groupe de bâtiments, au nord.

Craignant d'être repéré si j'allumais une lampe, je l'empruntai au ralenti, prêt à filer dans les broussailles sur la pente voisine si un véhicule arrivait ou des hommes s'approchaient dans l'obscurité. Le groupe de bâtiments situé au nord était bien éclairé par le rayonnement d'une lampe à sodium. Il dessinait un grand cercle jaune dans l'espace séparant quatre constructions, dont l'une était en préfabriqué, avec un vaste toit de tôle en arc de cercle. Au bout de celle-ci s'ouvrait une porte encadrée par deux fenêtres de chaque côté. La lumière était allumée à l'intérieur, et j'entendis des voix en provenance du bâtiment. Deux des quatre fenêtres étaient ouvertes, et dans chacune des deux, un ventilateur encastré tournait à grande vitesse.

Les longs bâtiments situés à ma gauche étaient de conception traditionnelle, en bois, avec un toit à pignon et cinq portes de garage doubles, toutes fermées. À proximité étaient garés deux Blazer des années 1970, le vieux Bronco camouflé que j'avais vu plus tôt sur la route dans la vallée en contrebas, et trois camionnettes ouvertes, dont une vieille Dodge et deux Ford d'un modèle plus récent. Sans compter les éventuels véhicules dans le garage qui pouvait en contenir dix, ceux qui se trouvaient devant moi pouvaient représenter dix-huit ou vingt hommes. D'après les éclats de rire gras qui couvraient le ronflement des ventilateurs dans le bâtiment en préfabriqué, il pouvait s'agir de dix-huit ou vingt hommes éméchés, armés de fusils automatiques.

Je m'approchai du toit incurvé et progressai pouce par pouce vers l'extrémité opposée. Je jetai prudemment un œil à l'autre façade. La lumière se répandait aussi depuis cette extrémité du bâtiment, mais ne provenait que de deux fenêtres, les seules ouvertures de ce côté. Toutes deux étaient ouvertes, servant de prises d'air pour rafraîchir les hommes en sueur à l'intérieur.

Il y avait une benne à ordures à six mètres des fenêtres, assez proche pour que je puisse me cacher dans son ombre protectrice et entendre les voix venant de l'intérieur du bâtiment.

Je décrivis un arc de cercle dans l'obscurité et revins dans l'ombre de la benne. Je m'accroupis et passai la tête au coin de la benne, essayant de ne pas suffoquer à cause des miasmes des ordures pourrissantes.

Deux ou trois voix étaient clairement audibles dans le brouhaha général de grognements et de rires.

— … là-haut, sur le champ de tir. Ces cibles étaient perforées comme avec un fusil de chasse !

— C'est ce que fait une arme automatique. Mais au lieu de chevrotine, on s'est servi d'une cartouche capable d'abattre un ours pour faire chaque trou ! Imagine-toi mettant ce bébé sur ton épaule et descendant en ville avec !

— Les gars !

Une troisième voix essayant d'attirer leur attention.

— C'était avec les AK qu'on a criblé ces cibles. Les Mac 10 sont précis comme un pistolet à bouchon. Toute la puissance du monde ne sert à rien si tu ne peux pas toucher ta cible.

— Les gars !

— La précision, aucune importance si tu es assez proche pour ne pas pouvoir manquer ton coup. J'préfère de loin les Mac. J'leur montrerai, à ces fonctionnaires, ce qu'on pense de leurs règlements.

— LES GARS !!! FERMEZ-LA !

La voix était grave et retentissante.

Le bâtiment se fit silencieux.

— On commence à l'aube. Mitch va diriger l'exercice de demain. Il nous fera faire une répétition en tenue. La banque sera représentée par le dortoir sud. Ce sera une attaque en règle, tout le tremblement. Des vraies balles. Vous comprenez ce que ça veut dire ? Et si on réussit ce galop d'essai, on va fixer la date. Si, et je dis bien « si »… Si on atteint l'objectif, alors on pourrait être entièrement financés de l'intérieur pour une période indéterminée. Mais il est HORS DE QUESTION qu'il y ait une rémunération ! C'est une guerre sainte ! Il s'agit de sauver notre pays du nouveau gouvernement mondial ! Ce n'est pas un boulot salarié ! Il s'agit de combattre pour vos droits constitutionnels, votre but ! NOTRE MISSION ! Et maintenant, rentrez tous vous coucher !

Il y eut un bruit général de chaises qui glissaient et de gens qui marmonnaient. Je m'écartai en courant du faible couvert de la benne puante, puis escaladai la pente au trot dans le noir. Je me retournai pour observer de derrière un chêne. J'entendis des portes s'ouvrir à l'autre bout du bâtiment. Puis des voix. Plusieurs hommes apparurent dans le halo de lumière jaune.

Je vis un gros chien noir à fourrure épaisse traverser en bondissant le cercle de lumière, passer dans l'ombre, revenir dans la lumière. Le bouvier des Flandres. Chien de berger et chien de garde hors pair.

Les hommes du groupe s'éloignèrent tranquillement de moi, empruntant le sentier en direction de la dépression sud et du dortoir. Les lumières à l'intérieur du bâtiment s'éteignirent, et deux autres hommes apparurent. Ils se tournèrent de l'autre côté et partirent en direction de l'extrémité du bâtiment où se trouvait la benne.

Vers moi.

— Bon sang, cette benne pue ! dit l'un d'eux.

— Greg a mis les boyaux de cerfs dedans.

— Il ne les a pas enterrés ? Mais à quoi il pense ? Davy a dit qu'on vidait toujours nos proies en bas, dans la ravine, pour que l'odeur s'écoule vers la propriété du gouvernement.

— Greg ne le savait pas.

Le chien courut vers eux et se mit à trotter à leurs côtés.

Comme ils étaient sur le point de quitter la dernière tache de lumière jaune provenant du projecteur extérieur, le chien s'arrêta, dressa la tête vers l'obscurité, décrivit un demi-cercle, émit un grognement profond, puis fonça dans ma direction.

Chapitre 40

Tandis que le chien me fonçait dessus, grognant comme un dangereux prédateur, mon instinct me dit de tourner les talons et de fuir. Mais je savais que je devais l'affronter. Et pour ça, j'avais besoin d'y voir.

Je courus vers la lumière, et vers le chien.

Une voix tendue et murmurante me parvint d'en bas.

— Gros ours a vu quelque chose ! Va chercher, Gros ours !

Le chien ne ralentit pas en amorçant la pente obscure. S'il m'avait vu foncer dans sa direction, ça ne le perturbait pas.

Il cessa de grogner.

J'observai son allure bondissante, me concentrai sur son rythme, essayai d'ignorer son silence subit et effrayant. Je me souvins de toutes les fois où j'avais livré un corps à corps avec Spot. Spot ne mordait pas profondément quand nous jouions, mais plongeait, évitait et parait, et j'avais développé une certaine connaissance des techniques d'attaque canines. Je me rappelais les mouvements, les astuces. Mais cet animal était un inconnu. Je ne connaissais pas ses manœuvres personnelles. De plus, j'ignorais totalement si un chien se battant pour jouer se comportait de la même façon qu'un chien attaquant sérieusement.

Mais j'étais convaincu de comprendre ses mouvements. Et comparé à Spot, le bouvier était relativement petit.

Quand il fut suffisamment proche, il bondit en avant comme s'il redoublait de vitesse, puis sauta en l'air. Il s'éleva du sol en arc de cercle. Je me laissai tomber à genoux pour me trouver sous lui.

Comme un grand félin, il se tordit en l'air, baissant la tête vers sa cible mouvante.

J'attendis un instant qui me parut durer un siècle. Une feinte ne fonctionne que si elle arrive au tout dernier moment.

Quand le chien ne fut plus qu'à un mètre de refermer les mâchoires sur ma tête, je levai la main gauche sur le côté.

Les chiens sont toujours attirés par le mouvement. Il tourna brusquement la tête de côté, gueule ouverte, prêt à me broyer les os de la main. Au dernier moment, je retirai vivement ma main gauche de devant ses mâchoires, tout en lançant la droite à toute volée vers le côté de son cou.

Je le frappai fort, puis saisis une épaisse poignée de poils de son cou dans ma main droite tout en pivotant sur place et en suivant le mouvement de tout le poids de mon corps.

Je l'entraînai à terre. Il était aussi choqué que moi. Je continuai de tenir la fourrure de sa nuque en atterrissant sur lui. Il luttait et se tortillait sous moi.

Un clebs de plus de cinquante kilos est très fort. Et les mâchoires et crocs d'un chien suffisent à tuer un animal quatre fois plus gros que lui s'il parvient à trouver une bonne prise sur sa proie. Mais une bête de cinquante kilos ne fait pas le poids face à un homme qui lui maintient le cou par-derrière.

J'empoignai son collier de la main gauche, saisis une plus grosse poignée de fourrure de la droite, et le soulevai, lui décollant les pattes avant du sol. Je ne voulais pas l'étouffer, juste le contrôler ; je laissai donc les pattes arrière toucher terre.

Il cessa de lutter, réaction à la domination. Sa vie était entre mes mains et il le savait.

Je marchai jusqu'à un chêne, le reposai sur ses quatre pattes et m'appuyai contre l'arbre, son corps entre moi et l'écorce du tronc.

Je lâchai son collier de la main gauche, mais maintins fermement de la droite ma prise sur sa fourrure. Je sortis le fil de Diamond de ma poche de ceinture, le glissai sous son collier et en entourai le chêne en boucles serrées afin que son cou soit immobilisé contre l'écorce. Je nouai soigneusement le cordon, reculai, mains devant moi, prêt au cas où il se libérerait. Mais il était fermement maintenu. Il ne grogna ou n'aboya même pas.

Je me tournai vers les bâtiments en contrebas. Un homme était posté dix mètres plus bas. Il braqua sa torche sur mon visage.

J'allais parler quand je sentis une légère décharge électrique frapper l'arrière de mon crâne, et le monde disparut à ma vue.

Chapitre 41

Je m'éveillai lentement. Sentis une substance visqueuse sur mon visage. Un liquide gluant et épais. Une puanteur de viande pourrie. Une odeur pire que les relents suffocants dégagés par la benne à ordures. Cent fois pire.

Je me rendis compte que j'étais dans la benne, les mains attachées derrière mon dos.

Mon souffle gargouillait à travers une substance gélatineuse qui m'emplissait l'oreille gauche, formait une masse autour de mon œil gauche, sur mon nez, sous mon menton et dans ma bouche. Le liquide était chaud et semblait bouillonner. Un pudding de détritus constitué de chair en décomposition. Un mouvement frissonnant, comme si la gélatine était vivante.

Des asticots !

Street m'avait un jour montré une grande masse d'asticots grouillant dans les entrailles pourrissantes d'une carcasse d'ours.

J'étais sur le ventre au milieu d'un amas d'asticots.

Mon corps entier se convulsa brutalement, pressant les genoux dans le tas d'entrailles de cerf, secouant les épaules, poussant la tête en arrière. Crachant, criant, suffoqué par les asticots. Je recrachai la masse visqueuse que j'avais à l'intérieur des joues, puis vomis. Des haut-le-cœur qui ne rendaient rien. J'étouffais. Je crachai et toussai. Crachai encore.

Je me jetai sur le côté, cognant contre l'intérieur de la benne. M'essuyai le visage sur le métal rouillé de la paroi. Crachai encore et encore, des crachats brûlants, lancinants, qui m'écorchaient la gorge.

La tête me cognait comme si un joueur de Louisville l'avait frappée sans prévenir avec sa batte de baseball. J'avais mal aux épaules à force d'avoir les bras tirés en arrière. Mais tout ça n'était rien comparé à l'intérieur de ma bouche. Ma langue trouva un morceau de gélatine poisseuse collé contre ma joue. Un asticot. Je crachai. Un autre écrasé à l'intérieur de mes incisives. Un autre réduit en purée entre mes molaires supérieures gauches.

Je vomis à nouveau.

Je levai les genoux et essuyai mon visage couvert de poisse sur mon jean trempé.

Je me laissai aller contre la paroi de la benne, incapable de respirer, incapable de penser.

La torture d'une douleur physique ou psychique peut s'avérer handicapante. Mais la torture de la révulsion peut être aussi forte. En l'espace de quelques minutes, j'avais été brisé. J'aurais signé n'importe quel papier, avoué n'importe quel crime inventé de toutes pièces, couru à travers les flammes si j'avais pu subitement me retrouver décrassé et sec, et portant des vêtements propres, dans un lieu à l'abri des asticots.

Le meilleur moyen de retrouver son calme dans une situation vraiment stressante consiste à prendre une profonde inspiration, à la retenir, puis à souffler lentement. Mais je ne pouvais pas inspirer profondément. Les gaz qui envahissaient la benne étaient si chargés de putrescence que je pouvais à peine supporter de minuscules inspirations.

Après cinq minutes de lutte de l'esprit contre la matière, je réussis à remplacer mon dégoût horrifié par de la colère.

Il y avait un rai de lumière sur un côté, au-dessus de ma tête. Je ramenai les pieds sous moi. Je me dressai de quelques centimètres, enfonçant les pieds dans un magma infâme jusqu'à ce qu'ils touchent quelque chose de dur. Mon visage levé vers le haut se souleva pour effleurer le métal au coin intérieur de la benne. Un mince filet d'air frais entra sous le bord du couvercle et me toucha le visage. Je l'aspirai avidement, cherchant désespérément un air qui ne m'empoisonnerait pas. Mes cuisses me maintenaient tout juste les fesses à quelques centimètres des talons, ce qui me permettait quand même de garder la bouche et le nez à proximité de la fente au bord du couvercle. Les muscles de mes jambes commençaient à me brûler et à trembler sous l'effort. Je dus les détendre et m'enfoncer à nouveau dans les ordures.

Je me penchai en avant pour me retrouver sur les genoux, et fis une enjambée à travers le magma. Je levai les yeux vers le couvercle de la benne. Il y avait un autre rai de lumière, un autre souffle d'air infinitésimal qui pénétrait. Je me rendis compte que la benne avait deux couvercles, côte à côte. Je me redressai jusqu'à en toucher un de la tête. Je le poussai avec le haut du crâne, les tempes battantes de la douleur du coup que j'avais reçu. Le couvercle bougea d'environ un centimètre, mais pas plus.

Je me déplaçai latéralement sur les genoux, sous l'autre couvercle. Poussai avec la tête une deuxième fois. Celui-là bougeait lui aussi, mais pas plus que l'autre. Je me remis en position accroupie et basculai la tête en arrière pour essayer de voir à travers la fente entre les deux couvercles. Je dus me balancer de côté, dans les deux sens, pour examiner ce rai de lumière : il était interrompu par un objet sombre d'environ quinze centimètres de large.

Peut-être les deux couvercles étaient-ils fermés par un cadenas. J'essayai de me rappeler ce que j'avais vu en pénétrant dans le complexe et en me cachant dans l'ombre de la benne. Aucune image ne me vint à l'esprit. Je me souvenais d'avoir vu la benne. Je m'étais caché derrière. Elle empestait tant la chair morte et pourrissante qu'aucun détail concernant ses ouvertures ne s'était imprimé dans mon esprit.

À présent, en examinant la bande sombre qui interrompait le mince rai de lumière, j'imaginais des poignées ou des crochets soudés aux couvercles. Il me semblait qu'une planche de cinq centimètres sur quinze avait été glissée sous ces poignées ou crochets. Si je trouvais le moyen de la faire glisser et de la dégager des poignées, je pourrais peut-être ouvrir la benne et m'échapper.

Il me fallait quelque chose pour pousser dans l'interstice entre les couvercles et m'en servir pour déplacer la planche. Pour ça, j'avais besoin de mes mains.

Elles étaient attachées si serré que mes poignets me brûlaient.

Je tirai et poussai les mains pour les écarter, et voir si le cordon qui les liait avait du jeu. Il n'en avait pas. Il me fallait une sorte d'outil, quelque chose de coupant. Le seul endroit où le trouver, c'était parmi les ordures, sous moi.

Je m'assis donc sur les fesses, m'adossai à la benne, et plongeai les mains dans les ordures. Je tâtai, attrapai et pressai. Les ordures étaient pour la plupart dans des sacs poubelle en plastique. Mais nombre des sacs étaient vieux et le plastique se désintégrait quand je le touchais des mains. Les sacs plus récents étaient faits d'un plastique résistant, mais malgré tout facile à déchirer. Tout était couvert du liquide glissant et visqueux des viscères de cerf en décomposition.

Chaque fois que je tâtais quelque chose de dur, je le plaçais entre mes mains, l'explorais au toucher. Je restais sur le périmètre de la benne, évitant la masse d'asticots que je situais vers le centre. J'enfonçais les mains dans le magma putride, remontais tout ce que je trouvais. Puis j'avançais latéralement et répétais le processus, tentant d'identifier chaque objet à sa forme, son poids et sa texture, et de déterminer s'il pouvait m'être utile.

Je trouvai une grande botte, une cafetière électrique sans verseuse, une bouteille en verre, un étui à cartouches vide de gros calibre, un livre épais et souple ressemblant aux pages jaunes d'une grande ville, un boulon avec des rondelles maintenues en place par un écrou, une chaîne de tronçonneuse émoussée, une canette en aluminium, une vieille bougie qui avait brûlé par le centre au point de ne plus avoir de mèche, un rasoir jetable, un DVD, un sac plastique contenant des chips non consommées... Une seconde. Un rasoir jetable.

Je tâtai les alentours derrière mon dos, essayant de retrouver le rasoir.

Il n'y était plus. Je cherchai à gauche, puis à droite. J'extirpai une pile de 9 volts, une feuille d'aluminium roulée en boule, une bouteille en plastique, des lunettes cassées, un morceau de moustiquaire et, enfin, le rasoir jetable.

J'essayai de déterminer comment l'utiliser. Mes mains étaient liées de telle sorte que l'intérieur de mon poignet gauche se trouvait contre l'extérieur du droit. En tant que droitier, dans cette position il m'était difficile de placer le rasoir en contact avec le cordon. J'espérais qu'ils avaient utilisé le cordon que Diamond m'avait donné, car j'avais l'impression qu'il serait possible de le couper au rasoir. En me tordant le bras au maximum, je réussis à tourner le poignet droit de façon à ce que les deux poignets se retrouvent face à face. Cette position forçait sur mon épaule et mon coude droit, et limitait substantiellement mon aptitude à utiliser les doigts de la main droite. Je ne pouvais rien faire avec le rasoir. Je tournai donc le poignet pour le remettre dans sa position d'origine et, en prenant soin de ne pas laisser tomber le rasoir, le déplaçai de façon à le tenir par l'extrémité du manche, puis le remuai jusqu'à ce que je réussisse à l'attraper avec les doigts de la main gauche.

Pour qu'un rasoir fonctionne, il faut le tenir presque perpendiculairement au visage. Et je ne pouvais pas éloigner suffisamment de mes poignets le bout du manche pour mettre la partie coupante en contact avec le cordon.

Je le fis glisser dans ma main de façon à utiliser le pouce et l'index pour le tenir par la tête, tandis que le manche partait dans la direction opposée. Ce qui forçait terriblement sur les muscles de ma main, mais je réussis à gratter le cordon avec la tête du rasoir.

J'entendis le bruit d'une porte qui s'ouvrait à la volée et claquait contre un mur. Je m'immobilisai.

Des voix. Deux hommes. Cinq fois plus fortes qu'il n'est nécessaire pour communiquer. Des voix qui articulaient mal.

— J'te l'avais dit, Manny, pas vrai ? J't'avais bien dit.

— Quoi ? Que tu coincerais ce crétin ? Et alors, Gaver ? Si n'y avait pas eu Gros ours, ce type aurait pas été distrait. Tu crois qu'i t'aurait laissé jouer au golf avec sa tête s'il avait pas été occupé par Gros ours ? T'as déjà vu un homme capable d'arrêter Gros ours en train de charger ? Hein ? Réponds-moi.

— J'sais pas.

— Évidemment que non. C'est Jackson qu'a dressé ce chien. Jamais un chien dressé par Jackson a été pris par un homme à mains nues. On aurait dit qu'il avait une espèce de formation à la James Bond, à l'voir attraper ce chien en l'air comme si c'était un papillon ou j'sais pas quoi, et ensuite l'attacher à un arbre. Sans le malmener, d'ailleurs. Comme si c'était un de ces spécialistes en arts martiaux, tout calme et respectant la parole de Bouddha. Et là-dessus, tu l'cognes avec ton bâton. La belle affaire. S'il avait pas été en train d'attacher Gros ours, t'aurait ligoté aussi.

— Pas avec ce Smith & Wesson à ma ceinture, sûrement pas.

— C'est c'que tu dis, Gaver. Mais c'est plus facile à dire qu'à faire. À ta place, j'ferais attention. Y a sans doute aucune chance pour qu'il soit encore vivant, vu la façon qu'l'est tombé tête la première dans ces boyaux de cerf.

— Ça non, il a même pas bougé, même pas gigoté pour trouver d'l'air. Difficile de croire qu'i respirait encore.

— Mais quand même, tant que t'es pas sûr, je ferais gaffe.

— Même si l'est toujours en train d'bouffer des intestins, d'ici onze heures demain matin, quand l'soleil sera haut, cette benne sera assez brûlante pour y faire cuire du pain. D'ici midi ou une heure, i'sera cuit et aussi mort que l'cerf. Ça lui apprendra à frapper Gros ours. Davy sera d'accord pour qu'j'utilise la tractopelle. À une heure, j'mettrai son cadavre là où on a mis le type de l'ATF. Comme la dernière fois, toi, moi et Davy, on sera les seuls au courant. J'ai tout l'temps de me débarrasser du corps.

— Tu ferais mieux de pas trop tarder, pasque le temps est censé changer. T'auras même pas monté la tractopelle sur la colline qu'i se mettra à flotter, et la route sera toute glissante.

— Tu crois que c'est qui, au fait ?

— Ça doit être ce type dont Davy nous a parlé. Le privé de Tahoe. Davy a dit qu'i pourrait venir ici poser des questions sur not' groupe. Davy sera content quand i verra ce qu'on a fait de lui.

— Eh, regarde l'heure, faut qu'on aille relever les frères Mauer sur leur tour de garde.

Les voix s'atténuèrent en s'éloignant.

Au bout d'un moment, je n'entendis plus rien, et me remis au travail avec le rasoir.

Je sentais la petite lame mordre dans le cordon. En effectuant un mouvement bref et répétitif, je l'entamai progressivement. Parce qu'un rasoir est conçu pour faire de minuscules entailles, il me fallut de nombreuses minutes. Je dus faire passer le rasoir de ma main gauche dans la droite pour pouvoir étirer et plier mes doigts gauches et éviter la crampe. Puis je le refis passer dans la main gauche pour continuer le travail.

Dix minutes plus tard, j'avais coupé le cordon.

Mes épaules étaient douloureuses quand je ramenai les mains devant moi. Maintenant, je devais sortir de cette benne.

Je levai les bras et testai les deux couvercles pour vérifier ce que j'avais découvert avec la tête. Ils bougèrent un peu avant de s'arrêter, peut-être maintenus en place par l'objet de quinze centimètres que je distinguais dans l'interstice qui les séparait.

Si les couvercles étaient fermés par quelque chose de bien plus substantiel, mon seul espoir consistait à trouver dans les ordures une sorte de levier assez solide pour que je l'introduise dans l'interstice là où ils se rabattaient sur la benne, puis que je torde suffisamment le métal pour sortir. Ce qui était à peu près aussi probable qu'une équipe d'intervention militaire déferlant sur le campement avant que le soleil matinal ne m'ait rôti à mort.

Je me mis à fouiller les ordures en quête d'un outil.

Vingt minutes plus tard, je trouvai un vieux clou rouillé, de huit ou neuf centimètres de long, dans le liquide gluant qui s'étalait au fond du coin de la benne.

Je glissai le clou dans l'interstice entre les couvercles et le poussai contre l'objet large de quinze centimètres que j'avais repéré plus tôt. Le clou était juste assez long pour l'atteindre. Ce truc avait l'air d'être en bois, et il céda légèrement quand je poussai la pointe du clou par l'interstice.

Je fis levier vers le côté avec le clou. Le bois ne bougea pas. Je poussai dans la direction opposée. Peut-être se déplaça-t-il très légèrement. Peut-être pas. Je modifiai l'angle du clou, le poussai vers le haut et vers le côté, fis levier de nouveau. Le bois – si c'était du bois – bougea peut-être un peu plus. Je continuai de manier mon outil. Je n'aurais su dire si j'étais simplement en train de creuser un sillon dans le matériau ou de le déplacer. La possibilité d'une évasion me paraissait très ténue. Mais je continuai mes mouvements avec le clou.

Dix minutes plus tard, le bois fit un bruit sec tandis que son poids se déplaçait. Je visualisai la chose comme une sorte de bascule, penchant d'abord très légèrement dans une direction, puis dans l'autre. Ce qui me redonna de l'espoir, parce que cela indiquait que j'étais en train de réussir à déplacer la planche.

Encore dix minutes plus tard, le bois se dégagea des crochets ou des poignées qui le maintenaient, et tomba à terre, cognant contre la paroi de la benne avec un bruit sourd.

Je n'attendis pas de voir qui viendrait s'en informer. Je soulevai l'un des couvercles, me mis debout dans l'air frais et pur de la nuit. Je maintins le couvercle pour qu'il n'aille pas cogner, en basculant, sur l'arrière de la benne. Tout en le maintenant fermement, je passai une jambe par-dessus le bord de la benne, puis l'autre, me pliai au-dessus du rebord, mes pieds touchant le sol, et refermai doucement le couvercle pour qu'il ne claque pas. Je fis glisser la planche pour la remettre sous les poignées.

Les alentours étaient silencieux, les hommes et le chien partis. Le projecteur à sodium brillait toujours, mais la lumière qui, auparavant, provenait du bâtiment semi-circulaire préfabriqué s'était éteinte.

Je contournai le bâtiment par l'arrière, restant à l'abri de l'obscurité, guettant l'attaque subite et silencieuse du chien nommé Gros ours.

Aucun chien ne bougea, et je ne vis personne.

Ce que je voyais à présent, et que je n'avais pas vu auparavant, était un petit chalet obscur dans le lointain, et derrière lui un entrepôt adossé à une colline escarpée.

Le mur latéral de l'entrepôt était percé de fenêtres, et à l'une d'entre elles brillait une faible lueur.

Chapitre 42

Mon impulsion fut de me précipiter à l'intérieur, mais je gardai mes distances. Je me déplaçai latéralement dans l'obscurité, décrivant un arc de cercle autour du chalet. Je cherchai ma poche de ceinture et sa torche, mais elle n'y était plus, pas plus que ma lampe frontale, mon canif ni tout ce qui s'était trouvé dans mes poches.

Je passai à côté d'une Jeep, un modèle décapotable CJ-6 des années 1970. Je cherchai le contact à tâtons dans le noir. Il n'y avait pas de clé. Je levai la main et tâtai au-dessus du pare-soleil. Rien.

Je parvins à un monticule où quelqu'un avait empilé du compost. À proximité, il y avait un de ces grands chariots utilitaires montés sur deux roues de vélo. Je le contournai et continuai d'avancer dans l'obscurité.

La façade de l'entrepôt apparut à ma vue alors que j'arrivais au niveau de l'arrière du chalet.

L'entrepôt comportait une grande porte de garage, assez large pour y faire passer quatre voitures côte à côte, et à côté une porte à taille humaine.

Devant la porte luisait une petite lumière terne et orangée. Je m'en approchai. Lentement. Silencieusement. Progressant à peu près à la vitesse de croissance d'une plante grimpante par une chaude journée d'été.

En m'approchant, je vis que la lueur provenait des braises d'un petit foyer. Deux hommes étaient assis sur des chaises pliantes devant le feu. Leur mission consistait peut-être à garder le bâtiment, mais ils avaient l'air endormis. Ou ivres et somnolents, leurs corps

327

affaissés dans les chaises, les jambes étendues devant eux, la tête en arrière, reposant sur le dossier des sièges. L'un d'eux remua et marmonna quelque chose. L'autre grogna. Manny et Gaver, les gardes de nuit. Je craignis de les alerter par ma puanteur s'ils étaient sous le vent par rapport à moi. Mais l'air semblait immobile. Je m'arrêtai et m'assis dans le noir pour les observer. Au bout d'un moment, l'un d'eux sursauta et se redressa sur sa chaise. Il fixa l'obscurité un moment, puis mit une nouvelle bûche dans le feu. Il repoussa sa chaise, s'agenouilla dans la poussière et souffla sur les braises. Un long moment. Finalement, une flamme grandit sous la nouvelle bûche. Il se rassit, attrapa une bouteille posée à terre et but une gorgée. Puis il cogna le bras de l'autre homme avec la bouteille. Ce dernier se redressa, prit la bouteille et avala une longue gorgée.

Une idée me vint.

Je repartis dans l'obscurité jusqu'au chariot utilitaire. Il était si bien équilibré qu'à peine touchai-je la poignée qu'il roula aisément. Je le poussai dans le noir, en direction de l'entrepôt, où je le laissai derrière des arbres.

Au bout de quarante-cinq minutes, l'un des hommes dit à l'autre qu'il avait besoin de pisser. Je passai derrière un arbre. Il tituba dans ma direction. J'étudiai sa silhouette, cherchant la forme d'une arme. On aurait dit qu'il y avait un holster à sa hanche droite. L'homme nommé Gaver avait parlé de l'arme qu'il portait à la ceinture. Gaver se plaça derrière un arbre et urina dans un buisson.

J'avais réfléchi à quelle approche fonctionnerait le mieux. Pendant qu'il était encore en train de remonter sa braguette, je l'attaquai par-derrière sur sa droite, mon épaule s'enfonçant au milieu de ses côtes. Il souffla brusquement et se plia en deux tandis que je le projetais contre le tronc d'un gros sapin. Sa tête rebondit sur le tronc, et il s'effondra.

J'ouvris son holster et jetai son arme au loin dans les buissons. Le revolver tomba à travers les branches avec un bruit métallique, encore plus sonore que celui de l'homme heurtant l'arbre.

Gaver était un gars d'une bonne taille, avec une grosse ceinture de graisse superflue autour de la taille. Je m'accroupis, saisis le col de sa veste d'une main, sa ceinture de l'autre, et le soulevai.

Tenant Gaver en position courbée, les bras ballants et les pieds faisant mine de marcher, je le poussai en avant, tout droit dans le chariot utilitaire. Sa tête heurta la paroi en fibre de verre du chariot, et il s'écroula dedans. Encore un bruit sonore.

— Qu'est-ce que tu fais, Gaver ? lança l'autre veilleur, Manny.

Je ramassai la poignée du chariot et ramenai au trot Gaver là d'où j'étais venu, vers l'autre côté du chalet, le refrain plaintif de Manny s'estompant dans le lointain :

— Gaver ? Ça va ? Eh, Gaver, où t'es passé ? T'as trébuché ou quoi ?

Je fis rouler Gaver jusqu'au tas de compost et lâchai la poignée du chariot.

Il gémit et aspira l'air. Je l'attrapai par les cheveux, lui soulevai la tête, serrai les phalanges et lui donnai un coup rapide dans la mâchoire. Il s'immobilisa. J'étendis Gaver au sol. Son énorme couteau Jim Bowie se trouvait dans un fourreau le long de sa cuisse droite. Son portefeuille était fixé à sa ceinture par une lourde chaîne. Je lui ôtai sa ceinture et la lançai, avec le portefeuille et le couteau, dans les buissons.

Je revins au petit trot vers l'entrepôt.

— Gaver, continuait Manny, debout à dix mètres du feu, écarquillant les yeux pour percer l'obscurité. Fais pas l'imbécile. C'est pas drôle. On a un boulot à faire. C'est pas le moment de plaisanter.

Je restai dans le noir.

Encore une minute, et Manny s'écarta un peu plus dans l'obscurité, le feu de camp vacillant derrière lui. Il avait sorti son arme et sa torche, les tenant ensemble comme un membre d'un groupe d'intervention. Il les balançait d'un côté puis de l'autre, le faisceau de la torche oscillant dans la nuit. Je restai derrière un arbre, observant son rythme. Quand il fut assez proche et que son faisceau s'écarta de moi, je courus silencieusement vers le côté obscur de l'entrepôt. J'attendis dans le noir pendant que Manny appelait Gaver.

J'avais l'intention d'attendre qu'il abandonne et revienne vers le feu de camp. Mais je le vis pointer sa torche vers le bas et tirer quelque chose de sa ceinture. Je reçus une décharge d'adrénaline en réalisant qu'il avait porté un talkie-walkie à sa bouche.

Je fonçai dans sa direction.

— Aurore, ici crépuscule. Répondez, aurore. Nous avons une situation qui...

Je lui coupai la parole en le heurtant par-derrière.

Il exhala avec un grand « oumpf » en s'effondrant. Le talkie-walkie vola dans les airs. J'atterris sur Manny, et il poussa un grognement de douleur. Il tendit le bras, revolver à la main.

Je lui saisis le poignet et le cognai contre le sol. Encore. Plus fort. Il lâcha prise et le revolver s'éloigna en virevoltant. Manny se tortillait sous moi. Il était coriace comme peut l'être un animal sauvage. Il roula sur lui-même et gigota, donna des coups de poing, saisit mon avant-bras entre ses dents et le mordit.

Une douleur cuisante m'élança juste au-dessous du coude.

Je secouai le bras, lui cognant le côté de la tête sur le sol, assez fort pour lui briser le crâne. Il eut une secousse surprenante et se dégagea de sous mon corps. Je bondis sur mes pieds, m'attendant à le voir fuir. Au contraire, il se retourna et plongea vers moi.

Je me penchai de façon à ce qu'il me frôle. J'attrapai sa veste et accentuai son élan tout en tendant le pied. Il retomba. Je me laissai tomber sur son dos. Nous glissâmes tous deux sur le sol jusqu'aux braises. Manny ruait et se secouait comme un dément. Je lui enfonçai le genou dans le dos, mais ça ne le ralentit pas. Il sortit un couteau de sa poche.

Je tendis la main vers le feu, attrapai l'extrémité non consumée de la bûche, la levai haut et l'abattis sur l'arrière de sa tête. Des étincelles s'éparpillèrent dans ses cheveux, mais il ne bougeait plus.

J'époussetai les morceaux de charbon qu'il avait dans les cheveux et le fis rouler loin du feu. Il ne bougea pas.

Non loin de là reposait la bouteille de whisky à laquelle Manny et Gaver avaient bu. J'avais encore un goût d'asticots écrasés dans la bouche. Je dévissai le bouchon, me remplis la bouche, me gargarisai et recrachai. Ça avait un goût de bourbon bon marché,

et je n'avais jamais tant apprécié un bain de bouche de ma vie.
Je basculai la tête en arrière, me versai le whisky sur le visage et
me frottai les joues avec ma manche, en détachant une couche de
boyaux de cerf pourris et séchés.

Je pris le couteau de Manny dans sa main, le refermai et le mis
dans ma poche.

À plusieurs mètres de là, dans la poussière, une voix me parvint
du talkie-walkie.

— Crépuscule, vous me recevez ? Crépuscule, au rapport.
Crépuscule, nous sommes en route.

Je courus jusqu'à l'entrepôt.

La porte n'était pas verrouillée. Je l'ouvris à la volée et entrai.

Chapitre 43

L'intérieur du bâtiment était comme un grand hangar à outils agricoles. À gauche, une chargeuse dont la tractopelle pendait à l'arrière. Au milieu du bâtiment, un bateau de pêche sur une remorque. À droite, une vieille International Harvester Scout, sans capote et si rouillée que les pare-chocs semblaient prêts à tomber si le véhicule abordait un dos d'âne.

Au bout du bâtiment, un long plan de travail s'étendait sur tout le mur du fond. D'un côté de l'établi, un tube fluorescent de magasin projetait sa lumière froide et verdâtre sur ce coin de la pièce caverneuse. À côté s'ouvrait la fenêtre à travers laquelle j'avais aperçu la lumière de l'extérieur.

Le mur du fond était constitué de parpaings tout comme Thomas Watson me l'avait décrit, un mur de soutènement retenant la colline située derrière le bâtiment. À chaque tiers de la paroi se dressaient des contreforts du même matériau. Ils étaient perpendiculaires au mur, et leurs sommets s'élevaient en formant un angle aigu pour rejoindre le mur du fond à environ deux mètres cinquante du sol. Davy Halstead était un habile technicien.

La surface du mur du fond était couverte de panneaux d'autoroute volés, retournés à la verticale et fixés aux parpaings. De près, on se rendait compte à quel point ils étaient grands, un mètre cinquante sur trois mètres, avec des coins arrondis, et faits d'une sorte d'aggloméré compressé, recouvert d'un revêtement lisse et peint à la laque brillante. L'un était vert et annonçait « Sortie 296 » à la peinture réfléchissante blanche. Un autre, jaune, portait l'inscription « Voie de dégagement à gauche » en lettres noires. Un troisième indiquait « Colusa 4 Miles » et « Sacramento 72 Miles ». L'établi s'adossait aux panneaux. Dans ces derniers étaient vissés des porte-outils et des crochets auxquels pendaient des spots. Je tâtai le mur le long de l'établi à la recherche de séparations. Le plan de travail reposait sur des barres de bois de cinq centimètres sur dix avec lesquelles on avait construit des blocs de soixante centimètres sur deux mètres quarante pour y ajuster du contreplaqué de taille standard, coupé par le milieu dans le sens de la longueur. Je tâtai chacune des plaques. L'une des sections comportait une solide glissière à tiroir métallique, fixée à la partie inférieure gauche de la structure en bois. La section suivante n'en comportait pas. La suivante présentait la même glissière à tiroir, fixée à son côté droit. Apparemment, ces tasseaux visaient à soutenir la section de l'établi qui se trouvait entre eux.

Je tâtai encore et trouvai le levier qui s'enfonçait dans le mur du fond, bloquant la partie suspendue de l'établi. Tirer dessus déverrouilla l'établi mobile, qui glissa vers moi, puis pivota vers le bas sur des bras articulés jusqu'à toucher le sol, parfaitement contrebalancé par des ressorts similaires à ceux d'une porte de garage.

Un panneau annonçant « Sortie uniquement » était maintenant totalement dégagé. Il y avait deux loquets cachés du côté droit, l'un à soixante centimètres du sol et l'autre à un mètre quatre-vingts. Je les décrochai et le panneau s'ouvrit en basculant sur le côté. Il était bien camouflé, et bien conçu, facile à manœuvrer de l'extérieur comme de l'intérieur, mais pratiquement impossible à détecter à moins de savoir qu'il se trouvait là.

Derrière le panneau « Sortie uniquement » apparut un mur en panneaux de gypse formant un renfoncement, dans lequel s'encastrait une porte. Elle avait une poignée normale et un gros verrou à clé. Le verrou avait été forcé avec une barre à levier. Peut-être Davy Halstead avait-il perdu la clé. Plus probablement, le meurtrier de Davy, n'ayant pas trouvé la clé, avait dû forcer le verrou pour utiliser la pièce secrète.

Je tournai la poignée et passai dans le laboratoire clandestin de Davy.

Chapitre 44

Le laboratoire aménagé dans le container métallique était comme une caverne sans fenêtre. Il était humide, frais et obscur. Malgré le bruit d'un ventilateur d'aération qui fouettait l'air, il y régnait une odeur âcre qui rappelait l'ammoniaque ou l'urine de chat. Les produits chimiques servant à fabriquer le crystal.

Le seul éclairage provenait d'une petite lampe de bureau dans le coin proche de l'entrée, à ma gauche. Elle éclairait un plateau dont la surface en stratifié blanc apparaissait sur les bords, mais qui partout ailleurs était couvert de taches brunes. Au-dessus, une étroite étagère remplie de fournitures. Des piles de cachets contre le rhume, intouchés dans leurs emballages aux couleurs vives. De nombreuses boîtes de filtres à café. Une rangée de vases à bec en verre neufs, qui étincelaient. Six petits jerrycans de kérosène. Un grand bidon en plastique contenant de l'antigel.

Je m'approchai du plan de travail et tournai la lampe de bureau pour qu'elle éclaire le fond du container.

Sur le mur du fond de cette grande boîte en métal brillaient deux petits points lumineux, à environ un mètre soixante du sol. Je laissai la lampe dans cette position inclinée et reculai.

Les deux points lumineux s'agrandirent pour devenir les yeux d'Anna. Des yeux terrifiés. Des yeux qui paraissaient presque extraterrestres dans leur expression de terreur et d'angoisse. Les yeux d'un corps étalé comme Jésus sur la croix. Un corps qui était attaché à ce mur depuis des jours.

Je me rendis compte qu'elle ne pouvait pas voir qui j'étais.

— Anna, c'est moi, Owen. Je suis venu vous sortir d'ici.

Sa tête s'agita, mais elle ne répondit rien. Un chiffon beige, sans doute une manche arrachée à une chemise, s'enfonçait dans sa bouche. Le tissu faisait le tour de sa tête. Son cou était entouré d'une corde qui remontait vers un nœud coulant contre le bord supérieur du container. Elle était debout, mais s'étranglerait et mourrait si elle s'affaissait en s'endormant. Ses bras étaient tendus et remontés, un fil de nylon courant des attaches à glissière de ses poignets vers les coins supérieurs du container métallique où il était fixé. Ses pieds nus étaient attachés. En admettant que l'objectif de son ravisseur fût de la pousser à confesser des secrets réels ou fictifs, je ne pouvais imaginer de façon plus efficace de briser mentalement quelqu'un. Elle ne pouvait ni bouger, ni parler, ni dormir. Qu'elle fût encore en vie suggérait qu'elle n'avait pas encore cédé aux désirs de son ravisseur.

— Je vais enlever votre bâillon, Anna. Ne bougez pas.

Je sortis de ma poche le couteau pliant de Manny et le montai au niveau de la tempe d'Anna, en le gardant hors de sa vue. Je glissai la pointe sous le tissu derrière son oreille. Mes mains tremblaient sous l'effet de la tension. Je savais que des hommes ne tarderaient pas à nous rejoindre. Le couteau de Manny était aussi tranchant qu'une lame de rasoir, et le tissu tomba au sol.

— Dieu merci, vous êtes là, dit-elle dans un murmure rauque et épuisé.

Ensuite, je coupai la corde nouée autour de son cou. Je craignais qu'elle ne s'effondre une fois que ses bras seraient libres, et coupai d'abord la corde entourant ses chevilles. Puis je me positionnai de façon à l'attraper et la soutenir en coupant la corde serrée autour de son poignet gauche.

Quand son bras tomba, elle eut un hoquet de douleur.

Une fois ce bras libre, elle pivota vers moi et s'affaissa. Je passai le bras autour de sa taille et la maintins debout en coupant la dernière corde à son poignet droit. Lorsque ce bras tomba, elle étouffa un cri de douleur, et je compris que les tendons et ligaments de ses épaules devaient être en feu.

J'empochai le couteau, puis la déplaçai afin de pouvoir la porter. Mais d'abord, sachant qu'elle serait incapable de passer les bras autour de mon cou, je les plaçai devant elle de façon à ce qu'ils ne balancent pas et ne prolongent pas la douleur qui la torturait. Puis je passai un bras derrière ses genoux, la soulevai et sortis au trot de la pièce secrète, retournant dans l'entrepôt.

Au loin, par la porte extérieure, je vis des phares approcher. Je savais qu'en restant dans l'entrepôt, nous serions pris au piège et mourrions peut-être criblés de balles. Je passai donc la porte en courant et me précipitai dans le faisceau des phares, deux paires qui fonçaient vers nous depuis la direction du chalet.

Portant toujours Anna, je tournai les talons et courus avec elle dans les buissons obscurs, remontant la pente vers un bosquet de chênes. C'était un mouvement futile, mais j'étais essoufflé, et ne voyais rien de mieux à faire.

— Ne soyez pas stupide, McKenna, me cria une voix tremblante de colère.

Quelqu'un m'avait reconnu à la lueur des phares. La voix me parut vaguement familière, mais je ne parvins pas à la situer.

— Sortez des bois ou j'envoie le chien, m'avertit-il.

Je continuai de courir.

— Allez Gros ours ! Va chercher !

Je m'arrêtai, posai Anna à terre pour qu'elle puisse s'asseoir et s'adosser au tronc d'un gros chêne.

— Ne me laissez pas, Owen, supplia-t-elle.

— Je reviens dès que je peux.

Je partis au petit trot vers la lumière, frustré et furieux à l'idée de refaire les mêmes manœuvres que plusieurs heures plus tôt.

Le bouvier arriva en courant comme un fauve, rapide et silencieux. Je tombai à genoux. Il ralentit.

— GROS OURS, ASSIS ! criai-je en baissant le bras d'un geste théâtral en direction du sol.

Il ralentit encore, hésitant, se rappelant sans doute notre précédent affrontement.

— ATTAQUE, GROS OURS ! hurla l'homme en contrebas.

— ASSIS, SAGE ! sifflai-je.

Le chien ralentit au petit trot.

Je craignis que les hommes, en bas, ne m'aient en ligne de mire.

J'avais besoin de ce chien.

Je me relevai et marchai d'un pas rapide vers l'animal et la lumière. Dans un instant, je serais bien éclairé et représenterais une cible facile pour un homme armé d'un fusil. Gros ours s'arrêta. Je ne voulais pas qu'il coure.

— Bien, mon gars ! Bon chien ! le félicitai-je.

À mon approche, il s'aplatit.

Je tendis le bras, saisis son col d'une main et le soulevai de l'autre.

Je marchai en direction des quatre phares, portant le bouvier contre ma poitrine. Les hommes étaient invisibles dans l'obscurité derrière cette clarté aveuglante. Je ne savais pas combien ils étaient, ni où ils se tenaient. Comme la première fois, Gros ours ne se débattit pas. Il se soumettait totalement à ma domination.

Je calai Gros ours sur ma hanche et réussis à sortir le couteau de ma poche. Je l'ouvris d'une pichenette et le pressai contre le flanc du chien.

— J'ai le couteau de Manny, dis-je. Si vous voulez récupérer votre chien vivant, vous montez tous dans un véhicule et laissez l'autre. La femme et moi l'utiliserons pour sortir de l'enceinte. Quand nous arriverons à la nationale, nous laisserons votre véhicule avec Gros ours dedans.

C'était une tentative désespérée pour sortir de là, mais je n'avais pas d'autre choix.

J'essayai de plisser les yeux face à la lumière des phares, de percevoir des silhouettes ou un mouvement. C'était sans espoir. Ils avaient pu partir par les côtés pour me mettre en joue sans blesser le chien. Je décrivis un cercle. Des mouvements imprévisibles les feraient hésiter. Le chien commençait à peser très lourd. Après avoir porté Anna, mes bras étaient épuisés.

— C'est un marché équitable, continuai-je. La femme n'a visiblement aucune information intéressante à vous donner. Je vous l'enlève, sans poser plus de questions. Vous avez un bon chien. Vous ne voulez pas le perdre.

Je continuais de tourner. Je tenais le couteau de façon à ce qu'il lance des reflets dans les phares. Si ces hommes avaient un peu de cervelle, ils se rendraient compte que mon précédent affrontement avec Gros ours avait démontré que je connaissais bien les chiens. Et quiconque connaît les chiens est incapable de leur faire du mal. Mais j'escomptais que ces gars-là seraient trop stupides pour en prendre conscience.

— Dernière chance, dis-je. Un véhicule en échange du chien.

De plus haut sur la pente, là où j'avais laissé Anna, me parvint un bruit de pieds traînants, un mouvement dans la poussière, un gémissement.

Je courus en direction du son. Dès que je fus sorti des faisceaux des phares, je posai Gros ours à terre et courus en me baissant, tenant toujours son collier. Quand je parvins près de l'arbre où j'avais laissé Anna, je m'arrêtai, forçant mes yeux à s'adapter à la pénombre.

Elle n'y était plus. Je tournai les talons et partis à travers la pente, scrutant les ténèbres en quête de mouvement.

Une portière de voiture claqua. Puis une autre. Puis une troisième. Je lâchai Gros ours et filai en bas de la pente en direction des véhicules.

L'un d'eux partit brusquement en marche arrière, faisant rugir son moteur. Il prit un virage serré et s'arrêta, passant en première. Le deuxième véhicule fit de même. Tous deux passèrent devant le chalet, longèrent le bâtiment semi-circulaire, et disparurent. Il faisait noir à nouveau.

Je courus là où j'avais laissé Manny, près du feu de camp.

Je le tournai, le soulevai, le secouai.

— Réveille-toi !

Il était toujours inconscient.

Je courus vers les broussailles proches du chalet et piétinai dans les alentours à la recherche de Gaver. Rien. Il avait dû monter dans l'un des véhicules.

Je tournai les talons et butai sur son corps.

Il était lourd, mais je le traînai jusqu'à côté de la vieille Jeep CJ-6, passai la main à l'intérieur et allumai les codes, puis passai en phares. Je traînai Gaver devant la Jeep, lui soulevai le torse et le positionnai de façon à ce que son dos soit contre ma cuisse et son visage à vingt-cinq centimètres du phare gauche. Il était éclairé par une lumière si intense qu'on aurait dit que ses favoris allaient prendre feu. Je lui donnai des gifles.

— Réveille-toi, Gaver ! dis-je en le frappant rudement.

Il geignit.

— Debout. Vite !

Rien.

Gifle à gauche, à droite. Assez fort pour lui faire sauter les dents.

— Qu'est-ce que vous faites ?

— Debout !

Je pris mon élan, et le frappai assez fort pour lui faire sauter les yeux des orbites.

— Arrêtez ! (Ses yeux papillonnèrent, commencèrent à s'ouvrir.) 'teignez la lumière !

— Réveille-toi ! répétai-je. J'éteindrai la lumière quand tu me diras où est la clé.

— Sais pas où qu'elle est !

— Très bien, Gaver. C'est terminé.

— Attendez ! J'vais vous le dire !

Je le tirai sur le côté. Il leva la main, se frotta les yeux. Puis lança les mains en direction de mon visage, m'égratignant le nez.

Ma patience était épuisée. Je le retournai sur le ventre et m'agenouillai sur son dos. J'entendis un craquement. Il cria. Je saisis l'arrière de son crâne par les cheveux et positionnai soigneusement sa tête pour que son visage soit directement contre le sol. Puis j'appuyai dessus.

Il poussa un autre cri, cette fois étouffé par la terre.

— Je vais te donner une dernière chance de me dire où est la clé de la Jeep. Tu me répondras clairement. Sinon, je vais mettre tout mon poids sur ta tête, ce qui t'enfoncera le nez dans le cerveau. Je ne me rappelle plus ce que ça fait. Soit ça te tue directement, soit tu te retrouves à te baver dessus pour le restant de tes jours.

— Dans ma poche.

Je le soulevai. Lui fis parcourir les six pas qui nous séparaient de la portière de la Jeep. Je pris ses cheveux dans ma main droite et son oreille gauche dans la gauche.

— Mets la main dans ta poche et sors la clé.

Il s'exécuta.

— Maintenant, monte dans la Jeep et démarre. Et souviens-toi que si tu essaies de partir subitement, ton oreille et ton scalp resteront avec moi.

Gaver enjamba le seuil de la portière ouverte et s'assit au volant, la tête penchée sous mon emprise. Il démarra la Jeep.

— Maintenant, sors de là.

Il descendit.

— Où rangez-vous vos armes ?

— Armurerie.

— Où est-ce ?

— Le bâtiment à côté des dortoirs.

— C'est le groupe de bâtiments au sud ? Plus loin dans la ravine, après le bâtiment en demi-cercle ?

— Ouais.

— Les autres hommes qui étaient là plus tôt, ils sont dans les dortoirs ?

— Non. Ils sont rentrés chez eux.

— Comment entre-t-on dans l'armurerie ?

— Je sais pas. Elle est toujours verrouillée. Y a que Davy qui a la clé. Il est parti depuis deux jours. On n'a pas de nouvelles de lui.

Je détournai Gaver de la Jeep et me plaçai face au chalet.

— C'est le moment de courir, dis-je.

— Vraiment ? Vous me laissez partir ?

— Je t'aide à partir. Tout ce que tu as à faire, c'est courir. À vos marques. Prêt. Partez.

Gaver se mit à courir. Je le tins juste assez longtemps pour le diriger vers le mur du chalet, puis le fis trébucher au dernier moment. Il percuta le mur tête la première et s'effondra.

Je montai dans la CJ-6, fis passer les phares en feux de position et partis en me guidant à leur lueur jaune, passai devant le bâtiment semi-circulaire et continuai dans la ravine. J'avais parcouru cette partie de la piste à pied, dans le noir, plusieurs heures auparavant. À la lueur des phares, elle paraissait différente de ce que j'avais imaginé. Quand une lumière apparut en contrebas dans le lointain, j'éteignis les feux de position.

Je parvins au dortoir. La lumière que j'avais aperçue était une faible veilleuse jaune placée au-dessus de la porte du dortoir. Deux véhicules étaient garés devant, un vieux Blazer et une camionnette Ford neuve. Gros ours le bouvier se trouvait dans le Blazer. La camionnette paraissait vide. La lumière était allumée à l'intérieur du dortoir. Une silhouette passa à l'intérieur. Puis une autre. Des mouvements rapides.

Je pouvais entrer et me faire éclater la cervelle. Ou je pouvais partir chercher des renforts.

Je passai devant le bâtiment en roue libre, sans actionner l'accélérateur, ce qui ferait ronfler le moteur, et sans toucher aux freins, qui éclaireraient toute la zone d'une vive lueur rouge. Je parvins à un portail ouvert dans la clôture barbelée et suivis la piste qui décrivait un virage vers le bas, à gauche. Quand je n'y vis plus rien, j'allumai les feux de position et me guidai de nouveau à leur lueur jaune. Au bout de quatre cents mètres de route sinueuse, je décidai qu'allumer les phares ne présentait plus de risque.

Je roulai plus vite que je n'aurais dû, parvins à la nationale, tournai à gauche, et atteignis ma propre Jeep vingt secondes plus tard.

Je garai la CJ-6 un peu plus loin, courus jusqu'au chêne, et trouvai ma clé à tâtons.

Je montai dans ma Jeep. Spot faisait des bonds. Je démarrai et filai sur la nationale. La truffe de Spot me parcourut en tous sens, déchiffrant les mystères des entrailles de cerf pourries, des asticots, du bourbon, de Gros ours le bouvier, d'hommes à la sueur rance et d'une femme peu familière et tremblante de terreur.

Je virai brusquement dans l'étroite ouverture et refis le chemin en sens inverse, remontant la piste en direction du complexe. Aux moments appropriés, je passai en feux de stationnement, puis conduisis sans lumière. Je m'arrêtai en douceur hors de la piste, à une bonne distance du dortoir, et éteignis le moteur de la Jeep.

Spot et moi descendîmes et avançâmes dans les ténèbres derrière le chêne le plus proche du dortoir. Le Blazer et la camionnette Ford étaient toujours là.

La porte du dortoir s'ouvrit. Un homme passa la tête dans l'entrebâillement et regarda autour de lui. Il dégageait une tension intense. Il retourna à l'intérieur. J'entendis un cri étouffé.

— Vous êtes prêts ? OK, je tiens la fille ! Vous deux, vous me couvrez. Un sur ma gauche, un sur ma droite. Prêts ? On y va !

La porte s'ouvrit. Deux hommes sortirent en courant, chacun armé d'un fusil d'assaut. Ils s'arrêtèrent à trois mètres l'un de l'autre, guettant l'obscurité, fusils levés et prêts à tirer. Dans l'intervalle qui les séparait apparut l'autre homme, tenant Anna devant lui. Il avait un bras autour de sa taille. Elle s'affalait, à peine capable de remuer les pieds. L'homme avait un revolver dans l'autre main. Ils se trouvaient tous dans le rayon de la veilleuse jaune placée au-dessus de la porte, derrière eux. Je ne distinguais aucun de leurs traits.

— Spot ! lui sifflai-je à l'oreille. (Je le secouai pour lui communiquer la notion d'urgence. Je pointai le doigt vers l'homme placé sur notre droite, puis relevai le bras.) Tu vois le suspect ? murmurai-je plus fort. Trouve le suspect ! (Je baissai le bras avec le geste brusque que j'avais employé pour le dresser.) Trouve le suspect et neutralise-le !

Spot fila dans les ténèbres. Je ramassai une pierre, visai soigneusement, la lançai de toutes mes forces, puis partis en courant. La pierre heurta le coin du bâtiment des dortoirs juste derrière les hommes. Ils pivotèrent tous sur eux-mêmes, surpris, et regardèrent derrière eux.

Spot était maintenant dans la lumière, à pleine vitesse, fonçant comme une torpille sur l'homme armé de droite. Je courus en arc de cercle vers la gauche.

Le premier homme à se retourner fut celui qui tenait Anna.

— Attention ! cria-t-il.

Les autres hommes se retournèrent. Maintenant que j'étais à proximité, je voyais que leurs fusils étaient des AK-47. Ils les levèrent vers Spot, mais c'était trop tard.

Spot avait déjà bondi pour attaquer, et décollé du sol. L'homme visé essaya de lever son fusil contre le poitrail de Spot. Mais les mâchoires de ce dernier se refermèrent sur son bras, et tous deux tombèrent.

Je me concentrai sur l'autre homme. Il avait levé son fusil, visant Spot et l'autre gars, hésitant à tirer et toucher son camarade. Je le chargeai. Il m'entendit et se retourna. Mais j'étais déjà sur lui. Il essaya de braquer son fusil. Je saisis l'arme, la pressai contre sa gorge et le rabattis en courant contre le dortoir. Un coup de feu retentit, déchirant la nuit. Plus fort que la plupart des fusils. Une arme à gros calibre derrière moi.

Je ceinturai mon adversaire, son fusil coincé entre nous, et le retournai de façon à ce qu'il se trouve entre moi et l'homme qui détenait Anna.

Le tireur me tourna le dos avant que j'aie eu le temps de voir son visage, poussa Anna dans la camionnette, y sauta derrière elle, et démarra. Les roues dérapèrent et firent jaillir du gravier tandis qu'il partait sur la piste.

Je regardai au-delà de l'homme que je plaquais et vis Spot debout sur l'autre type, la gueule sur l'épaule de ce dernier, grondant assez fort pour faire trembler n'importe qui. Le gars était couché sur le dos. Il avait cessé de se débattre pour éviter que Spot ne le morde plus fort. Mais il relevait peu à peu son fusil en position pour placer le canon contre le poitrail de Spot. Je traînai mon homme en arrière vers un rocher, puis le lâchai au dernier moment tout en m'accrochant à son fusil. L'homme percuta le rocher et bascula par-dessus, en arrière.

Je tournai les talons, fis deux enjambées rapides et balançai le fusil comme une batte de baseball. La crosse frappa l'homme de Spot à l'abdomen. Il poussa un grognement et lâcha son fusil. Je le ramassai et me retournai.

Le type derrière le rocher allait prendre son couteau. Je pointai l'AK sur lui. Il écarta les mains vers les côtés.

Spot sentit que le jeu était terminé et lâcha son homme.

— Spot ! Tiens le suspect ! criai-je en le pointant du doigt.

L'homme de Spot s'écarta en roulant sur lui-même.

— Tiens le suspect ! criai-je à nouveau.

Spot saisit le muscle de son mollet et mordit dedans. L'homme poussa un cri. Spot gronda.

J'avais deux fusils à la main. Je retirai le magasin de l'un d'eux, tirai la poignée de la culasse en arrière pour éjecter la cartouche qui se trouvait dans la chambre, jetai les pièces dans les broussailles. Je fis un geste à l'adresse de l'homme à terre derrière le rocher.

— Debout.

Il se leva lentement. Il avait environ trente-cinq ans. Débraillé. Sale.

— Contre le mur du dortoir. Bras et jambes écartés.

Il s'y rendit lentement, se mit en position. Je lui tâtai les flancs. Trouvai son couteau et le jetai au loin.

— À ma Jeep.

Je la lui indiquai.

Il y alla.

— Debout à côté de la portière avant, côté passager.

Il fit ce que je lui disais.

Je continuai de braquer le fusil sur lui tout en ouvrant la portière. Le ruban adhésif que m'avait donné Diamond était toujours là. Je le pris. J'ordonnai à l'homme de retourner au dortoir.

— Retourne contre le mur.

— Je viens de le faire, dit-il, maussade, comme s'il ne venait pas d'essayer de nous tuer, mon chien et moi.

Je lui enfonçai la crosse du fusil dans la mâchoire. Il s'effondra dans la poussière.

— Debout !

Il se releva en se frottant la mâchoire, et se remit en position contre le mur.

— Spot, lâche.

Il remua la queue.

— Lâche.

Il lâcha sa proie à regret, se tourna vers moi, et remua la queue plus fort.

— C'est bien ! Bon travail !

Je pointai le fusil sur sa victime.

— Debout contre le mur.

Il s'y rendit en boitant avec beaucoup d'emphase, et étendit bras et jambes.

Je ne trouvai aucune autre arme sur lui.

Je les fis entrer dans le dortoir. Ordonnai à l'un d'attacher l'autre à un lit superposé avec le ruban adhésif. Très soigneusement. Le fis attacher ses propres pieds à un autre lit. Je me chargeai de ses bras et vérifiai rapidement le premier homme, puis leur fixai du ruban adhésif sur la bouche.

— Allons-y, Spot.

Chapitre 45

Je courus avec Spot jusqu'à ma Jeep, sautai dedans et filai sur la piste vers la nationale.

Je ne disposais d'aucun indice m'indiquant spécifiquement dans quelle direction l'homme qui détenait Anna pouvait être parti. Mais j'avais l'intuition qu'il chercherait à rejoindre une autoroute vers la liberté. L'Interstate 80 se trouvait à bonne distance au nord. L'autoroute 50 était plus proche, au sud.

Je tournai vers le sud. La pendule du tableau de bord affichait trois heures du matin. La nationale du pays de l'or était déserte. Je roulai aussi vite que les virages serrés me le permettaient, Spot luttant pour garder l'équilibre sur le siège arrière.

J'avais le souffle court et le cœur battant. La tension de ces dernières heures m'avait noué l'estomac et les muscles du dos comme des cordes. Le stress d'avoir failli sauver Anna et de la perdre à nouveau me creusait un trou dans les entrailles.

J'essayai de prendre une profonde inspiration. Puis une autre. De m'éclaircir les idées. De calmer mes émotions. De ramener mon cerveau dans un espace où il aurait la place de réfléchir.

L'homme et Anna avaient une longue avance. Je n'allais pas les rattraper de sitôt, si je les rattrapais. Je ne le rattraperais pas en me contentant de rouler vite. Je ne pouvais que deviner où il se rendrait. En dehors du complexe, le seul autre endroit évident était le garage Good Fix de Harmon Halstead. Mais il était trop évident. Le type qui tenait Anna n'irait jamais là-bas.

J'essayai de passer en revue tout ce que je savais sur cette affaire, dans un effort pour deviner de quel côté il tournerait en arrivant à Placerville.

À l'ouest, c'était Sacramento et non loin derrière, la région de la baie. Neuf ou dix millions de personnes lui permettraient de disparaître aisément.

À l'est, c'était la Sierra, un vaste paysage de montagnes pratiquement désertes.

En reconsidérant tout ce que j'avais vécu les jours précédents, je remarquai qu'un point de cette affaire ne cessait d'en constituer un trait central. Je ne savais pas pourquoi. Mais tout revenait sans arrêt à Tahoe.

Grace avait été assassinée à San Francisco. Mais Thomas Watson, son meurtrier supposé, avait été retrouvé à Tahoe. La fille de Grace, Anna, poursuivie, s'était enfuie à Fresno, mais on l'avait finalement enlevée à Tahoe. Les Red Blood Patriots étaient basés dans les contreforts du pays de l'or, mais leur chef avait été retrouvé mort à Tahoe. L'homme qui m'avait impliqué dans la situation l'avait fait en détournant un bateau à Tahoe. Le journal qui était censé contenir des secrets mentionnait un homme important qui avait enregistré les ouvriers chinois. Et quand une conservatrice du musée d'Oakland avait trouvé une photographie d'Edward Weston correspondant à la description, elle s'était dit que la photo semblait avoir été prise pendant la construction du château de Vikingsholm, à Tahoe.

En arrivant à Placerville, je pris à gauche sur l'autoroute 50.

Vers l'est.

En direction de Tahoe.

Chapitre 46

Je composai le 911.

La standardiste qui me répondit était encore une voix inconnue. Nouvelles embauches.

— Owen McKenna à l'appareil. J'ai besoin de mettre en place une conférence téléphonique entre le sergent Bains à El Dorado County, le sergent Martinez à Douglas, et le commandant Mallory au commissariat de South Lake Tahoe.

— Je regrette, monsieur, veuillez répéter votre nom et votre service et me donner la raison de votre appel.

J'essayai de ne pas hurler, mais j'eus du mal à conserver mon calme.

— La vie d'une femme est en jeu et j'ai besoin de parler à ces hommes tout de suite. N'importe lequel d'entre eux répondra de moi. DÉPÊCHEZ-VOUS !

— Veuillez ne pas quitter pendant que j'essaie de vous les passer.

Je fonçais vers la crête au-dessus de Placerville, en direction de Pollock Pines. Si ça prenait trop longtemps, j'allais redescendre dans le canyon du fleuve à l'est, et me retrouver sans couverture pour le portable. Je passai devant l'Apple Hill Café à 130 km/h, pleins phares, essayant de guetter le scintillement des yeux des cerfs omniprésents.

J'avais l'impression d'avoir parcouru plusieurs kilomètres quand la standardiste annonça :

— Désolée pour l'attente, monsieur, j'essaie encore de les joindre.

Puis :

— Monsieur, j'ai le sergent Martinez en ligne.

— Diamond, dis-je. Je suis sur la 50 en provenance de Placerville…

— Monsieur, désolée de vous interrompre, mais le sergent Bains est en ligne.

— Salut, Bains, lançai-je.

— McKenna, répondit-il.

Puis une autre voix.

— Oui ?

Bourrue. Plus âgée. Ensommeillée. C'était Mallory.

— Je fais mon rapport concernant Anna Quinn, la femme qu'on a enlevée chez Lacy Hampton. Elle est actuellement retenue captive dans une camionnette Ford six soupapes neuve, plaque inconnue, de couleur très foncée, peut-être noire, sans capote. Le véhicule a été récemment lavé. Je pense que le suspect roule vers l'est depuis Placerville sur la 50. Suspect armé et dangereux. Je ne connais pas sa destination. J'espère que vous pourrez placer des officiers aux différents goulots de la rive sud. À Meyers, au pied de l'Echo Summit. Sur la route d'Emerald Bay près de Camp Rich. Sur la 50, à la frontière de l'État, près d'Edgewood.

L'autoroute atteignit un sommet, puis replongea dans les virages qui conduisent au fond du canyon de l'American River, où la route entame la longue montée finale vers l'Echo Summit.

— Vous avez une identité pour ce suspect ? demanda Mallory.

— Non.

Mallory poussa un soupir de frustration sonore.

— Vous avez une idée ? demanda-t-il.

— Seulement qu'il appartient aux Red Blood Patriots et qu'il s'agit certainement de l'assassin du chef des Patriots, Davy Halstead.

Bains intervint :

— L'homme dont vous avez trouvé le corps à…

Sa voix s'évanouit tandis que la route descendait en contournant une partie de la montagne. Je regardai l'écran de mon portable. Il n'y avait plus de signal.

Trente minutes de conduite à grande vitesse plus tard, je passai l'Echo Summit et vis les barres lumineuses de trois véhicules du shérif à la sortie. Leurs projecteurs étaient braqués sur une camionnette d'un noir étincelant. Un vieux couple se tenait à côté, parlant avec deux adjoints. Je me garai et descendis, annonçant mon nom de loin dans la nuit.

— McKenna, dit une voix familière. Par ici.

Je trouvai Bains debout à côté de son Explorer, parlant dans sa radio. Il l'éteignit et pointa le doigt en direction du vieux couple, puis s'interrompit et fit la grimace.

— Bon Dieu, qu'est-ce que c'est que cette odeur ?

— Rencontre avec une carcasse de cerf, répondis-je.

Je vis Bains froncer les sourcils dans la pénombre. Il fit un pas en arrière.

— Bref, dit-il, M. Blake Weschler et son épouse Nan commençaient à s'assoupir, alors ils se sont arrêtés pour respirer l'air frais.

Je compris ce qu'il allait dire.

— Quel genre de véhicule conduisaient-ils ?

— Une Expedition. Blanche. (Il me tendit un post-it.) J'ai noté le numéro de plaque.

— Depuis combien de temps l'ont-ils signalé ?

— Justement. Ils n'ont rien signalé. Le suspect a pris leur portable, aussi. Ils ont arrêté une autre voiture.

Il m'indiqua une petite Nissan rouge dans la pénombre, où deux jeunes gens étaient debout, appuyés contre le capot.

— Ce sont José et Jorge Romero, de Davis, qui l'ont signalé, déclara Bains, prononçant correctement « Rorrjé ». À notre arrivée, les Weschler ont estimé que le suspect avait pris leur voiture environ quinze minutes plus tôt. C'était il y a dix minutes.

— Et la camionnette ? demandai-je.

— Signalée volée à Stockton il y a deux semaines.

— Vous avez pu contacter Diamond et Mallory ?

— Immédiatement. Mais quand même pas assez tôt. Si le suspect roulait vite, il a déjà pu passer le goulot de la frontière avant que les gars de Diamond n'apprennent qu'il ne se trouvait pas dans une camionnette noire.

— Alors il pourrait être n'importe où, dis-je.

Bains acquiesça.

Chapitre 47

J'entamai la descente depuis l'Echo Summit, à travers les virages solitaires et obscurs du petit matin, passai la tour d'artillerie anti-avalanche sur ma gauche, et abordai le fond du bassin de Tahoe, où presque tout le monde dormait. Il y avait si peu de voitures qu'il devrait être aisé de repérer une Expedition blanche avec un chauffeur fou et sa prisonnière brisée. Je n'étais pas si loin derrière.

Mais le bassin de Tahoe est immense, et il lui serait facile de se garer et de se cacher dans une rue écartée, ou de voler une autre voiture. Je n'avais aucune idée de ce que je ferais alors.

Par habitude, je tournai dans Pioneer Trail, trajet le plus court vers la limite de l'État et le côté est du bassin. Tandis que je traversais la forêt obscure, la pression qui montait en moi devint intense. Mon ventre se noua. Je serrais le volant à l'écraser. Je voulais m'en prendre à quelqu'un, filer sur l'autoroute et trouver le tueur, le forcer à se rabattre sur le bas-côté, le tirer brutalement de son véhicule.

J'essayai de réviser les principes de base d'une investigation. Trier les détails de l'affaire en ce que l'on sait avec certitude, ce qu'on pense savoir mais qu'on ne peut pas prouver, ce qui n'est que simples suppositions, et ce qui serait possible mais peu probable.

Il n'y avait que peu de choses que je savais avec certitude. Anna était sérieusement en danger depuis qu'elle avait rencontré sa mère biologique. Au début, avant que j'aie entendu parler d'Anna, tout ce qui lui était arrivé suggérait que Nick O'Connell était son tourmenteur. Et une fois que Nick avait balancé son complice par-dessus bord et l'avait accidentellement suivi dans le lac, tout incriminait Davy Halstead. Puis on avait retrouvé Davy mort. Puis une autre personne liée aux Red Blood Patriots avait emprisonné Anna dans le complexe des Patriots, et, quand j'avais tenté de la délivrer, l'avait arrachée à moi et disparu. C'était tout ce que je savais avec certitude.

Tout le reste était une soupe marécageuse entourant des inscriptions brouillées dans un journal datant d'un autre siècle, des écrits en chinois qui suggéraient que l'ancêtre de Grace pourrait avoir accumulé un trésor. Et depuis le jour où Nick le Couteau avait entendu Grace parler à l'auteur d'un ouvrage sur l'histoire des mineurs chinois, Thomas, Nick et Davy avaient tous été obsédés par cet hypothétique trésor. Et tous croyaient que Grace en avait parlé à Anna.

Je songeai à une autre des bases de l'investigation, qui consistait à traiter toutes vos présomptions avec scepticisme.

Une biche leva la tête sur le côté de la route et me contempla ; ses grands yeux pris dans le faisceau de mes phares avaient l'air tristes et innocents. Je ralentis en arrivant à son niveau. Elle ne bougea pas, ignorant qu'elle ne pouvait, pas plus qu'Anna, faire confiance à l'espèce humaine pour rester hors de danger.

Je reconsidérai toutes les victimes. Il n'y avait pas le moindre point commun dans la façon dont les victimes étaient mortes. Grace avait été frappée à mort. L'homme sans nom, sur le bateau, s'était fait jeter dans le lac avec une chaîne autour du cou. Nick était tombé dans le lac, son lourd sac à dos l'ayant entraîné au fond aussi efficacement qu'une chaîne. Davy Halstead s'était fait enfoncer un pieu ou un objet similaire dans la poitrine. Et la cousine de Grace, Melody, s'était suicidée en sautant du Golden Gate.

Pour la centième fois, je pensai à ce que je savais de Nick, l'auteur probable du détournement. Il avait toujours constitué la principale énigme. Détourner le Tahoe Dreamscape était une façon si dramatique de m'inciter à arrêter Thomas Watson pour le meurtre de Grace Sun que cela me paraissait toujours aussi illogique.

Je lui avais parlé au téléphone lors de son premier appel, et l'avais rencontré brièvement à bord du bateau. J'avais vu ses vêtements, et son comportement. J'avais vu son J'avais vu son sac à dos et le câble qui en sortait, et aperçu sa ceinture explosive. Street l'avait vu, elle aussi, et avait aperçu le 88 tatoué sur son bras, ainsi que les yeux bleus intenses sous ses lunettes de soleil.

Il ne portait pas de masque comme lorsqu'il avait attaqué Anna, mais son épaisse chevelure, sa grosse barbe et ses lunettes noires constituaient un déguisement tout aussi efficace.

Dans la catégorie des choses que je savais mais dont je n'étais pas certain, je pensais que Nick le Couteau était l'homme masqué et maniant le couteau qui avait attaqué Anna trois ans plus tôt. J'avais montré sa photo aux propriétaires du Dreamscape, Ford et Teri Georges. Ils ne connaissaient pas son nom, mais l'avaient reconnu. Il était probablement venu à bord du Dreamscape pour l'inspecter avant le détournement.

Il semblait que Nick O'Connell fût la clé de tout ce qui s'était produit depuis. Peut-être pourrais-je apprendre sur Internet quelque chose à son sujet. Les explosifs et sa façon de faire tournoyer son couteau étaient les détails le concernant qui étaient les plus inhabituels, et donc probablement les plus faciles à suivre. Je pourrais trouver comment les gens apprenaient à faire tournoyer des couteaux et à les lancer. Je pourrais croiser ces références avec celles concernant les Red Blood Patriots. Si je dénichais des références sur les sources d'explosifs, peut-être découvrirais-je qu'il y avait un point commun entre les trois.

À ma connaissance, il n'y a pas aux États-Unis d'important marché noir pour les explosifs. La demande n'est pas si conséquente que ça. Mais les États-Unis possèdent un vaste marché officiel. Les industries minières et du bâtiment utilisent de grandes quantités d'explosifs. De même que la construction d'autoroutes et la démolition d'anciens bâtiments. Les stations de ski de tout le pays recourent à des explosifs pour contrôler les avalanches, tout comme les services routiers dans les régions montagneuses. Pas question ici d'explosions créées sur ordinateur par Hollywood, celles-là étaient bien réelles. Une personne convaincue qui voulait des explosifs pour en faire un usage illégal pouvait sans doute trouver de nombreux moyens d'en voler.

Une fois encore, je songeai à remettre en question mes

présomptions même les plus simples. Et là, je découvris ce qui pouvait avoir constitué une négligence majeure.

J'avais traversé le bourg de South Lake Tahoe et traversais la zone brillamment éclairée par les hôtels de la frontière de l'État, mais je ne les vis pas, m'efforçant de saisir les implications de ce qui m'était venu à l'esprit.

L'idée paraissait ridicule. Mais plus j'explorais cette possibilité, plus elle semblait plausible.

J'échafaudai mon hypothèse délirante tout en conduisant, ne prêtant aucune attention à ma trajectoire, ma Jeep prenant de la vitesse tandis que la tension me faisait accélérer. Je parlais tout seul, construisant mon dossier, établissant quelle partie était la plus convaincante, les premières pierres des fondations, puis les murs porteurs. La partie la plus difficile à vendre était le concept final, quelque chose qui à première vue paraissait absurde, comme totalement impossible à confirmer par des faits. S'il s'était agi d'architecture, mon idée aurait été comme l'un de ces bâtiments ultramodernes qui donnent l'impression que le sommet flotte en équilibre précaire, comme s'il était maintenu en l'air par un secret tour de passe-passe architectural.

Mais comme je me dirigeais vers le nord et vers Cave Rock, accélérant encore, je commençai à prendre conscience que toutes les composantes porteuses de mon idée ridicule existaient bien dans la réalité. Elle était comme un bâtiment improbable qui, malgré les apparences, serait réellement soutenu par des poutres en console et des câbles invisibles, et constituerait une géométrie solide, bien qu'inhabituelle.

Je pris un virage à trop grande vitesse, et la Jeep tangua tandis que je la ramenais dans ma voie. Spot colla subitement sa truffe froide et humide sur ma nuque, me faisant sursauter. Je tendis la main vers l'arrière et lui frottai le museau.

— Tout va bien, mon gars. Je conduis trop vite. Désolé.

Ma réflexion avait été déclenchée par ce que Street m'avait dit des petites filles maquillées en âne et en cochon. Elle avait cru que ces déguisements étaient peints, mais avait vu les filles les décoller de leur visage. Cela m'avait rappelé qu'on pouvait faire la même chose avec les tatouages. Des tatouages autocollants. À partir de là, j'avais réalisé que quelqu'un pouvait aussi acheter des lentilles de contact colorées.

Je me rendais compte que l'épaisse chevelure, la barbe et le tatouage de Nick n'avaient peut-être pas constitué la totalité de son déguisement. Je visualisai le preneur d'otage debout à la proue du Tahoe Dreamscape, me hurlant dessus, menaçant de balancer Street dans le lac. Il parlait d'une voix irrégulière, autre façon de déguiser facilement un aspect de son identité.

Bien entendu, cela ne faisait toujours que suggérer qu'il ne voulait pas être reconnu une fois que le détournement aurait pris fin.

Je me souvins qu'il m'avait crié quelque chose à propos de la pression dans les profondeurs, de la façon dont elle écrasait les côtes d'une personne après qu'elle avait expulsé tout l'air de ses poumons.

C'était sa connaissance de la pression aquatique qui m'avait fait comprendre quel détail me trottait sans cesse dans la tête.

Il portait une ceinture sur mesure, une large bande de nylon noir comportant de multiples poches rectangulaires, pour y placer du plastic C-4 ou un explosif similaire.

Je me souvins où j'avais vu une ceinture du même type, et j'étais maintenant persuadé que les poches de celle du preneur d'otage n'avaient pas contenu le moindre explosif. Pas plus qu'il n'y en avait dans son sac à dos.

La ceinture n'était pas du tout conçue pour contenir des explosifs, mais des morceaux rectangulaires d'acier inoxydable. On pouvait ajuster le nombre de pièces d'acier de façon à obtenir exactement le poids nécessaire pour neutraliser la flottaison du corps.

C'était une ceinture lestée de plongeur. Les combinaisons de plongée ont tendance à flotter, et les plongeurs ont besoin d'un poids supplémentaire pour se maintenir sous l'eau.

Nick le Couteau portait une veste et un sac bleus qui se fondraient dans l'environnement aquatique. Il avait l'air d'un homme massif en partie parce qu'il portait une épaisse combinaison de plongée sous ses vêtements. À cause de la flottabilité de celle-ci, il s'était assuré d'avoir suffisamment de poids dans sa ceinture pour couler plus vite qu'aucun maître nageur ne pourrait nager. Puis il avait délibérément trébuché sur ses lacets, avait basculé par-dessus le garde-fou du Dreamscape, pris une profonde inspiration et simulé sa descente torturée et gargouillante dans l'eau glacée. Comme Bukowski avait plongé et tenté de le sauver, Nick le Couteau avait arboré son expression surprise et terrifiée, puis enchaîné sur les yeux fixes et grand ouverts d'un mort.

Quand il avait coulé à plus de trente mètres environ, au-delà du point ou quelqu'un pourrait le voir, il avait tiré le cordon d'urgence pour détacher la ceinture et la laisser tomber au fond. Son sac à dos contenait un réservoir d'oxygène dont le régulateur était déjà fixé. Il lui était facile de sortir l'embout respirateur de son équipement et de se remettre à respirer.

Puis Nick avait nagé tranquillement à deux ou trois cents mètres de là, avant de remonter à la surface pour embarquer à bord d'un bateau ou s'enfuir dans la forêt.

Pourquoi ? Était-il possible que la mise en scène de Nick ait juste visé à me faire croire à sa mort ? Ça n'avait pas de sens. Je ne savais même pas qui il était avant qu'il prenne Street en otage.

Quand je réalisai pourquoi Nick l'avait fait, l'impact me coupa le souffle.

Nick le Couteau n'avait pas pris Street en otage pour me faire croire à sa mort. Et il ne l'avait pas fait uniquement pour me pousser à arrêter Thomas Watson.

Il l'avait fait pour trouver Anna Quinn.

Chapitre 48

Nick recherchait Anna depuis le jour où elle s'était échappée quand il était entré dans sa chambre. Trois ans de recherches. Thomas Watson et Davy Halstead la cherchaient aussi. Mais aucun des deux avec autant de concentration et de ferveur que Nick. Et puis quelque chose avait changé.

Peut-être Davy ou Thomas avait-il dit des mots qui avaient fait penser à Nick que l'un d'eux était près de la trouver. Ou peut-être s'était-il rendu compte qu'ils avaient tous deux l'argent et les relations nécessaires pour trouver Anna, alors que lui-même n'avait que peu de ressources en dehors de sa détermination.

Là où Nick s'était montré brillant, c'était en concevant un plan visant à la faire retrouver par un enquêteur professionnel.

C'était pratiquement parfait. Tout comme le voulait Nick, après qu'il avait détourné le Dreamscape et pris Street en otage, je m'étais mis à poursuivre Thomas Watson. Ce faisant, je m'étais également mis à ré-enquêter sur le meurtre de Grace. J'avais découvert le suicide de sa cousine Melody et, avec l'aide de Street, la fille de Grace, Anna, qu'elle avait fait adopter à la naissance.

Parce qu'Anna avait décidé de me faire confiance, elle était sortie du bois. Il était facile à Nick de surveiller mon chalet et mon bureau. Quand elle s'était manifestée, lui et/ou Davy l'avaient suivie chez Lacy Hampton et enlevée. Puis Nick avait tué Davy. J'avais si parfaitement respecté son plan que j'aurais aussi bien pu la lui amener moi-même.

Elle était sa prisonnière à cause de ma stupidité !

J'enfonçai l'accélérateur, chassant un tueur qui avait monté une incroyable comédie uniquement pour trouver une fille dont la mère avait un secret, un secret qu'il désirait au point de tuer pour l'obtenir. Ma colère devenait presque handicapante.

En approchant de la première voiture que je rencontrais sur l'autoroute, je me rendis compte que j'étais impuissant. Je n'avais pas la moindre idée d'où chercher.

Peut-être l'instinct de Nick le pousserait-il à essayer de mettre de la distance entre lui et moi, en se dirigeant à l'est vers Carson City ou au nord vers Reno. Peut-être ne voudrait-il pas trouver un endroit où s'arrêter et se cacher.

Je doublai la voiture qui se trouvait devant moi. Une minute plus loin sur l'autoroute plongée dans la nuit, je passai devant une camionnette. Puis deux autres voitures, suivies de deux kilomètres d'autoroute noire et déserte. Un véhicule blanc apparut au loin. Un SUV. Juste avant Cave Rock. Je mis pleins gaz et fonçai à sa hauteur. C'était une Suburban, pas une Expedition.

Je doublai le SUV à toute vitesse, traversai le tunnel de Cave Rock vers le nord en faisant des embardées, puis accélérai encore.

Je composai le numéro de Street tout en conduisant.

— Allô ?

Sa voix était ensommeillée.

— Chérie, je t'appelle pour te dire que je vais bien.

Son soupir de soulagement couvrit le bruit de la Jeep. Je lui expliquai rapidement ma théorie sur Nick le Couteau et comment j'étais persuadé qu'il était encore vivant.

— Mon Dieu ! L'homme qui a failli me tuer est en vie ?

J'entendis sa respiration s'accélérer au téléphone. Elle savait que l'objectif premier de Nick n'avait pas été de la tuer. Mais ça ne voulait pas dire qu'il ne s'en prendrait plus à elle si cela rentrait dans ses plans.

— Ne t'inquiète pas, dis-je. Il ne s'en prendra plus à toi. Il a ce qu'il voulait. Je dois y aller, ajoutai-je. Mais tu peux me rendre un service ? Appelle Diamond et dis-lui que Nick O'Connell n'est pas mort en passant par-dessus bord. Diamond pourra appeler les autres. Dis-lui que je crois que c'est Nick le Couteau qui a enlevé Anna Quinn.

— Non, ne me dis pas que...

— Si.

Je fonçais maintenant au niveau de la route qui gravit la montagne vers mon chalet.

— Je vais appeler Diamond. (La voix de Street tremblait.) Où vas-tu maintenant ?

— Je remonte la rive est vers le nord. C'est hasardeux, mais il pourrait se trouver quelque part devant moi.

Street resta silencieuse un moment. Je m'engageai dans le virage près de Glenbrook, puis poussai la Jeep à 130 km/h en montant vers Spooner Summit.

— Owen, dit-elle d'une voix si douce que je l'entendis à peine avec le ronflement du moteur.

— Oui ?

— Je sais que je ne peux pas te dire de ne pas faire ça. Peut-être Anna est-elle encore vivante. Peut-être qu'elle est déjà morte. Mais tu sais que cet homme tue de sang-froid. C'est un malade prêt à tout, une bête sauvage. Je l'ai vu dans ses yeux. Il t'enfoncera un couteau dans le cœur sans même hésiter.

— Je sais, dis-je.

Devant, j'apercevais des feux arrière qui ne se rapprochaient pas. Un véhicule allant aussi vite que moi. Les lumières rouges brillèrent en clignotant pendant quelques secondes, puis virèrent brusquement à gauche à l'embranchement de la 50 vers la 28, qui contournait le lac vers le nord. J'accélérai au maximum pour réduire la distance, puis freinai pour prendre l'embranchement et donnai un brusque coup de volant. Mes pneus dérapèrent dans la bretelle. Dans mon champ de vision périphérique, je sentis Spot glisser sur le siège arrière. J'enfonçai le champignon, ramenai la Jeep à 120 km/h.

Street dit autre chose, mais je ne distinguai pas les mots à cause des rugissements du moteur.

— Quoi ? demandai-je.

— Je t'en prie, sois prudent. (Elle était suppliante.) S'il te plaît.

— Je te le promets, dis-je. Je t'aime.

Je repliai mon téléphone et le fourrai dans la poche de ma

chemise en abordant les premiers virages d'altitude près du camping de Spooner Lake.

Je parcourus l'essentiel de l'autoroute 28 à une fois et demie la vitesse autorisée, la Jeep brinquebalant dans les virages en épingle. Progressivement, je me rapprochais du véhicule roulant devant. C'était une camionnette sombre.

Personne n'arrivait sur l'autoroute ; je me déportai et le contournai.

L'autoroute était plongée dans le noir, avec peu de véhicules.

Je maintins ma vitesse, espérant que Nick continuerait à une allure normale, aussi incertain de ce qu'il ferait ensuite que je l'étais de ma propre ligne de conduite.

Je filai vers le nord, essayant d'anticiper ses mouvements.

Du côté du lac apparut le parking du point de vue situé juste au sud du village d'Incline. Je passai devant à grande vitesse. Un instant plus tard, je réalisai qu'il y avait un véhicule blanc garé dans l'obscurité.

J'enfonçai la pédale du frein, sans me préoccuper du crissement de mes pneus. M'arrêtai dans un nuage de fumée. Passai la marche arrière. Poussai la Jeep jusqu'à la ligne rouge du compte-tours en reculant. Arrivai au niveau de l'entrée nord du petit parking. Appuyai de nouveau sur le frein et repassai en marche avant. Tournai le volant et entrai en crissant dans l'aire de stationnement.

Nick devait m'avoir entendu freiner. L'Expedition blanche repartait déjà. Il fila par l'entrée sud et tourna vers le nord. Je le suivis.

Je fonçai après lui et me rapprochai, puis ralentis un peu, ne voulant pas le mettre dans un tel état de tension qu'il ferait quelque chose de stupide qui pourrait se terminer par un accident fatal. Nous passâmes en trombe devant les premières résidences au sud d'Incline.

Ses indicateurs de freins clignotaient vivement dans la nuit. Il tourna brusquement à gauche, sortant de l'autoroute pour s'engager sur Lakeshore Boulevard. Je me rapprochai à nouveau afin de ne pas le perdre tandis qu'il filait devant les manoirs, les propriétés clôturées, les grands pavillons de gardiens à côté de portails automatiques en fer forgé. En approchant le stop à l'intersection où la route du Country Club descendait de l'autoroute, il accéléra, brûla le stop et prit à droite en dérapant.

Je m'étais demandé quelques instants si j'avais eu tort, si j'étais simplement tombé sur des gamins prenant de la drogue dans l'Expedition de papa. Mais sa fuite à grande vitesse me convainquit que Nick O'Connell était vivant et au volant de la grosse Ford devant moi. Et même si je n'avais aucune preuve directe qu'Anna était avec lui, j'en avais la certitude.

Je suivis l'Expedition qui passait en rugissant devant l'hôtel Hyatt. Quelques pâtés de maisons plus loin sur Country Club, il donna un coup de frein brutal et tourna à gauche sur le campus de l'université de Sierra Nevada, cette petite école, magnifique et huppée, où quelques gosses privilégiés pouvaient exercer leurs neurones quand ils n'étaient pas en train de skier ou de faire du snowboard dans les montagnes environnantes, ou de voguer sur le vaste terrain de jeu aquatique du lac Tahoe.

Je songeai que Nick le Couteau avait commis une erreur en pénétrant dans les rues étroites de l'université, avec la disposition esthétiquement agréable, mais déroutante, de ses zones de stationnement. Mon vague souvenir du campus me disait que la plupart des itinéraires ne présentaient pas de sortie secondaire. Quand il tourna en direction du célèbre Centre des sciences de l'environnement de Tahoe, je crus l'avoir pris au piège.

Mais il fit brusquement monter l'Expedition sur le trottoir et zigzagua entre les arbres près de la bibliothèque. Il y avait un petit parc au paysage naturel, où seul un sentier piétonnier passait entre les plantations, mais le SUV le traversa à grande vitesse, agité de soubresauts. Il ressortit sur une autre zone de stationnement dont l'accès se trouvait de l'autre côté.

J'essayai de le suivre, mais tournai au mauvais endroit et me retrouvai coincé entre des arbres trop rapprochés pour me laisser passer. Je reculai et sentis mon pare-chocs frotter et rebondir. Ma Jeep s'immobilisa brutalement. Je passai en marche avant, mis les gaz. Mes roues tournaient, mais la Jeep était coincée.

Je m'empressai de descendre et examinai les roues arrière dans la pénombre. J'avais reculé sur un petit rocher et l'avais accroché sous mon pare-chocs. J'aurais besoin d'un cric pour me dégager. Mais je n'avais pas le temps. Je passai de l'autre côté, m'accroupis et regardai sous le châssis. Le caillou était en forme d'œuf, une fois et demie plus long que large. Avancer le ferait basculer sur la longueur. Si je pouvais manœuvrer la Jeep pour la faire pivoter d'un quart de tour, le rocher basculerait sur sa largeur.

Je remontai en voiture, avançai et reculai, tournant le volant dans les deux sens, pour faire progressivement tourner la Jeep. Puis je passai en quatre roues motrices et mis les gaz. Je sentis l'arrière de la Jeep se soulever et retomber avec un bruit sourd. Les roues s'enfoncèrent dans la terre et je démarrai en trombe. Je traversai le parc en cahotant et pénétrai sur un parking. À l'autre bout, je remontai la route d'accès nord de l'université et me dirigeai vers l'autoroute qui traversait Incline.

Mais c'était trop tard. L'Expedition avait disparu.

Instinctivement, je tournai à gauche pour continuer à contourner le lac dans le sens inverse des aiguilles d'une montre, pensant que Nick n'irait pas ramener Anna au labo d'où il était venu.

Je parvins à un feu rouge près du supermarché Raley d'Incline, ralentis en m'arrêtant presque, jetai un coup d'œil à la rue déserte qui croisait la mienne, et fonçai pour traverser l'intersection. Au bout de la route se trouvait le croisement où la nationale de Mount Rose montait vers la passe praticable toute l'année la plus élevée de la Sierra. Je me demandai si Nick s'y était engagé. Une pensée subite me fit décider qu'il ne l'avait pas fait.

Crystal Bay se trouvait sur ma gauche. Port d'attache du Tahoe Dreamscape. Nick le Couteau avait déjà détourné le bateau une fois. Le referait-il ? L'idée paraissait tirée par les cheveux, mais ce n'était rien en comparaison de sa mort simulée. Et le Dreamscape lui offrait une bonne possibilité de fuite. Nick pourrait également menacer Anna de mort par noyade, dans un dernier effort pour l'obliger à lui dire ce qu'elle savait. Il pourrait trouver une autre longueur de chaîne d'ancre, la ligoter avec, et la jeter par-dessus bord. Puis il pourrait amener le Dreamscape à n'importe quel quai du lac, voler une autre voiture, et s'enfuir.

Ford et Teri Georges avaient mentionné un mystérieux visiteur à bord, à un moment où ils ne s'y trouvaient pas. Il s'était probablement agi de Nick. Il aurait certainement pris le temps d'explorer le navire, assez longtemps pour déterminer comment il orchestrerait le détournement. En avait-il profité pour visiter la passerelle et examiner les commandes ? Nick en savait-il assez sur les bateaux pour manœuvrer le Tahoe Dreamscape ? Avait-il pu trouver où ils cachaient une clé de contact ?

La route décrivait une courbe, puis descendait à proximité de l'eau. Je m'efforçai de distinguer l'autre côté de la baie à travers l'obscurité. La jetée du Dreamscape était proche de la pointe opposée, juste au-dessous du bourg de Crystal Bay. Une trouée apparut entre les arbres. Le bateau était toujours là. Il y avait une lumière tout en bas, sur la jetée. Elle s'alluma, puis s'éteignit. Une deuxième fois. Je me rendis compte qu'elle ne clignotait pas. Des gens étaient passés devant.

Je gravis à toute vitesse la pente de l'autoroute qui montait au-dessus du lac. L'embranchement menant au parking du Dreamscape était plongé dans l'obscurité. Je le trouvai à l'intuition plus qu'autre chose. L'abordai trop vite. Glissai en débordant de l'asphalte. Mes roues s'enfoncèrent dans la terre meuble du bas-côté. Je crus m'être embourbé. Mais alors le caoutchouc prit appui sur quelque chose de ferme, et je revins sur la route. Je passai devant le parking, me dirigeant vers la jetée. Mais en m'approchant et tandis que le Dreamscape réapparaissait, je vis que ça ne marcherait pas. Bien qu'aucune lampe ne fût allumée à bord, le navire avançait déjà lentement le long de la jetée, partant vers le large.

Même si je piquais un sprint, il n'y avait aucune chance pour que je le rattrape et saute à bord.

Je freinai et m'arrêtai en dérapant. Passai en marche arrière, tournai le volant, et remontai en hâte sur l'autoroute. Je tournai de nouveau à gauche, en direction du petit bourg de Crystal Bay, essayant de me rappeler quelle route j'avais accidentellement empruntée quand j'étais allé sur le Dreamscape rencontrer Ford et Teri.

La route apparut. Je sortis de l'autoroute et descendis à toute vitesse un étroit ruban de chaussée, atteignis le bas d'une colline, tournai à droite, puis à gauche, et entrai sur le parking près de la petite plage. Je me garai et descendis.

Un rapide coup d'œil à travers les arbres, vers le lac, ne me montra que des eaux sombres. Le Dreamscape n'avait pas pu s'éloigner beaucoup en si peu de temps. Ce qui signifiait que Nick O'Connell n'avait pas allumé les feux du navire, et effectuait une traversée illégale dans le noir en direction des profondeurs. Une bonne brise du large courait au-dessus de l'eau depuis le sud-ouest. Je tournai légèrement la tête pour que mes oreilles n'entendent pas le bruit du vent. Et je perçus, depuis le lac, le ronronnement de lointains moteurs diesels qu'on poussait à fond.

Je fis descendre Spot de la Jeep et composai le numéro de Diamond pour le mettre au courant. Je tombai sur son répondeur. Je lui dis d'appeler, raccrochai et courus jusqu'à la location de bateaux où j'avais parlé au gérant des « Hors-bord de Jackie ». Dans la cabane de plage, j'avais vu le tableau où toutes les clés pendaient comme des boucles d'oreilles.

Les vibrations du Dreamscape filant dans la nuit me parvinrent plus fort qu'auparavant, le son porté par la brise, tandis que le gros navire sortait de Crystal Bay.

Les hors-bords racés étaient alignés sur la plage, attendant un dernier week-end chaud où quelques touristes de l'arrière-saison voudraient s'ébattre dans les eaux froides. Il y avait deux tailles de bateaux, les uns conçus pour deux ou trois personnes, et des plus petits qui ne pouvaient porter qu'un passager.

Je lus le numéro inscrit sur l'un des plus grands et courus jusqu'à la petite cabane qui servait de bureau. La porte était si branlante que je n'eus qu'à donner un peu de l'épaule à côté du loquet pour l'ouvrir.

Je trouvai une petite lampe de bureau à l'intérieur et l'allumai. Le tableau d'accrochage n'était plus là. Je regardai dans le classeur métallique. Sous le comptoir. Rien. Il avait emporté les clés chez lui.

Au coin droit du bureau était posée une note annonçant « commence à poser problème, moteur irrégulier, a besoin d'une révision. » Une des clés était scotchée à la note. L'étiquette imperméable de la clé portait le numéro d'immatriculation. Je le mémorisai à la lumière de la lampe. Sortis en courant et trouvai le bateau correspondant. C'était un des plus petits. Pas moyen de faire monter Spot avec moi. Peut-être même ne démarrerait-il pas. Mais je n'avais pas d'autre choix.

Spot courut autour de moi tandis que je tirais le hors-bord à travers la brève étendue de sable et le mettais à l'eau. Il dansait sur les vagues, l'arrière touchant à peine la grève.

Je me demandai si le petit bateau avait une cale qui risquait d'accumuler des gaz explosifs. Je ne vis pas d'interrupteur de pompe. Un seul moyen de m'en assurer.

J'appuyai sur le starter. Le moteur tourna un peu, accrocha une fois, puis plus rien. Je le relançai à de nombreuses reprises. Il ne démarrait pas. Peut-être était-il comme certains moteurs de voiture, que l'on peut, uniquement au starter, nettoyer de leur excès de gaz en accélérant à fond.

Je tirai la manette de l'accélérateur jusqu'au bout et fis tourner le moteur. Après plusieurs révolutions, je laissai l'accélérateur retomber au point mort.

Il toussa, démarra, toussa encore. Je continuai de démarrer et lui donnai un léger coup d'accélérateur.

Le moteur s'alluma et démarra, tournant de façon très irrégulière. Il devint un peu plus régulier tandis que la vitesse du sur-place augmentait, puis se remit à tousser sans cesse.

Peut-être, s'il se réchauffait un peu...

J'appelai Spot et trottai vers la Jeep. À mi-chemin, je me rendis compte qu'il n'était pas venu. Je me retournai pour regarder derrière moi.

Spot se tenait sur la plage près du hors-bord, immobile, et me regardait. Il comprenait que j'allais le laisser dans la Jeep.

Je l'appelai de nouveau.

Il se tourna vers les eaux noires du lac.

Je réfléchis. Il valait presque toujours la peine d'amener Spot avec moi. Mais je ne voyais pas comment le faire monter dans le bateau.

Le hors-bord toussa, puis reprit son ronronnement. Je parcourus la plage du regard. Vis quelque chose qui me donna une idée. Probablement une idée ridicule.

À l'autre bout de la rangée de hors-bord, en haut de la plage, il y avait une petite annexe en fibre de verre, sans doute utilisée pour emmener les gens à bord des bateaux qui étaient amarrés à des corps-morts. Enroulée au fond de l'embarcation, une courte amarre était attachée à un taquet.

Le petit bateau était étonnamment lourd. Je soulevai le plat-bord et le traînai jusqu'au rivage, à côté du hors-bord. La ligne de proue était juste assez longue pour que je l'attache à l'un des crochets encastrés dans l'arrière du hors-bord et laisse environ quatre mètres cinquante entre les deux embarcations, distance suffisante, espérais-je, pour remorquer l'annexe sans engendrer d'instabilité.

— Spot. Dans le bateau, dis-je en claquant des doigts.

Je lui montrai l'embarcation.

Spot me regarda. Il avait déjà tâté de mes idées délirantes, dont plusieurs avaient concerné des bateaux.

— Allez. Monte. Tu ne voulais pas que je te laisse. Et il n'y a pas assez de place dans le hors-bord.

Il mit la tête dans l'annexe, la flaira, fit deux pas en arrière, me regarda à nouveau.

J'allai au hors-bord, le poussai à l'eau. Les hors-bords étant conçus pour n'être utilisés que de jour, il n'y avait pas de feux de position, ce qui me convenait parfaitement.

Je répétai mon petit discours à Spot. Il ne comprenait pas les mots spécifiques. Mais les chiens saisissent le sens des phrases au ton de la voix. Je savais qu'il comprenait ce que je voulais. Mais je savais aussi qu'à un quelconque niveau de cognition canin, il se demandait lui aussi si ce n'était pas une idée complètement stupide.

Il était monté dans un vaste éventail de petites embarcations, et même sur une planche de surf. Mais il avait aussi failli succomber à l'hypothermie dans les eaux glaciales du lac Tahoe. Depuis lors, il approchait tout déplacement sur l'eau avec scepticisme.

Je traînai l'annexe à l'eau. Elle flottait près du hors-bord. Spot restait sur le sable sec, les yeux tournés vers moi. Dans la faible lueur d'une lointaine lampe de parking, je voyais sa tête. Oreilles pointues dressées vers l'avant. Curiosité. Mais son front se ridait de profonds sillons. Inquiétude. Ce qui signifiait qu'il avait compris le message.

— Encore une fois, mon gars, dis-je en ramenant le canot sur la plage de sable. Monte. (Je lui indiquai à nouveau le petit bateau.) Dépêche-toi.

Spot s'approcha, contempla un moment l'intérieur, puis leva une patte antérieure et la posa dans le canot. Il tangua dangereusement.

— Allez.

Il posa l'autre patte dedans. J'agrippai la petite embarcation pour l'empêcher de se retourner. Il fit sauter ses pattes arrière à l'intérieur, puis se dressa, les quatre pattes écartées, tandis que le bateau tanguait sous lui.

Dans le passé, j'avais tenté d'enseigner à Spot à s'accroupir pour plus de stabilité quand il se trouvait dans un véhicule en mouvement. Je n'avais jamais réussi à l'obliger à se coucher quand il était sur une plateforme brinquebalante, mais il avait appris à poser son arrière-train et à garder les pattes avant bien écartées.

Je le mis en position entre les deux sièges de l'annexe, puis pataugeai jusqu'au hors-bord. Je montai à bord, à califourchon sur le siège. Le bateau avait une lanière de sécurité fixée à l'interrupteur de contact. Je la glissai autour de mon poignet. Si je tombais à l'eau, le moteur du bateau s'arrêterait, et Spot ne serait pas entraîné à travers le lac sans moi. Je saisis la barre, pressai l'accélérateur et donnai assez de gaz au moteur pour qu'il avance doucement jusqu'à ce que l'amarre entre les deux embarcations soit tendue. Puis j'accélérai lentement, surveillant dans la pénombre pour voir si mon bateau aspergeait Spot.

Le hors-bord toussait, sifflait et avait des hoquets, mais il lui restait assez de puissance pour tirer l'annexe sans effort apparent. Des nuages de gouttelettes s'élevaient derrière moi vers les côtés. Je vis Spot secouer la tête, et sus donc qu'un peu d'eau l'atteignait, mais au peu que je parvenais à voir dans l'obscurité, cela avait plus l'air d'une forte brume que d'un jet suffisant pour le tremper.

Spot gardait la tête en avant dans le vent, exactement comme lorsqu'il la passe par la vitre de la voiture. Comme tous les chiens, quand il s'agit d'avoir de l'air dans la figure, Spot part du principe que si un peu d'air est agréable, beaucoup doit l'être encore plus.

Bientôt, j'étais à 40 km/h, et le hors-bord n'indiquait en rien qu'il y eût la moindre limite à sa vitesse.

Je me dis que le bateau serait assez rapide pour rattraper le Tahoe Dreamscape, même si ce dernier était à plein rendement. Mais je ne savais pas si l'annexe suivrait à cette vitesse sans chavirer et éjecter Spot. Je ne cessais de me retourner pour surveiller derrière autant que devant. La petite embarcation frôlait l'eau, flottant dans mon sillage de gauche à droite, et inversement, dans une douce oscillation. De temps à autre, sa proue se soulevait sous la pression du vent et la tête de Spot disparaissait momentanément. Mais la ligne de remorquage empêchait le bateau de monter trop haut. J'avais mis Spot dans une situation ridicule. Nous devions ressembler à une scène extraite d'un livre du Dr Seuss[7].

Rattraper le Dreamscape se compliquait du fait que j'ignorais sa position. Avec le ronflement du hors-bord, je n'entendais plus les gros moteurs ronronnants du yacht. Je scrutai l'horizon tandis que nous filions vers le vaste vide obscur du lac Tahoe aux heures qui précèdent l'aube. Si la silhouette noire du Dreamscape passait entre moi et les lumières du rivage, je le verrais peut-être. Mais de grandes portions de la rive est sont constituées de parcs sauvages, et aucune lumière n'y brillait.

J'avais modifié ma trajectoire vers la gauche, en direction de cette rive, pensant que si le Dreamscape se trouvait dans cette direction, il me faudrait en être proche pour le trouver dans la nuit.

Le Dreamscape était un gros navire, long de trente mètres, avec le type de coque conçu pour fendre les grosses vagues de l'océan. Ce n'était pas un bateau conçu pour aller vite. Mais Ford Georges s'était vanté de son gros groupe de moteurs diesels, et m'avait affirmé que le Dreamscape pouvait pousser à 19 nœuds. Je pressai

---

7   Theodor Seuss Geisel (1904-1991), auteur de célèbres livres pour enfants dont *Le Chat chapeauté* et *Le Grincheux qui voulait gâcher Noël*, adapté au cinéma sous le titre *Le Grinch*. (*N.d.T.*)

donc l'accélérateur du hors-bord et atteignis progressivement les 50 km/h. L'eau commence à paraître dure sous la coque d'un bateau lorsqu'on dépasse les 50 km/h. L'annexe rebondissait plus fort, mais Spot était toujours dedans. Après avoir parcouru environ un kilomètre et demi dans l'eau, je revins au point mort. Le hors-bord et le canot continuèrent sur leur lancée et ralentirent pour pratiquement s'immobiliser. Le petit bateau flotta vers moi.

— Eh, ta grandeur, lançai-je en tirant sur la ligne de remorquage et en disposant les deux embarcations côte à côte. Je tendis la main pour frotter vigoureusement la tête de Spot. Il était trempé d'embruns froids.

Il se dressa sur les pattes arrière, tendit une patte vers le platbord. L'annexe tangua sous son poids déplacé.

— Désolé, gars. Un passager par bateau. Il faut te rasseoir.

J'écoutai les ténèbres. Les vibrations des diesels du navire invisible étaient plus fortes. Elles provenaient de notre côté bâbord à environ onze heures trente, ce qui le situait entre nous et la rive est obscure, juste un peu au nord du manoir Thunderbird.

— Recule, dis-je à Spot. Assis.

Il m'ignora.

Je tirai son embarcation en avant contre le hors-bord et poussai sur son dos pour le ramener en position assise. D'une petite poussée sur sa proue, le canot recula jusqu'à ce que l'amarre soit de nouveau tendue.

Comme je m'apprêtais à reprendre la barre, le cri torturé d'une femme retentit à travers le lac depuis la direction du yacht invisible. Le cri strident monta de ton, augmenta de volume, et se fit tremblant, horrifié.

Chapitre 49

Tandis que le cri d'Anna s'estompait en ce qui me parut un râle d'agonie étouffé, je repris ma vitesse antérieure et accélérai encore pour voler à travers les eaux noires à 65 km/h. Je nous fis décrire une grande courbe vers la gauche, visant la partie orientale du lac plongée dans l'obscurité.

Il n'y avait qu'une légère brise, de sorte que les ondulations du lac étaient faibles. Mais même les petites vagues transmettaient des secousses éprouvantes au hors-bord qui filait. En jetant un coup d'œil en arrière, je vis Spot assis le plus bas possible, les pattes avant étalées au maximum. Le petit bateau faisait des bonds alarmants, semblant par moments décoller de la surface un bref instant. Je craignis qu'il ne chavire. Mais si Anna était encore en vie, si je voulais avoir une chance de la sauver...

Mon portable sonna dans ma poche. Je l'en sortis et regardai l'écran.

— Diamond, criai-je.

— *Sí*. Vous vouliez quelque chose.

— Parlez fort, criai-je. Je vous entends à peine. Je cherche à rattraper le Dreamscape. Nick le Couteau est vivant. Il tient Anna et il a pris le Dreamscape.

— Street m'a appelé concernant Nick, cria-t-il. Vous allez monter à bord du Dreamscape ? me demanda-t-il d'une voix lointaine par-dessus la plainte du hors-bord.

— Je vais essayer.

— Vous êtes à bord d'une vedette ? cria-t-il.

— Un de ces petits hors-bords.

— Je vais appeler Bains. Nous pourrons peut-être le délester d'un hélico.

— Ne vous occupez pas de ça pour l'instant, hurlai-je. J'ai une question.

— Quoi ? hurla Diamond à son tour.

— Je veux vous donner des noms. Portia, Jessica, Viola, Nerissa, Lucentio. Qu'est-ce qu'ils signifient pour vous ?

— Rien, sinon que ce sont tous des noms tirés de Shakespeare.

— Quel genre de noms ?

— Juste des personnages. Sans doute des noms courants dans les années 1600 et quelques.

— Et Kent, Hortensio, Rosalind et Celia ? Y a-t-il un point commun entre leurs personnages ?

— Je ne suis pas expert de Shakespeare.

— Vous l'êtes, comparé à moi, hurlai-je. Réfléchissez.

— Rien de commun, cria Diamond. Ils proviennent tous de pièces différentes. *Le roi Lear*, *La Mégère apprivoisée*, *Le Marchand de Venise*. Des tragédies, des comédies, des tragi-comédies.

— Réfléchissez encore, criai-je.

— Désolé. Rien ne me vient. Vous croyez qu'Anna est toujours en vie ?

— Peut-être. Mais il faut que je sache, pour ces noms.

— Qu'est-ce que je peux dire, Owen ? Ce ne sont que des noms !

— D'accord, merci, criai-je.

— Attendez ! lança Diamond.

— Quoi ?

— Ce sont peut-être les déguisements, cria-t-il.

— Comment ça ?

— Tous ces personnages, ce qu'ils ont en commun. Ils ont tous utilisé des déguisements pour que les gens les prennent pour quelqu'un d'autre.

— Exactement ce qu'il me fallait. Merci.

Je raccrochai.

Huit cents mètres plus loin je distinguai le Dreamscape, sa silhouette massive à peine visible devant le rivage obscur. Aucune lumière ne brillait sur ses ponts, ni au moindre hublot. On aurait dit un vaisseau fantôme. Où que Nick détienne Anna sur le bateau, il n'y avait rien pour en révéler l'emplacement.

Le hors-bord allait bien plus vite que le yacht. Je m'approchai derrière la proue du gros navire, glissant pour m'introduire progressivement sur la principale vague de son sillage afin de ne pas prendre trop d'air.

Tandis que le hors-bord se soulevait légèrement et retombait, je pivotai sur moi-même pour voir l'annexe décoller. Un moment, dans l'obscurité, je ne vis plus Spot. Mon ventre se noua. Le canot retomba d'un coup sec sur l'eau, bien plus fort que le hors-bord. Puis je vis Spot, aplati par l'impact, le poitrail contre le plancher de l'embarcation.

Le bateau ne se retourna pas. Je me concentrai à nouveau sur le vaisseau fantôme qui ronflait dans les ténèbres.

Le centre du sillage du Dreamscape était une large bande d'eau plate, ondulée par les bulles provenant de ses hélices. Le hors-bord et le canot semblaient tous deux glisser latéralement sur la surface bouillonnante.

Je ralentis le hors-bord à 40 km/h en approchant le coin bâbord de la poupe du Dreamscape. À cause de l'obscurité et des embruns rugissants qui provenaient du yacht, il était difficile d'évaluer précisément la vitesse à laquelle je m'en approchais. Je ne voulais pas prendre le risque de m'écraser contre sa coque.

Restant à quelques mètres du gros navire, j'essayai de déterminer le meilleur moyen de monter à bord du Dreamscape. Je pourrais sauter sur le yacht en lâchant l'accélérateur. La lanière de sécurité se dégagerait, arrêtant le hors-bord. Mais alors Spot partirait à la dérive. Je devais d'abord faire monter Spot à bord du Dreamscape.

— Vous êtes un homme mort, McKenna ! cria une voix masculine couvrant les ronflements du yacht et du hors-bord. La même voix irrégulière et dure que j'avais entendue à ma première rencontre avec le preneur d'otage, à la proue du Tahoe Dreamscape. Nick le Couteau.

Je levai les yeux et vis une vague silhouette noire se découper sur le ciel nocturne étoilé. Il se tenait à l'arrière du pont supérieur. Comme il se déplaçait, je distinguai son bras gauche enveloppant une silhouette plus petite, tenant la personne devant lui.

Anna.

Nick leva le bras droit vers l'arrière. Tout en tenant Anna devant lui du bras gauche, son corps eut un mouvement brusque en avant tandis que son bras droit décrivait un rapide arc de cercle vers le bas, comme un lanceur de baseball décoche une balle rapide. Je ne vis pas de projectile, mais le mouvement de son bras était dirigé sur moi. Je barrai brusquement vers la gauche. Le hors-bord fit une embardée. J'entendis un fort craquement de fibre de verre derrière moi.

Je me retournai. Juste derrière le siège, un grand javelot était fiché dans l'arrière du hors-bord.

Chapitre 50

L'adrénaline envahit mon organisme. J'avais du mal à respirer. Le javelot était haut d'un mètre quatre-vingts. Il penchait progressivement en arrière vers l'eau, son extrémité pointue soulevant le vinyle, le rembourrage et la fibre de verre. Je ramenai le bateau vers la droite. Le mouvement fit basculer la lance sur la gauche. Elle se détacha du siège et tomba dans le lac.

Je gardai la main sur l'accélérateur et me mis à diriger le hors-bord de droite à gauche, slalomant derrière le yacht en mouvement.

— Vous ne m'avez pas entendu, McKenna ? Vous allez au fond du lac, exactement comme Kyle. Et quand j'en aurai fini avec la fille, elle vous rejoindra.

— Owen ! cria Anna. Partez d'ici pendant que vous le pouvez. Il vous tuera, Owen. Il est… arrgh…

Sa voix s'étouffa.

De la main gauche, je cherchai le taquet auquel était attachée l'amarre du canot. Je donnai un peu de mou en la tirant, fis un rapide mouvement du poignet pour enrouler le cordage autour, puis défis le nœud coulant. Ma main supportait maintenant toute la traction de l'annexe avec Spot à bord. L'amarre semblait me scier la main.

Je me forçai à ne pas lever les yeux et à me concentrer plutôt sur ma tâche.

Tout en guidant le hors-bord de droite à gauche pour faire une cible difficile à atteindre, je visualisai la façon dont j'allais monter à bord. Le plus important serait d'agir très vite, afin que Nick ne puisse pas facilement me viser avec un autre javelot. J'allai de droite à gauche encore deux fois, puis passai à l'action.

Je me rapprochai du côté tribord, pris un peu de recul, puis lançai le hors-bord. L'annexe tirait comme pour me démettre le bras gauche. Je fonçai en avant dans l'obscurité. En passant devant la traverse du Dreamscape côté tribord, je sautai du hors-bord sur la plateforme d'abordage du yacht, le bout de remorquage du canot toujours en main.

La traction était trop forte. Elle était sur le point de m'arracher à la poupe pour me précipiter dans l'eau. Je battis de l'autre bras, ne saisissant que de l'air. Le bout de mes doigts effleura quelque chose. Je me penchai, essayant de gagner quelques centimètres. Je tâtonnai frénétiquement dans la nuit.

Mes doigts saisirent le montant de l'échelle à l'avant de la plateforme d'abordage.

La lanière ayant été tirée du contact du hors-bord, le moteur se tut ; le bateau se mit immédiatement au point mort et disparut dans l'obscurité, en frôlant l'annexe.

Le yacht vibrait sous mes pieds en filant sur le lac.

L'échelle d'abordage était courte et verticale. Elle passait par-dessus la traverse et rejoignait le pont des embarcations. Le montant auquel je me tenais était éloigné de la traverse d'environ quinze centimètres. Je glissai un de mes genoux derrière le montant pour me soutenir, puis ramenai le bout de remorquage, une main après l'autre. J'essayais de faire vite afin de minimiser le temps pendant lequel Spot et moi serions des cibles faciles pour Nick.

Quand la proue du canot toucha la plateforme d'abordage, je passai l'amarre autour du montant et fis rapidement un nœud coulant. J'attrapai la proue de l'annexe et hissai d'un coup la moitié de la coque sur la plateforme.

— Spot ! Viens !

Il se leva.

Un autre javelot s'écrasa sur la plateforme d'abordage, juste à côté de la proue du petit bateau, à mi-chemin entre Spot et moi. Sa pointe entra dans l'un des étroits interstices entre les planches. Il s'y enfonça sur la moitié de sa longueur avant que la friction ne l'immobilise. Il n'y avait pas d'autre lumière que celle des étoiles, mais le javelot était si proche que j'en discernai les dessins irréguliers, noir sur blanc. Je les avais déjà vus, mais ne me rappelais pas où.

Je saisis le collier de Spot. Il fit un petit bond tandis que je le tirais hors de son embarcation. Je l'attirai à moi et le couchai, suffisamment près de la traverse pour, espérai-je, être hors de la vue du tueur posté sur le pont au-dessus.

Dans un support de la traverse, il y avait une barre à bout incurvé, utilisée pour aider les nageurs à grimper sur la plateforme. J'ôtai mon coupe-vent, l'enroulai autour de la barre et le tint en vue de l'homme au-dessus de nous. Je le déplaçai de façon à ce qu'il puisse être pris pour moi montant l'échelle en direction de la traverse.

Un troisième javelot se ficha directement dans la veste.

— Spot, vite !

Je tirai Spot sur ses pattes. Plaçai ses pattes avant sur le haut de l'échelle. Soulevai ses pattes arrière pour les positionner sur les échelons. Avec une poussée de ma part, Spot bondit par-dessus la traverse. Je sautai derrière lui, espérant que nous ne mettions pas assez de temps pour permettre à Nick de saisir un autre javelot et de se mettre en position.

Je faillis cogner Spot en saisissant son collier et en plongeant en avant. Nous heurtâmes la paroi avant du pont des embarcations, qui se trouvait sous l'extrémité allongée du pont supérieur.

Je respirai profondément, réalisant ce qui m'avait échappé depuis le début.

Je me souvenais du dessin des javelots. C'étaient les tiges qui soutenaient les lanternes sur le pont du Tahoe Dreamscape. En les soulevant de leurs supports, et en détachant les lanternes, on disposait d'une arme mortelle. Il y en avait un certain nombre, toutes alignées sur le pont arrière supérieur du navire de croisière de Ford et Teri Georges. Placées là à l'avance pour pouvoir servir d'armes. Et c'était sur le bateau que j'avais vu l'emballage égaré qui ressemblait à un étui pour lentilles de contact. Des lentilles qui, comprenais-je maintenant, n'avaient pas été commandées pour corriger la vision, mais pour faire paraître les yeux de Nick d'un bleu intense.

Je criai en direction de Nick le Couteau, qui se trouvait probablement toujours sur le pont au-dessus de moi.

— C'était une stratégie impressionnante, Nick. Détourner votre propre bateau en tant que Nick le Couteau tandis que votre nouvelle identité de Ford Georges vous fournissait une couverture. Le détournement m'a berné. Il a mis en mouvement un plan qui me pousserait à trouver Anna pour vous.

— Oui, répondit-il. Mourir était une idée de génie, pas vrai ? (Sa voix était tout juste audible à cause des ronflements des moteurs et du vent.) Ça et la fausse identité originaire de Wichita, Kansas.

— Si je m'étais montré plus attentif, je vous aurais démasqué depuis longtemps.

— Mais vous ne l'avez pas fait, McKenna. Et vous serez bientôt mort, tout comme cette fille. J'aurai son anneau, et vos cadavres ne seront jamais retrouvés. J'ai pris la direction des Patriots. Je commence à construire mon empire.

Je ne voyais pas du tout comment l'atteindre. Dès que j'apparaîtrais en haut de l'escalier menant au pont supérieur, il me transpercerait la poitrine d'un javelot. Si je continuais de le faire parler…

— Quel était le but ? criai-je. Trouver le trésor de l'ancêtre d'Anna et de Grace, et le vendre pour payer le crédit du bateau ?

Je me tournai et passai les mains sur la paroi arrière du pont des embarcations, cherchant quelque chose, n'importe quoi, que je pourrais utiliser pour essayer de désarmer cet homme.

Nick ne répondit pas tout de suite à ma question. Je craignis qu'il ne se soit déplacé. Si je ne savais pas où il était, je raterais mon coup. Quand il reprit, sa voix était mélancolique. Je l'entendais à peine à cause des grondements du yacht.

— C'est vrai, les croisières ne paieront jamais un crédit aussi important que celui de ce bateau. Mais ça n'a pas d'importance. L'important, c'est que je mérite le trésor du Chinois. Je suis le seul héritier de ma grand-mère maternelle. C'était Katherine Mulligan, petite-fille de Seamus Mulligan qui a perdu la vie à cause de ce Chinetoque. Si le Chinois était resté chez lui en Chine, mes ancêtres auraient été riches. J'aurais été riche. L'argent m'appartient. Il ne servait à rien de lui faire remarquer que Mulligan avait essayé de lyncher son voisin chinois Gan Sun.

Par-dessus le ronflement du yacht me parvint un grognement. Un javelot se ficha en vibrant dans le pont, à trente centimètres de ma jambe. Je sursautai et m'éloignai précipitamment, tirant sur le collier de Spot. Je me rendis compte que Nick était allé au bord du pont supérieur et se penchait par-dessus la rambarde, se remettant à tirer sur Spot et moi.

— Bien essayé, Nick, criai-je. (Je voulais le pousser à douter de lui-même.) Mais vous ne connaissez même pas votre propre bateau si vous croyez pouvoir me toucher de là-haut. Je suis hors de votre champ de vision.

Je me penchai vers Spot et murmurai :

— Allons-y, Spot.

Je tirai sur son collier, et nous montâmes les quelques marches séparant le pont des embarcations du pont arrière, où l'escalier montant vers le pont supérieur était large et ouvert, et offrirait une ligne de visée bien nette vers nous. Je tirai Spot dans le passage latéral menant à la proue du bateau.

La vue sur le lac montrait que les lumières du rivage, dans toutes les directions, étaient aussi éloignées les unes que les autres, ce qui suggérait que nous approchions du milieu du lac. Il y avait un groupe de lumières lointaines qui ressemblait à Tahoe City. Ces lumières se trouvaient à quatre heures par rapport au Dreamscape. Ce qui voulait dire que nous nous dirigions vers le sud, vers un point situé au sud d'Emerald Bay. La plage de Baldwin, peut-être. À quinze ou vingt kilomètres. Si personne n'atteignait la passerelle de commandement à temps pour arrêter le Dreamscape, et si aucun autre bateau ne nous barrait la route, nous toucherions terre dans environ trente minutes.

Je devais arracher Anna à l'étreinte de Nick et arrêter le bateau avant que cela n'arrive.

Mais Nick connaissait les principes de base qui rendent les otages si séduisants pour les psychopathes : prendre un otage rend toute intervention discutable. Toute action qui vise l'agresseur met également en danger la vie de la victime. En plein jour, et dans des conditions idéales, un tireur peut parfois abattre le preneur d'otage sans blesser l'otage. Mais cette situation n'avait rien à voir avec le fait de se trouver sur un yacht étranger, et non éclairé, en pleine nuit. Je pourrais peut-être trouver le moyen d'allumer quelques lampes, mais cela ne ferait de Spot et moi que des cibles plus faciles. J'avais besoin de créer la surprise en agissant de manière plus dangereuse pour Nick que pour Anna.

L'escalier principal menant au pont supérieur se trouvait à l'arrière de la salle à manger. Spot et moi l'avions déjà largement dépassé. Nous continuâmes vers l'avant par le couloir tribord.

Au milieu du yacht se trouvaient des échelles, une de chaque côté. Elles montaient du niveau principal au pont supérieur, juste à l'arrière de la passerelle. Quand nous parvînmes à l'échelle côté tribord, je vis dans la pénombre une bouée de sauvetage accrochée au mur extérieur du salon. Elle comportait un cordage qu'on avait enroulé proprement et accroché à un taquet. J'avais dans la poche le couteau pris à Manny dans l'enceinte des Red Blood Patriots. Je m'en servis pour couper le lien à l'extrémité fixée à la bouée.

Des grilles métalliques s'étendaient sous les rampes. Je coupai un morceau de la corde et m'en servis pour tendre une ligne du panneau grillagé de gauche à celui de droite. Je positionnai la corde à environ vingt centimètres au-dessus de la marche la plus basse. Spot passa la tête à côté de moi, se demandant ce que j'étais en train de faire.

— Tu vois ça, Spot ? murmurai-je. Ne trébuche pas là-dessus.

Il ne connaissait pas les mots, mais peut-être l'aideraient-ils à se souvenir que la corde était là. Je lui posai la truffe dessus.

Ensuite, je passai avec Spot à l'avant du salon, revins en arrière par le couloir bâbord, et nouai une corde de la même façon en travers de l'échelle du côté bâbord du yacht. Je lui posai également la truffe dessus.

De là, nous retournâmes au pont inférieur arrière et approchâmes l'escalier principal depuis le côté. Je murmurai à l'oreille de Spot :

— Assis.

Je ne voulais pas qu'il passe devant l'ouverture de l'escalier, parce que son pelage blanc à taches noires était tout le contraire d'un camouflage dans la pénombre.

Je coupai un autre morceau de corde, plus long, et l'attachai en travers du large escalier, me déplaçant rapidement pour minimiser les risques de recevoir un javelot dans la poitrine. Quand j'eus terminé, j'avais installé un piège dangereux en travers des trois principaux escaliers menant du niveau principal au niveau supérieur. Si Nick se prenait les pieds dedans en descendant l'un des escaliers, il tomberait sur une bonne distance. Mon espoir était que s'il tenait toujours Anna, la distance ne serait pas assez grande pour la blesser sérieusement, mais suffisante pour assommer Nick.

Je tirai Spot jusqu'au recoin obscur derrière l'escalier principal. Sur un bateau éteint, de nuit, le recoin fournissait un abri encore plus efficace. Nous attendîmes, Spot couché en position prêt à bondir, coudes écartés, pattes arrière ramassées. Je m'accroupis à côté de lui.

Je prévoyais que Nick se lasserait de m'attendre, et qu'il emmènerait bientôt Anna dans la passerelle de commandement pour ralentir le bateau avant que nous ne nous approchions trop du rivage. Mais le bateau ne ralentit pas. Aucune lumière ne s'alluma au-dessus de moi. Je n'entendis aucun mouvement humain, seulement le ronflement régulier des moteurs du yacht.

Après une longue minute d'attente, tandis que le Dreamscape continuait de foncer à travers le lac, je commençai à me dire que j'avais commis une erreur. Il m'avait fallu si longtemps pour installer mes pièges que Nick aurait aisément pu faire descendre Anna par l'escalier arrière pendant que je travaillais sur les escaliers situés au centre du bateau. Ou peut-être y avait-il un autre escalier, ou une échelle dont j'ignorais l'existence. Quand Nick m'avait fait visiter le bateau, jouant le rôle de l'ancien agent d'assurances Ford Georges, il s'était vanté d'avoir plus d'une douzaine d'escaliers, d'échelles et d'écoutilles permettant de se déplacer verticalement entre les quatre niveaux du navire.

J'observai les lumières du rivage dans le lointain. Le monde avait légèrement pivoté. Au lieu de se diriger en ligne droite vers le coin sud-ouest du lac, le bateau semblait décrire un arc de cercle progressif vers l'ouest. Il faisait trop sombre pour y voir clairement, mais j'avais l'impression que nous allions tourner vers Emerald Bay. J'espérai me tromper. Sinon, nous toucherions le rivage bien plus tôt que je ne l'avais pensé. Et au lieu de toucher terre sur une pente douce et sablonneuse comme la plage de Baldwin, il était possible que nous nous échouions dans un terrain rocailleux. Une collision avec des rochers serait bien plus brutale qu'avec du sable.

Au bout d'une autre minute, je ne pouvais plus attendre.

En me penchant, une jambe en avant et l'autre en arrière, je réussis à positionner ma cuisse devant la corde. Quand je tirai Spot, il sauta par-dessus la cuisse et la corde. Je lâchai son collier et il continua de monter l'escalier avec moi sur ses talons. Nous étions à mi-hauteur quand un terrible cri étouffé retentit quelque part sous mes pieds.

— Spot, viens ! dis-je en tournant les talons et en sautant quatre marches au-dessus de la corde. Je touchai le pont et pivotai sur moi-même, essayant de percevoir d'où le cri pouvait provenir. Spot descendit après moi, sautant lui aussi au-dessus de la corde.

Il n'y avait plus le moindre bruit, juste le grondement régulier et monotone du yacht lancé à grande vitesse.

Je tirai sur les portes menant à l'escalier inférieur, mais elles étaient verrouillées. Ces portes étaient en acier. Les forcer ne serait pas simple.

Puis je me rappelai les multiples écoutilles que Nick O'Connell/ Ford Georges avait mentionnées. J'avais essayé celle du pont avant. Les seules autres écoutilles que je connaissais se trouvaient à l'intérieur du salon verrouillé.

J'essayai de respirer, de réfléchir. Quand Teri Georges avait parlé de la personne qui était montée à bord pendant son absence – je savais maintenant que c'était une histoire bidon pour me détourner de la piste de son mari – elle avait mentionné l'écoutille et l'escalier menant de la passerelle au salon.

Je fonçai, sautai par-dessus la corde de l'un des escaliers centraux et montai deux marches à la fois vers le pont supérieur.

Spot me suivit et resta à côté de moi tandis que je traversais en courant le vaste pont et gravissais les quelques marches menant à la passerelle.

La porte était verrouillée. Je descendis sur le pont et soulevai l'une des tiges en forme de javelot qui servaient de supports aux lanternes. Elle glissa hors de son support. En faisant tourner le javelot comme un long bâton, il était facile de faire sauter la lanterne de son autre extrémité. Je n'avais jamais lancé le javelot, mais il était naturellement équilibré. Je visai et le lançai sur la vitre obscure de la porte de la passerelle. Le javelot fit exploser le verre trempé en minuscules fragments. Je passai la main à travers et déverrouillai la porte. Il valait la peine de prendre le temps de ralentir le bateau.

Je trouvai des interrupteurs à bascule sur le mur et les actionnai, espérant qu'ils allumeraient des lampes, mais rien ne se passa. Je cherchai à tâtons dans l'obscurité les manettes d'accélération. Il y avait deux leviers qui semblaient être les bons, mais se trouvaient en position d'arrêt. Ils partirent mollement vers l'avant et revinrent quand je les poussai. Nick devait les avoir déconnectés en lançant le bateau à pleine vitesse. En m'accroupissant, je tendis le bras sous le panneau de contrôle. J'agitai mon bras dans le noir, espérant trouver des câbles d'accélérateur pendants. Il y avait deux câbles, une manette et quelques fils. Rien ne changea quand je tirai et poussai dessus. Je saisis fermement les fils et les arrachai.

Le navire filait toujours à travers le lac, sans ralentir.

Je me relevai et passai les mains sur la surface du panneau, tâtonnant dans le noir à la recherche de la clé de contact. Je ne la trouvai pas. Je tournai des boutons et actionnai des interrupteurs. Rien ne changea.

Au moins, je pouvais éviter le désastre en faisant virer le bateau de façon à ce que nous décrivions des cercles. Je saisis le gouvernail et le fis tourner. Il tournait à vide, déconnecté du mécanisme de guidage.

Nick avait visiblement prévu ce type de possibilité et s'était arrangé pour que les contrôles puissent être déconnectés. Il y avait probablement un second cockpit, plus petit, au niveau principal, peut-être derrière une porte fermée à l'avant du salon, ou là-haut, sur le pont de la passerelle, au-dessus de ma tête. Peut-être existait-il un moyen de n'activer qu'un cockpit à la fois. Mais Nick ne m'avait pas montré ça quand il avait joué son rôle de Ford Georges et m'avait fait visiter le bateau.

Du côté bâbord de la passerelle, juste derrière le siège du second, se dressait une écoutille verticale. Elle n'était pas verrouillée et s'ouvrit pour révéler une échelle. Je montai sur l'échelle et étais descendu à mi-chemin du salon quand je réalisai que Spot était resté en haut.

J'avais besoin de lui.

Je remontai, me penchai sur lui et lui entourai l'abdomen de mes bras.

— OK, mon gars. Ce n'est pas compliqué. L'arrière-train d'abord, exactement comme les humains pour descendre une échelle.

Je me dirigeai vers l'échelle, le traînant avec moi. Je posai ses pattes avant sur le barreau. Il ne pouvait pas le saisir, mais l'échelon supporterait une partie de son poids pour que je n'aie pas à le porter.

J'étais dans une précipitation proche de la panique, mais j'avais besoin de le rassurer par une voix calme.

— Tu te rappelles l'échelle qui descendait dans la mine pendant le feu de forêt ? lui dis-je. C'est la même chose. Sauf qu'il n'y a pas de fumée cette fois, pas de braises qui tombent. Facile comme tout.

Je lui soulevai l'arrière-train, fis passer ses pattes arrière par-dessus le rebord de l'écoutille et les guidai pour les placer sur le premier échelon.

— Bravo.

Spot résista tandis que je tendais un pied et le posais sur un barreau.

Il était grand et fort, et je n'aurais pas pu le traîner contre son gré si nous nous étions trouvés dehors, sur la terre ferme. Mais je le maintenais fermement, et nous descendions, ce qui faisait de la gravité mon alliée. Je réussis à le tirer avec moi au-dessus de l'ouverture dans le sol. Ses pattes arrière s'agitèrent. Mais il descendit l'échelle avec les pattes avant, comme un chien de cirque bien dressé. Un instant plus tard, nous étions descendus dans le salon plongé dans les ténèbres.

Nous traversâmes la salle à manger qui se trouvait derrière et courûmes jusqu'à l'escalier. Je le descendis rapidement, tâtant les marches des pieds, les murs de mes mains. Spot me suivit sans hésitation.

Au pied de l'escalier se trouvait le grand salon aux airs de bordel. Je songeai à aller dans la salle des machines pour voir si je trouverais un moyen d'arrêter les moteurs. Mais je ne ferais sans doute que perdre plus de temps à tourner des valves et à actionner des interrupteurs sans résultat.

J'allai aux portes avant du salon, passai dans le couloir des cabines de luxe et trottai jusqu'à la petite salle de repos.

Un rai de lumière filtrait au bas de la porte de la cabine avant. Je tendis le bras et actionnai doucement la poignée.

Verrouillée. Peut-être cette porte était-elle en acier, elle aussi. Je n'aurais su dire dans le noir.

Je n'avais pas le choix.

Mon meilleur coup de pied latéral est puissant. Mais je décidai que le long couloir offrait une meilleure approche. Je reculai d'environ six mètres et manœuvrai Spot pour le placer derrière moi, afin de ne pas le heurter en courant. Pour me guider dans le noir, je repérai bien le mince rai de lumière filtrant sous la porte de la cabine. Puis je bondis en avant comme un coureur sortant des starting-blocks.

Je rentrai le coude et heurtai la porte avec le haut du bras et l'épaule.

La porte partit en morceaux, des bouts de bois explosant vers l'intérieur. J'essayai de me maintenir debout. Mais mes pieds ne parvinrent pas à suivre mon élan, et je tombai en dérapant, comme pour toucher une base de baseball du bout des doigts.

Chapitre 51

Je terminai ma glissade tête la première dans la grande cabine de luxe située à l'avant. Je m'attendais à voir s'éparpiller des chats aux noms shakespeariens, mais il n'y en avait aucun. Anna était sur le lit, les bras levés au-dessus de la tête. Elle essayait de crier, mais un bâillon démesuré ressemblant à une taie d'oreiller était fourré dans sa bouche et noué autour de sa tête. Nick, debout à côté du lit, tournait le dos au poêle à bois. Il avait passé un adhésif dans le lien plastique de ses poignets et était occupé à le tirer jusqu'au montant gauche du lit. Teri maintenait les mains d'Anna. Elle tenait une pince coupante et s'en servait sur l'annulaire d'Anna. L'anneau d'or brillait à travers un sang rouge foncé. Derrière Teri, dans un énorme pot de céramique placé d'un côté du lit, jaillissaient en bouquet les tiges décorées qui servaient de supports aux lanternes du pont supérieur.

Les javelots.

Quand je touchai le sol, Nick bondit, réagissant avec une rapidité mortelle. Il prit un tisonnier dans un râtelier à côté du poêle et tenta de me frapper à la tête. Le tisonnier manqua son coup de peu et résonna sur le sol. Je le saisis au rebond, le lui arrachai de la main et le lançai au loin. Nick plongea sur moi.

Je le savais fort, mais son attaque frénétique et maniaque semblait posséder une force redoublée. Nous nous empoignâmes et roulâmes au sol.

Il me lâcha du bras droit, me donnant un gros avantage. Je parvins à me placer sur lui, une main sur son poignet gauche, l'autre sur sa gorge. Au dernier moment, je pris conscience de ma folie.

Son bras droit remonta armé d'un couteau étincelant. Je me penchai en avant et lui donnai un coup de tête au visage. La lame me manqua de quelques centimètres.

Nous étions trop proches pour que j'atteigne la main qui tenait le couteau ; j'enfonçai donc le coude dans la chair de son bras, juste sous l'épaule. Il hurla. Le couteau tomba au sol dans un bruit métallique. Je le saisis et le lançai dans le coin. Puis je décollai sa tête du sol d'une dizaine de centimètres et la lui cognai contre le plancher. Nick se relâcha.

— Spot, surveille-le !

Spot me regardait. Je lui pris la tête, le dirigeai vers Nick, le secouai un peu.

— Surveille-le !

Je me tournai vers le lit.

Teri Georges était en train de s'écarter d'Anna, une intensité féroce dans son regard qui parcourait la pièce. Ses bras étaient tendus devant elle, et elle tenait le tisonnier des deux mains comme s'il s'était agi d'une batte de baseball. Ses bras semblaient encore aussi forts que ceux d'une pom-pom girl. Elle avait un air dément.

— Vous deviez savoir que vous lier à Nick O'Connell présentait un risque énorme, dis-je en essayant de la distraire.

Je me déplaçai latéralement, les mains ouvertes, prêt à la voir frapper.

Elle plissa les yeux.

— Difficile de croire qu'il vous a convaincue de le suivre dans son projet d'assassiner Grace, dis-je.

— Vous ne savez pas de quoi vous parlez, répliqua-t-elle.

Je me rapprochai. Elle leva le tisonnier plus haut, comme un batteur attendant le lancer.

Elle serra les mâchoires, et un souvenir me revint brusquement. Trois ans plus tôt. La cousine de Grace essayant de se remettre du meurtre. La même mâchoire serrée. Un regard qui m'avait inspiré de l'empathie, alors. Du mépris, maintenant.

— En tant que Melody Sun, repris-je, vous meniez une existence agréable. Vous auriez pu partager l'éventuelle fortune de Grace. Au lieu de ça, vous avez simulé votre suicide et vous êtes enrôlée dans le projet malsain de Nick.

— C'était une conasse moralisatrice. (La voix de Melody évoquait le sifflement d'un serpent à sonnette.) Tellement supérieure avec ses idéaux et ses rêves. Tout le monde adorait Grace. Ça me rendait malade. Grace, avec sa charmante maladresse, et son corps masculin, et ces mains gigantesques. Au lieu de lui rendre la vie difficile, ça la lui a facilitée. Je m'en sortais mieux à l'école, mais elle avait toujours le meilleur emploi. Je suis arrivée seconde au concours de reine des terminales. J'étais meilleure musicienne. Je savais dessiner et peindre. J'avais une bonne coordination, j'étais sportive. Les garçons m'appréciaient.

Sa voix avait pris un ton plaintif.

— Mais Grace passait toujours la première. Les gens avaient pitié de sa taille, de ses mains et de son allure masculine. Et quand elle s'est retrouvée enceinte, elle n'a même pas eu le courage de garder le bébé. Alors elle l'a fait adopter. Puis elle a eu l'audace de se plaindre que la vie était dure, que les gens méprisaient les mères célibataires. C'était une éternelle perdante.

Melody tournait en rond, tisonnier levé en position de réception, prêt à frapper.

— Je ne pouvais pas avoir d'enfants, elle si. Mais elle considérait un bébé comme un problème, pas comme un cadeau. Je détestais son attitude. Et juste au moment où je pensais avoir enfin fini de la supporter, voilà que la fille qu'elle avait fait adopter réapparaît. J'ai donc dû endurer un interminable festival de démonstrations d'amour entre les deux.

Melody lança un regard venimeux à Anna étendue sur le lit.

Anna avait l'air morte d'épuisement, son corps crispé comme s'il allait imploser. Pourtant, je vis le reflet de la lumière dans ses yeux. Elle les plissait comme pour concentrer son regard. Ce n'était pas à cause de la lumière trop vive. C'était un regard de colère, et cela me donna de l'espoir.

— Le monde entier se réduisait à Anna et Grace. Grace et Anna, reprit Melody. Au lieu que cette fille soit scandalisée que sa propre mère se soit débarrassée d'elle comme une espèce de parasite, elle se comportait comme si Grace avait été une sorte de déesse. Ça me donnait envie de vomir ! C'était suffocant, et je ne le supportais pas !

Comme elle disait ces mots, j'établis mentalement un autre lien. Un lien expliquant pourquoi Grace et sa cousine Melody ne se ressemblaient absolument pas.

— On dirait que vous haïssez le fait d'avoir été adoptée, Melody. Vous vous concentrez sur la façon dont vous-même avez été abandonnée par votre mère et élevée par l'oncle et la tante de Grace, c'est ça ? Et maintenant vous voulez punir Anna, votre parente par adoption. Vous vous êtes donc associée à Nick, et vous avez tous deux changé de nom et acheté un bateau.

Je vis Melody faire de petits mouvements révélateurs des épaules.

— Est-ce que votre plan consiste à tuer Anna ? Ça redresserait vraiment la situation, pas vrai ? dis-je en me tendant.

Melody leva le pied, fit un pas de côté comme au baseball, et donna un coup de tisonnier si fort qu'il s'envola de ses mains. L'acier taillé manqua ma tête et s'écrasa contre le mur de la cabine.

Aussi vite que j'avais suivi le mouvement, elle pivota sur elle-même et tira un javelot du pot en céramique. Elle le leva, le pointa sur moi.

— Arrêtez avec votre psychologie populaire, McKenna ! Ça ne marche pas sur moi.

— Réfléchissez, Melody. Anna est une sorte de sœur. Une autre fille adoptée. Mais vous avez tant de mépris pour votre propre espèce que vous la torturez. Cela montre ce que vous ressentez pour vous-même.

Derrière Melody, Anna gigotait sur le lit.

— Alors vous avez fait tout ce que Nick vous demandait ?

Je jetai un coup d'œil à la silhouette prostrée sur le sol. Spot surveillait toujours l'homme, mais son attention se relâchait.

— Si vous croyez que Nick a orchestré tout ça, McKenna, alors vous êtes plus stupide que je ne croyais. C'est mon plan et ma vengeance. Il est mon pion, et il a fait ce que je lui disais. Quand j'ai défoncé le crâne épais de Grace, il est si stupide qu'il a dit qu'il me laisserait le faire accuser, en échange d'une promesse de richesse. Et quand j'ai mis la peau du tibia de Thomas Watson sous ses ongles et annoncé à Nick que ce serait Watson qu'on accuserait, il était comme un chien, haletant, attendant que je lui donne sa récompense. Il sait qu'il n'est rien de plus qu'un exécutant, un second lieutenant, un porte-couteau. Je lui ai fait miroiter la récompense ultime de l'argent, d'une nouvelle vie et de jours sans fin de gratification physique. Comme la plupart des hommes, c'est juste un stupide étalon qui ne s'intéresse à rien d'autre qu'à la jument en chaleur. Pour cette simple raison, il a fait tout ce que je lui demandais.

Je me tournai et vis Nick à terre, les yeux ouverts, fixés sur Melody derrière Spot. Je m'écartai de lui, allai à la desserte, pris une bouteille de whisky Jameson, et la tins comme un gourdin. Derrière Melody, Anna se débattait sur le lit, tirant sur la bande qui l'attachait au montant. Son regard était apeuré et furieux. Spot se retourna vers elle. Je me demandai comment détacher Anna sans me faire transpercer la tête par un javelot. Je me demandai comment utiliser Spot sans le faire embrocher, lui aussi. J'essayai de ne pas penser au yacht qui filait à travers la nuit pour aller s'écraser sur le rivage.

— Mais vous n'avez jamais trouvé le journal de Grace, dis-je. Vous n'avez jamais appris où se trouve le trésor.

Nick se servait de ses jambes pour se rapprocher peu à peu du vase contenant les javelots.

— J'en avais une idée, répondit Melody. Grace avait fait des allusions à une sorte d'inscription dans le journal, et à un cadeau qu'elle avait offert à Anna qui la complétait. Je me suis rendu compte que c'était une question d'argent et que l'anneau en faisait partie. J'ai envoyé Davy Halstead vous surveiller. Quand vous avez retrouvé Anna, et que Davy l'a suivie là où elle séjournait, j'ai demandé à Nick de l'enlever et de faire taire Davy pour de bon. Nick aime jouer les durs. Exactement comme quand ce milicien, Kyle, m'a appelée pour me dire qu'il avait surpris une conversation me concernant. Je lui ai dit qu'il pouvait participer à mon plan s'il aidait Nick à détourner le bateau. Kyle était si obtus qu'il n'a rien soupçonné jusqu'à ce que Nick le balance dans le lac. Mais le génie de mon plan consistait à vous pousser à faire sortir Anna de sa cachette.

Elle se retourna et eut un ricanement méprisant pour Anna.

— Cette vile créature était si soupçonneuse qu'elle ne répondait pas à mes e-mails raisonnables. Mais vous avez été le parfait pigeon. Je savais que vous découvririez son existence et la contacteriez. Je savais qu'elle se renseignerait sur vous. Je savais qu'elle s'informerait de votre réputation et apprendrait que tout le monde pense qu'Owen McKenna et son gros crétin de chien représentent une sorte de zone de sécurité. Ils n'ont pas idée de leur erreur. Il était évident qu'Anna sortirait du bois et se précipiterait vers votre faux confort. Alors je récupérerais l'anneau, et la forcerais à me dire ce que je veux savoir.

Le bras de Nick se tendit brusquement et saisit un javelot dans le pot. Je plongeai sur lui, attrapant la hampe. Nous roulâmes, l'arme entre nous. J'étais sur le point d'appeler Spot, mais Melody entra dans ma vision périphérique, javelot levé.

Elle le lança.

Je me tordis.

La pointe du javelot ricocha sur ma jambe, touchant la masse nerveuse à l'intérieur de mon genou. La jambe m'élança, comme une douleur électrique. Je ne pouvais plus bouger.

Spot saisit la cheville de Melody, et elle poussa un cri.

Nick bondit à côté du lit. Leva son javelot vers l'arrière, sa grosse pointe acérée visant ma poitrine.

Anna se plia soudain en deux sur le lit dans un spasme, baissant les bras et tirant pour se soutenir sur la bande qui la retenait. Elle lança un rapide coup de pied frontal en l'air au-dessus de son corps et heurta le menton de Nick de l'avant de sa plante de pied. Il laissa tomber le javelot. Tituba en arrière. Porta la main à son visage.

Anna se tordit de côté, lança un autre coup, plus bas. Son pied lui percuta le plexus solaire. Brutalement.

Nick grogna et se plia en deux.

Je tendis la main vers le tisonnier, mais l'électricité nerveuse dans ma jambe jouait toujours le rôle de pistolet paralysant, et m'immobilisait.

Nick s'avança en titubant, sauta par-dessus mon corps, et sortit en courant de la cabine. Je me mis péniblement à genoux.

— Spot ! criai-je, espérant que Nick n'avait plus d'arme sur lui.

Spot lâcha la cheville de Melody. Elle se pencha, tendant les mains pour serrer sa jambe là où il l'avait mordue.

Spot me regarda, avec une expression de confusion et d'enthousiasme mêlés. Il me renifla le visage. Je lui entourai le poitrail d'un bras. Le secouai pour souligner mes propos. Levai l'autre bras.

— Trouve le suspect ! (Je fis le geste de lui indiquer la direction, baissant la main vers le couloir obscur où Nick avait disparu.) Trouve le suspect et abats-le !

Je lui donnai un coup sur l'arrière-train.

Spot fila dans l'obscurité.

Il y eut un mouvement derrière moi. Je pivotai sur moi-même. Melody avait saisi un javelot. Elle le lança vers moi d'un geste entraîné.

Je fis un bond de côté. Le javelot s'écrasa dans le mur à côté de ma tête. Il se cassa en deux avec un bruit sec. Des échardes de fibre de verre se mirent à pleuvoir autour de moi.

Melody tendait la main vers le dernier javelot du vase, mais j'étais debout. Je ramassai celui que Nick avait laissé tomber et boitillai vers elle. Un peu de sensation me revenait dans la jambe, mais elle céda quand j'essayai de mettre mon poids dessus. Je sautai sur ma jambe valide.

Melody ramena son javelot en arrière pour le lancer. Son regard était démoniaque.

Je modifiai ma prise sur le mien. Le balançai tandis qu'elle lançait le sien.

Ils se heurtèrent, l'un d'eux se brisant et se pliant en deux. Ils tombèrent à terre.

Enragée, Melody courut dans le coin et ramassa le couteau de Nick. Elle le brandit devant elle et me chargea, avec un rugissement guttural. Je me laissai tomber à terre. Tendis la jambe.

Melody essaya de m'enjamber, mais son pied se prit dans ma jambe. Elle tomba. Atterrit sur les mains, le couteau glissant hors de sa portée. Sa mâchoire heurta le coin de la porte cassée.

Elle s'effondra.

Je boitillai vers le couteau. Le portai jusqu'à Anna. Coupai la corde et l'adhésif qui lui liaient les mains. Sortis son bâillon. L'aidai à se mettre en position assise.

— Vite ! criai-je, espérant que l'ordre la sortirait de son état de choc.

Je la tirai et la mis debout.

Nous enjambâmes Melody, passâmes la porte et pénétrâmes dans le couloir plongé dans le noir.

Ma jambe n'était qu'une masse de piqûres d'épingles, les nerfs essayant de se remettre du coup de javelot. Je traversai le couloir obscur en trébuchant, tâtant les murs d'une main, traînant Anna de l'autre.

Nous traversâmes le salon et montâmes l'escalier à tâtons. Je ne pouvais monter qu'avec ma jambe valide, et le gravis donc par bonds, deux marches à la fois à cloche-pied, tirant la jambe engourdie derrière moi.

De sous l'escalier nous parvenaient les puissantes vibrations des moteurs. Les portes étaient fermées par des barres à l'intérieur ; nous les ouvrîmes.

Nous sortîmes sur le pont arrière. La lueur des étoiles et les lumières lointaines du rivage étaient fortes comparées à l'obscurité au-dessous de nous. À l'est apparaissait la très faible lueur de l'aube naissante. Je cherchai autour de moi Spot ou Nick, mais ne vis rien.

Le yacht continuait sa trajectoire ronflante à travers le lac.

Je tirai Anna dans le passage latéral en direction de la proue, guettant l'apparition de Nick.

S'il avait monté l'escalier, peut-être Spot l'avait-il rattrapé. Mais s'il avait escaladé une échelle et franchi l'une des nombreuses écoutilles, Spot pouvait toujours être à sa recherche. Nick nous attendait peut-être, un autre javelot levé et prêt à l'attaque.

Quand nous approchâmes de la proue, je regardai devant moi et vis que le ciel étoilé avait été remplacé par la masse sombre de la montagne au-dessus de nous. Droit devant, des ténèbres impénétrables. Je m'arrêtai un instant, essayant de donner un sens à ce que je voyais. Puis je compris.

Nous nous dirigions tout droit sur les falaises de Rubicon. Elles paraissaient distantes de moins de quatre cents mètres. Le Tahoe Dreamscape était à environ quarante-cinq secondes de l'impact contre une dure paroi de granit.

Et je ne savais pas où était Spot.

— Spot ! appelai-je. Spot !

S'il était à proximité, il m'entendrait peut-être. Sinon, mes appels seraient noyés par le rugissement du yacht lancé à pleine vitesse.

Nous parvînmes à l'avant du salon.

J'essayai d'ouvrir la porte.

Toujours verrouillée.

Spot pouvait être coincé à l'intérieur.

Je serrai les dents contre la douleur de mes nerfs et donnai mon meilleur coup de pied latéral dans la vitre de la porte du salon. Le verre se brisa.

Je tendis la main, trouvai le loquet, tournai la poignée.

Anna entra avec moi.

— Spot !

Je traversai en courant l'obscurité du salon. Passai la tête dans la salle à manger.

— Spot ! Ici !

Il n'y eut pas de réponse.

Je retournai en courant à l'avant et regardai par la porte ouverte. Les falaises de Rubicon s'élevaient progressivement dans le ciel au-dessus de nous.

Quelque chose bougea. Une forme bizarre à la pointe de la proue.

Je tirai Anna derrière moi et traversai le pont avant.

C'était Spot. Il se dressait au-dessus de Nick, couché sur le dos. Les mâchoires de Spot entouraient le cou de l'homme. Je connaissais cette posture. Ce n'était pas une manœuvre visant à mordre, mais à maintenir.

Malgré la faible lueur des étoiles, je distinguais la peur dans les yeux de Nick.

— Bien joué, Spot !

Je maintins fermement Anna et la tirai avec moi vers le portillon de la passerelle, dans le garde-fou latéral de la proue. Je l'ouvris et le fis glisser de côté. Au-dessous, des flots noirs se mêlaient à l'écume des vagues de la proue.

— Vous savez nager ? criai-je pour couvrir le ronflement du yacht.

— Quoi ? Oui. Pourquoi ?

Je lui indiquai la muraille rocheuse. La falaise se dressait au-dessus de nous. Nous étions à moins de vingt secondes de l'impact.

— Le bateau va s'écraser. Vous devez sauter. Maintenant.

— Vous êtes fou, dit-elle.

Malgré l'obscurité, je vis qu'elle était terrifiée.

— Non. Je suis sérieux. Sautez.

— Je ne pourrai jamais sauter, cria-t-elle d'une voix paniquée.

Je me tournai à nouveau vers la muraille rocheuse qui approchait rapidement.

— Ce sera très froid, dis-je. Mais nous viendrons vous chercher. Ça prendra une minute ou deux.

— Quoi ? cria-t-elle.

Je la soulevai et la jetai, hurlante, dans l'eau noire et glacée.

Son cri s'interrompit lorsqu'elle toucha l'eau, et le bateau continua sa course folle.

Je courus vers Spot.

Il avait toujours les mâchoires sur la gorge de Nick.

Je passai la main dans le collier de mon chien et regardai la haute muraille.

Le grondement du Dreamscape croissait exponentiellement, le son se réverbérant sur le mur vertical de la falaise. Nous avions peut-être trois secondes au maximum.

— Spot, viens ! hurlai-je.

Je saisis son collier et courus avec lui vers le portillon ouvert dans le garde-fou. En m'en approchant, je resserrai ma prise sur son collier au cas où il déciderait d'hésiter.

Nous bondîmes vers le haut, décrivant un grand arc de cercle, six jambes pédalant dans la nuit. L'impact de l'eau glacée fut dur.

La température, un choc qui me coupa le souffle. Un instant plus tard, le Dreamscape heurta la falaise.

L'impact fut un tonnerre explosif, suivi du bruit du métal éclatant, grinçant, se tordant, se déchirant tandis que le bateau s'écrasait contre l'immuable paroi de granit. La proue s'effondra et se désintégra, suivie par la partie médiane du yacht. La première vague de l'impact nous atteignit, nous souleva, nous poussa en arrière. Je tenais toujours le collier de Spot, et je pataugeais de mon mieux, nous écartant de l'impact autant que je pouvais.

Une deuxième vague, rebondissant sur la roche, nous frappa. Celle-ci était plus grosse et plus houleuse. Nous fûmes secoués et ballottés. J'inhalai de l'eau. Spot luttait pour nager sur la vague. Je continuai de le tirer.

Les moteurs du yacht continuèrent à ronfler pendant plusieurs secondes tandis que la poupe s'élevait, ses hélices exposées à l'air. Dégagées de la résistance de l'eau, les hélices tournaient de plus en plus vite, dans un hurlement strident et croissant. Puis vint une explosion étouffée, suivie d'un crissement de métal déchiré. Le gémissement des hélices baissa rapidement de ton avant de s'arrêter. Il fut suivi d'un silence subit, inquiétant.

Je m'agitais dans l'eau. Spot nageait en cercle serré autour de moi.

Ce qui restait de la moitié antérieure du yacht avait disparu sous l'eau, soulevant la poupe encore plus haut jusqu'à ce que l'épave soit pratiquement verticale, l'annexe toujours attachée à l'échelle du pont des embarcations et pendant comme un cafard mort dans la nuit obscure. Puis la poupe et l'annexe retombèrent à la façon dont la queue d'une baleine claque sur l'eau. Tandis que la masse de l'épave du Dreamscape plongeait sous l'eau, j'entendis les flots déferler à l'intérieur pour remplir le vide qui les aspirait.

La poupe était sur le point de disparaître. Je me rendis compte que l'annexe flottait encore. Je lâchai Spot et nageai dans sa direction de mon crawl le plus rapide. Je serais peut-être aspiré dans le tourbillon provoqué par l'épave en train de couler. Mais Anna était là quelque part, en danger d'hypothermie. Tout comme

Spot. Et moi.

Nous avions besoin du canot.

J'attrapai le petit bateau et tirai sur le bout de l'amarre où j'avais fait le nœud coulant. La ligne de remorquage se détacha. L'annexe dansait sur les vagues provoquées par l'impact. Je gardai la ligne en main et m'éloignai à la nage de l'épave du yacht.

Il y eut un dernier gémissement, un grincement strident de métal déchiré en deux lorsque le Dreamscape disparut sous la surface. Je sentis la traction d'un courant puissant sur mes jambes, essayant de m'aspirer vers le fond dans les ténèbres glaciales. Le courant faiblit. Puis, de très loin au-dessous, me parvint le crissement irréel du métal submergé frottant contre les falaises sous-marines de Rubicon. Le bruit fut suivi d'un silence effrayant, puis du petit gargouillis des remous suscités par l'énorme yacht entamant sa descente le long d'une des plus hautes falaises sous-marines de la planète.

Je trouvai Spot environ vingt mètres plus loin. Malgré l'eau glacée, il avait encore de la force. Je passai ses pattes avant par-dessus le plat-bord du canot. Puis je poussai de la hanche sous ses pattes arrière. Il décolla et sauta dans le petit bateau.

Spot se tint la tête baissée par-dessus la proue tandis que je nageais avec l'annexe vers l'intérieur du lac noir.

— Anna ! criai-je. Anna ! Où êtes-vous ?

Je nageai encore vingt mètres.

— Anna ! Anna !

Mes muscles commençaient à se figer sous l'effet du froid.

Je lançai une jambe par-dessus le plat-bord du bateau. Ce dernier s'inclina en direction de l'eau. Spot se rapprocha, aggravant la situation.

— Spot ! Couché ! Couché !

Il s'assit.

Je me hissai, passai un bras dans le bateau, donnai un grand coup de pied, et roulai par-dessus le plat-bord, m'étalant à l'intérieur.

Spot se jeta sur moi.

— Laisse-moi me lever, Spot !

Je me levai. Le petit bateau tangua. Menaça de chavirer.

— Anna ! Anna !

Je scrutai l'obscurité. Des frissons me secouaient le corps.

— Anna !

J'entendis un petit bruit sur un côté. Me tournai. Criai encore.

— Anna !

Un peu plus loin, je distinguai un minuscule objet clair à la surface de l'eau d'un noir d'encre. L'objet bougeait.

Je sautai à l'eau, corde en main.

— Anna !

Je m'approchai d'elle. Elle crachotait. Ses bras remuaient. Battant de façon désordonnée. Le visage dansant dans les vagues. Elle avala de l'eau, s'étrangla, puis aspira l'air.

Je la saisis par-derrière pour la porter à la façon d'un maître-nageur.

— Je vous tiens, Anna. Respirez profondément. Vous êtes en sécurité. Nous allons vous faire monter dans le canot. Il est là, sur votre droite. Je pose votre main sur le bateau. Accrochez-vous. C'est ça. Maintenant, l'autre main. Bien.

Cette fois, Spot conserva sa position assise, pattes écartées.

— OK, Anna, accrochez-vous bien pendant que je fais passer votre pied par-dessus le rebord. D'abord le gauche. C'est ça. Maintenant, accrochez-vous au bateau avec les mains pendant que je vous pousse dedans. Prête ? On y va.

Je passai la main droite sous sa hanche pendant que ma main gauche tenait le bateau. Je craignais qu'il ne bascule exagérément, que l'eau passe par-dessus le plat-bord et le fasse couler. Je donnai donc mon plus fort coup de pied en poussant Anna dans les airs, comme si je cherchais à marquer un record mondial au basket.

Anna s'écroula dans le bateau. Elle toussa, s'étouffa, haleta. Quand elle entonna une grande plainte larmoyante, je sus qu'elle s'en sortirait.

L'eau glacée sapait mes forces, mais je me dis que je pourrais tenir encore deux minutes.

J'enroulai la corde autour de ma taille et la nouai, tournai vers le nord, et remorquai à la nage la femme et mon chien vers la plage située à l'extrémité nord des falaises de Rubicon.

ÉPILOGUE

Tard dans la matinée, le docteur Lee sortit des urgences pour nous parler, à Street et à moi, dans la salle d'attente.

— Anna va s'en tirer. La pince coupante lui a entaillé la chair jusqu'à l'os sur les côtés du doigt, mais les tendons au-dessus et en dessous ont été épargnés.

Street ferma les yeux et sa respiration s'accéléra.

— L'anneau était vraiment serré. J'ai dû l'enlever pour la recoudre. En recourant au truc de la main froide, de l'anneau chaud et de la glycérine.

Il me le tendit.

— Elle a dit que vous aimeriez sans doute le voir.

J'acquiesçai.

— Inscription intéressante en chinois sur la bague, ajouta-t-il.

— Vous avez pu distinguer quoi que ce soit ? demandai-je.

— Oui. Le hanzi gravé dans l'or vaut nettement mieux qu'une écriture brouillée sur du papier. Les caractères étaient inscrits à l'intérieur comme à l'extérieur de l'anneau. D'après ce que j'ai pu déchiffrer, ça dit : « Comme cet anneau est venu d'une eau courante, la source de ses sœurs se trouve à six pas du Palais céleste en direction des eaux calmes. »

*
**

Trois soirs plus tard, nous emportâmes une pelle, un maillet, un ciseau, une truelle, un balai, un sac de mortier, et un bac à mélanger. Jennifer Salazar n'était pas en ville, mais nous avait laissés emprunter son petit runabout neuf. La pluie était froide et insistante, mais le vent s'était calmé, et nous traversâmes directement le lac vers Emerald Bay. Nous avions monté la capote en nylon, mais le panneau central du pare-brise était ouvert, et Spot se dressait dans le passage pluvieux entre les deux moitiés du pare-brise. Ses pattes antérieures étaient posées sur le siège avant, sa tête trempée par la pluie dressée et pointée, comme le buste sculpté à la proue d'un grand voilier. Diamond occupait le siège du capitaine à droite, pilotant le bateau avec la raideur convenant à un type qui avait grandi à Mexico, et n'avait jamais mis le pied sur un bateau avant de trouver un emploi dans le service du shérif de Douglas County.

Anna était assise sur le siège gauche, de l'autre côté de Spot. Street et moi occupions le banc à l'arrière. Les eaux étaient calmes. Diamond voguait à mi-vitesse, juste assez pour maintenir le bateau à plat, et le ronflement du moteur était assez faible pour nous permettre de parler d'une voix forte, mais sans crier.

— Ce bateau, demanda Anna, et cette énorme maison où nous l'avons emprunté, à qui appartiennent-ils ?

— Une jeune femme aux moyens substantiels, répondit Diamond.

Street raconta à Anna comment nous avions rencontré Jennifer Salazar deux ans plus tôt, et comment elle en était venue à posséder une vaste fortune et à pratiquer une philanthropie personnelle dont mes poursuites après des malfaiteurs bénéficiaient à l'occasion.

Street continua :

— Jennifer a également appelé plusieurs de ses amis et leur a dit de passer le mot concernant les chats qui appartenaient à Nick et Melody. Et les gens du refuge qui les ont récupérés au domicile de Nick pensent qu'ils vont leur trouver à tous un nouveau foyer.

Comme nous approchions de l'entrée d'Emerald Bay, Diamond ralentit à la vitesse minimale. Nous glissâmes lentement à travers l'étroit passage.

Les principaux campings étaient fermés pour l'hiver prochain, mais plusieurs bateaux étaient amarrés dans le lointain à la jetée des campings. Bien que la pluie atténue la façon dont le bruit porte au-dessus de l'eau, il était vital que nous n'attirions pas l'attention de gens qui pourraient se trouver à Emerald Bay, et nous parlions en chuchotant. Une fois passée l'étroite ouverture de la baie et loin des récifs, Diamond éteignit les feux de position. Il n'y avait plus rien que de très noirs nuages, sur lesquels se découpaient des montagnes encore plus noires, pour l'aider à estimer la forme de la baie.

Je plongeai la main dans mon sac, en tirai quelques bouteilles d'eau et les passai aux autres.

— Pour quoi faire ? demanda Street.

— Carburant. Nous avons peut-être une longue nuit devant nous.

— Génial, comme carburant, répliqua Diamond.

— Pas l'eau. Le pain.

— Tu as refait du pain ? (Street haussa le ton.) Après ta dernière débâcle ?

— Chut. Et ce n'était pas une débâcle. C'était juste un galop d'essai.

— Street m'en a parlé, dit Diamond. Apparemment, vous avez développé un nouveau type de ciment perfectionné.

Je sortis le pain, le fis passer autour de moi et le fis suivre d'une gamelle de camping que j'avais remplie de cheddar piquant. Tout le monde détacha un morceau de pain.

— Oh, mon Dieu, marmonna Street la bouche pleine.

— Vous avez assuré, mon gars, déclara Diamond.

Anna se tourna vers Street dans la pénombre.

— Un homme qui fait du pain aussi bon, dit-elle, doit être un vrai magicien en cuisine.

Street se mit à glousser.

— Pas tout à fait la description que j'en donne habituellement, répondit-elle.

Après vingt minutes de lente croisière, Fannette Island apparut dans la pénombre devant notre proue, côté bâbord. Je la montrai du doigt, et Diamond hocha la tête. Spot tourna la tête pour la contempler. Ce qui ressemblait à une minuscule bosse depuis l'autoroute de montagne au-dessus devenait une énorme butte noire vue d'un petit bateau sur le lac.

Diamond effectua une correction et nous passâmes à côté de l'île, à quinze mètres à peine de son rivage. Les vagues qui léchaient son périmètre de granit étaient assez fortes pour couvrir le bruit de notre moteur au ralenti.

Nous abordâmes sur la large bande de sable près de l'endroit où l'Eagle River se jetait dans le lac, au bout d'Emerald Bay. Diamond sauta par-dessus la proue, se mouillant les pieds dans l'eau peu profonde. Il tira le bateau et le remonta assez loin sur la plage pour que nous puissions mettre pied à terre sur du sable uniquement mouillé par la pluie. Pendant que je tirais une corde vers un arbre, Spot courut en tous sens sur la plage, avide de trouver la source de toutes les odeurs nocturnes ravivées par la pluie.

Au fond, dans la forêt, se dressait le château de Vikingsholm, aux fenêtres obscures et menaçantes, à la tourelle évoquant un lieu destiné à emprisonner les princesses médiévales.

J'entourai Street et Anna de mes bras. Avec Diamond devant nous, nous formions un petit groupe informel.

Je murmurai :

— À l'arrière du Vikingsholm, du côté éloigné du lac, il y a les anciens quartiers des domestiques. Quand Lora Knight a fait don de la propriété au Service des parcs californiens, ils ont décidé qu'il serait logique de faire dormir deux ou trois employés dans ces quartiers, plutôt que de les obliger à venir en voiture tous les jours. Ils dorment peut-être en ce moment. Ou pas. Mais si nous sommes discrets, ils ne nous entendront peut-être pas du côté du lac.

Nous restâmes silencieux tous les quatre en remontant la plage vers la forêt, où le château de Vikingsholm dressait sa masse sous la canopée sombre des pins ponderosa géants et les montagnes s'élevant à neuf cents mètres au-dessus de nous.

Je tournai le dos à la porte du château, fis six pas en direction du lac et m'arrêtai.

— Est-ce que les pieds vous picotent ? murmura Diamond.

Anna eut un petit rire nerveux.

Je sortis le maillet et le ciseau à froid, et me mis à découper les joints de mortier entourant l'une des plaques de granit qui constituaient le vaste patio d'entrée. Le son métallique du ciseau sur le mortier résonnait. Mais j'espérais qu'on ne l'entendrait pas de la façade arrière du château.

Street avait un stylo-torche. En entourant l'extrémité de sa main, elle pouvait l'allumer de temps à autre sans répandre trop de lumière sur les côtés. Mais la plupart du temps, elle l'éteignait par sécurité, et je travaillais dans le noir. Je frappais le ciseau du maillet au jugé, manquant ma cible presque aussi souvent que je la touchais. La pluie avait rendu le maillet glissant, de sorte que même quand je réussissais à frapper le ciseau, le maillet dérapait souvent et me cognait la main.

Après un martèlement interminable, j'avais découpé le mortier sur tout le périmètre de la première grande dalle. Diamond et moi nous plaçâmes à un bout, et Street et Anna prirent chacune un côté. Anna ne pouvait travailler que d'une main, mais c'était une forte femme, et son aide était nécessaire.

Nous glissâmes le bout des doigts sous la pierre et, à grands efforts, la fîmes basculer sur une extrémité. Diamond et moi la fîmes rouler comme une grande roue trois mètres plus loin, et l'appuyâmes contre le mur du château.

Je pris la pelle et me mis à creuser. Le sol était sablonneux, et la lame de la pelle pénétrait sans trop d'effort. Un mètre plus bas, je m'arrêtai pour reprendre mon souffle.

— À quelle profondeur penses-tu qu'il l'aurait enterré ? demanda Street.

— Sais pas.

— On devrait peut-être essayer à côté.

Je me mis donc à genoux et attaquai la dalle suivante, découpant au ciseau le mortier qui l'entourait. Elle était un peu plus petite que la première et à nous quatre, nous la soulevâmes et la fîmes rouler plus loin comme si nous avions fait rouler du granit depuis des années.

Cette fois, ce fut Diamond qui creusa. Il descendit, puis partit vers le côté, si persistant et énergique qu'on aurait cru qu'en faisant plus d'efforts il inciterait le trésor enfoui à se matérialiser sous nos pieds.

— Ce patio pourrait avoir été pavé de neuf plusieurs fois au fil des ans, murmura Anna dans l'obscurité. Quelqu'un qui disposait d'une tractopelle a pu trouver ce qui était enterré ici. Ou bien la quantité totale d'argent ou d'or n'était peut-être pas très importante. Le tout pourrait tenir dans une petite bourse, et nous creuserions à côté dans le noir sans jamais la remarquer. Nous aurions dû apporter un détecteur de métaux. Pourquoi n'avons-nous pas apporté de détecteur de métaux ?

— J'en avais l'intention, dis-je, mais j'ai oublié.

— On en a même parlé, intervint Diamond.

— J'ai merdé. Désolé.

La pelle de Diamond fit un bruit métallique dans le trou.

— J'ai touché quelque chose, déclara-t-il.

Nous nous agenouillâmes tous autour du trou tandis qu'il tendait le bras et tâtait la terre du bout des doigts. Il chercha un moment, puis remonta finalement un pavé.

— Fausse alerte.

Nous découpâmes une autre dalle du patio, et je creusai un moment. Nous avions assez creusé pour que je puisse jeter de côté la terre que je pelletais, vers l'autre bout du trou qui s'élargissait. Comme je ne trouvais rien, nous nous interrompîmes pour réfléchir.

— Combien de mortier pouvez-vous préparer avec le sac que vous avez apporté ? demanda Diamond.

— Peut-être assez pour replacer les dalles que nous avons enlevées, plus une ou deux autres.

— Alors nous devrions bien réfléchir à quelle dalle nous allons enlever maintenant.

Nous reculâmes tous et contemplâmes le chantier. Street alluma sa lampe un instant. De multiples morceaux de granit remontaient vers l'enceinte extérieure du Vikingsholm. Il y avait un énorme trou au milieu du patio et, à côté, un gros tas de terre noire, humide, boueuse.

Street s'approcha de l'imposante porte d'entrée.

— Quand un Américain d'origine chinoise dit « six pas », demanda-t-elle, est-ce qu'il entend la même chose qu'un ancien flic américain, d'origine irlando-écossaise, d'un mètre quatre-vingt-dix-huit, qui fait tout à grande échelle ?

— J'ai regardé Owen mesurer la distance, intervint Diamond. Il a fait des pas très modestes.

— Modeste pour Owen pourrait signifier très grand pour Ming Sun, répondit Street.

Anna s'approcha.

— Il y avait un restaurant chinois où je mangeais souvent. Le propriétaire était un Américain d'origine chinoise de la deuxième génération, et il marchait comme ça.

Elle fit de tout petits pas.

— D'accord, dis-je. Refaites-le à partir de la porte.

Anna recula jusqu'à la porte et fit six petits pas. Elle se trouvait encore loin du trou que nous avions creusé.

— Essayons de creuser là-bas, dis-je.

Je découpai une autre dalle, et Diamond creusa avec énergie.

Cinq minutes plus tard, nous entendîmes à nouveau un bruit différent du sable qu'on creusait. Cette fois, ce n'était pas un bruit métallique, mais un bruit sourd, et Diamond répéta :

— J'ai touché quelque chose.

Il s'agenouilla et creusa avec les doigts, dégageant les contours de l'objet. Il sortit du trou un sac qui faisait à peu près la taille d'un quart de miche de pain. Il le posa par terre.

— C'est comme du cuir épais, dit-il, mais durci.

Anna tâta le sac.

— Comme s'il avait été couvert de résine de pin, dit-elle.

— Quelque chose que les insectes et les bactéries ne peuvent pas entamer, remarqua Street.

Street pointa sa torche vers le sommet du sac tandis que Diamond travaillait sur le lien. Il s'effrita entre ses doigts. Diamond ouvrit le sac. Street braqua le faisceau dans l'ouverture. Anna regarda à l'intérieur et eut un hoquet de surprise.

— Une poudre jaune brillante ! Et une pépite ! Incroyable ! Je me demande ce que ça vaut.

Diamond soupesa le sac.

— Un petit sac, mais il pèse à peu près le même poids qu'un grand sac de charbon. Peut-être dix kilos.

— Aux dernières nouvelles, l'or se vendait bien plus de mille dollars l'once, dis-je. Ça pourrait représenter beaucoup d'argent.

Diamond me dévisagea.

— Je ne suis qu'un détective privé, dis-je. Faites le calcul vous-même.

— Seize onces font une livre, dit Diamond. À seulement mille dollars l'once, ça signifierait seize mille dollars la livre. Multipliés par vingt livres, trois cents vingt mille dollars.

— Mon Dieu ! s'écria Anna.

— Chut, dis-je. Cela vous appartient de droit, mais si vous le criez sur les toits, quelqu'un va venir, et vous n'aurez pas le temps de dire « ouf » que l'État de Californie vous le prendra. Ils trouveront quelque part une mention en petits caractères suggérant que, parce que Lora Knight a fait don de ce terrain à l'État, l'or appartient également à l'État.

Anna agitait les bras dans la pénombre.

— Je pourrai faire tant de choses avec ça ! Je peux aider ces gamines. Je peux monter l'école Visez les sommets !

— Je préfère l'autre nom, dit Diamond. L'école technologique pour filles qui déchire.

— Moi aussi, dit Street.

— Nous allons remettre toute cette terre en place, déclara Diamond.

Il se mit à lancer des pelletées de terre dans le trou.

— Attendez, dit Street. Comment savoir s'il n'y en a pas davantage là-dessous ?

Diamond s'arrêta.

— Ce sac n'était pas plein. Est-ce qu'il ne l'aurait pas rempli s'il avait possédé davantage d'or ?

— Si, dit Street. Mais seulement s'il en avait juste un peu plus. En plus grande quantité, il aurait pu remplir un autre sac pour ne pas forcer sur les coutures.

Diamond creusa donc davantage et sa pelle émit un autre bruit sourd. Le trou était plus profond qu'auparavant, de sorte que Diamond s'étendit sur la dalle voisine et lança les deux bras dans le trou, d'où il tira un autre sac.

Et encore un autre.

Et deux autres après cela. Cinq sacs. Cinquante kilos ou plus.

Nous rebouchâmes le trou, sautâmes sur la terre pour la tasser, rescellâmes les dalles de granit avec du mortier, et utilisâmes le balai pour nettoyer la terre qui restait. Nous réussîmes surtout à étaler de la boue. Quand nous eûmes terminé, nous brossâmes la terre accrochée aux dalles de granit et chargeâmes les sacs d'or dans le bateau de Jennifer.

Je dénouai l'amarre, et Diamond et moi poussâmes le bateau à l'eau.

Tandis que Diamond, Street et moi nous apprêtions à monter à bord, nous nous rendîmes compte qu'Anna et Spot avaient disparu.

Nous nous retournâmes, scrutant la nuit obscure.

Au bout de la plage, là où l'Eagle River se déversait dans Emerald Bay, quelque chose bougeait. Spot était facile à distinguer à la lueur du ciel, ses zones de pelage blanc décrivant des cercles et des arcs, tournant et virant sur le sable.

Au centre de ses boucles se trouvait Anna. Elle courait sous la pluie au petit galop, prenant de brusques virages, dansant par bonds et par sprints, puis tournoyant comme une petite fille, les bras tendus, cherchant à toucher le ciel, visant les sommets.

DERNIERS TITRES PARUS CHEZ MA ÉDITIONS

Les Héritiers de Stonehenge, Sam Christer, Juin 2011

Francesca – Empoisonneuse à la cour des Borgia, Sara Poole, Novembre 2011

Francesca – La Trahison des Borgia, Sara Poole, Avril 2012

L'Évangile des Assassins, Adam Blake, Novembre 2011

Zéro Heure à Phnom Penh, Christopher G. Moore, Février 2012

Le Refuge, Niki Valentine, Février 2012

Le Sang du Suaire, Sam Christer, Mars 2012

Coeurs-brisés.com, Emma Garcia, Mai 2012

Imprimé en France. - JOUVE, 1, rue du Docteur Sauvé, 53100 MAYENNE
N° 876781N. - Dépôt légal : Avril 2012